▲ 写《班主任》时的刘心武（1977 年）

1978 年的刘心武 ▼

班主任

刘心武

▲ 短篇小说集《班主任》（1979 年）封面

班主任　　刘心武

一

你愿意结识一个小流氓，并且在结识之后，每天同他相处吗？当然，你不愿意，并且吃惊怪我何以提出这么一个荒唐的问题。

但是，当光明中学的党支部书记老曹，换一种方式向班主任张俊石老师提出这个问题时，张老师并无一丝丝可以的古怪荒唐。他只是极其严肃地沉思了一分钟左右，便断然地答说："好吧！我愿意认识认识他……"

事情是这样的：前些日子，公安局从拘留所把小流氓宋宝琦放了出来。他是因为参加一次集体斗殴活动被拘留的。经过审讯，为首的大流氓将被判刑，还有两个满了十六岁的胁从者也要送去劳教。

是什么人造成的一种社会现象谁造成的？谁？当然是"四人帮"！

一种由衷来有的，对"四人帮"铭心刻骨的仇恨，象火焰燃烧在张老师的心中。截止目前为止，在世界文明史上，还没有过"四人帮"这种

刘心武文存10

[1958—2010]

短篇小说 第一卷
班主任

刘心武◎著

江苏人民出版社

图书在版编目(CIP)数据

班主任 / 刘心武著. —南京：江苏人民出版社，
2012.11

（刘心武文存；10. 短篇小说. 第1卷）
ISBN 978-7-214-08006-6

Ⅰ.①班… Ⅱ.①刘… Ⅲ.①短篇小说-小说集-中
国-当代 Ⅳ.①I247.7

中国版本图书馆CIP数据核字（2012）第038225号

书　　　名	班主任	
著　　　者	刘心武	
责 任 编 辑	刘　焱	
统 筹 编 辑	李　丹	
特 约 编 辑	朱　鸿	
文 字 校 对	陈晓丹　郭慧红	
装 帧 设 计	门乃婷工作室	
出 版 发 行	凤凰出版传媒股份有限公司	
	江苏人民出版社	
出版社地址	南京湖南路1号A楼　邮编：210009	
出版社网址	http://www.book-wind.com	
经　　　销	凤凰出版传媒股份有限公司	
印　　　刷	三河市金元印装有限公司	
开　　　本	700毫米×1000毫米　1/16	
印　　　张	17	
字　　　数	213千字	
彩　　　插	4	
版　　　次	2012年11月第1版　2012年11月第1次印刷	
标 准 书 号	ISBN 978-7-214-08006-6	
定　　　价	42.00元	

（江苏人民出版社图书凡印装错误可向本社调换）

《刘心武文存》出版说明

　　《刘心武文存》收录刘心武自 1958 年 16 岁至 2010 年 68 岁公开发表的文字约 900 万字。《文存》共 40 卷，按文章门类收录，计有长篇小说 5 卷、中篇小说 4 卷、短篇小说 5 卷、小小说 1 卷、儿童文学 1 卷、建筑评论 2 卷、《红楼梦》研究 4 卷、散文随笔 11 卷、杂文 1 卷、海外游记 1 卷、多品种（图文交融文本、报告文学、诗歌、剧本、足球评论、译述）1 卷、创作谈 1 卷、理论批评 1 卷、早期（1958 年至 1976 年）作品 1 卷、自述 1 卷。因跨越时间达半个世纪以上，收录定有遗漏，但其此期间的主要作品，相信均已收入。

　　《刘心武文存》各卷均附有《刘心武文学活动大事记》及《刘心武著作书目》，可备检索。

　　编辑出版《刘心武文存》的目的，意在供各方面人士阅读欣赏、分析研究、批评批判、收藏保存。

刘心武文存
10

目录

班主任

一

　　你愿意结识一个小流氓，并且每天同他相处吗？我想，你肯定不愿意，甚至会嗔怪我何以提出这么一个荒唐的问题。

　　但是，在光明中学党支部办公室里，当黑瘦而结实的支部书记老曹，用信任的眼光望着初三（三）班班主任张俊石老师，换一种方式向他提出这个问题时，张老师并不以为古怪荒唐。他只是极其严肃地考虑了一分钟左右，便断然回答说："好吧！我愿意认识认识他……"

　　事情是这样的：前些日子，公安局从拘留所把小流氓宋宝琦放出来。他是因为卷进了一次集体犯罪活动被拘留的。在审讯过程中，面对着无产阶级专政的强大威力与政策感召，他浑身冒汗，嘴唇哆嗦，做了较为彻底的坦白交代，并且揭发检举了首犯的关键罪行。因此，公安局根据他的具体情况——情节较轻而坦白揭发较好，加上还不足 16 岁——将他教育释放了。他的父母感到再也难在老邻居们面前抛头露面，便通过换房的办法搬了家，恰好搬到光明中学附近。根据这几年实行的"就近入学"办法，他父母来申请将宋宝琦转入光明中学上学。他该上初三，而初三（三）班又恰好有空位子，再加上张老师有十几年的班主任工作经验，又是这个年级班主任里唯一的党员，因此，经过党支部研究，接受了宋宝琦的转学要求，并且由老曹直接找到张老师，直截了当地摆出情况，问他说："怎么样？你把宋宝琦收下吧？"

正像你所知道的那样，张老师思忖的目光刚同老曹那饱含期待、鼓励的目光相遇，他便答应下来了。

二

张老师是个什么样的人呢？

趁他顶着春天的风沙，骑车去公安局了解宋宝琦情况的当口，我们可以仔细观察他一番。

张老师实在太平凡了。他今年 36 岁，中等身材，稍微有点发胖。他的衣裤都明显地旧了，但非常整洁，每一个纽扣都扣得规规矩矩，连制服外套的风纪扣，也一丝不苟地扣着。他脸庞长圆，额上有三条挺深的抬头纹，眼睛不算大，但能闪闪放光地看人，撒谎的学生最怕他这目光；不过，更让学生们敬畏的是张老师的那张嘴。人们都说薄嘴唇的人能说会道，张老师却是一副厚嘴唇，冬春常被风吹得暴出干皮儿；从这副厚嘴唇里迸出的话语，总是那么热情、生动、流畅，像一架永不生锈的播种机，不断在学生们的心田上播下革命思想和知识的种子，又像一把大笤帚，不停息地把学生心田上的灰尘无情地扫去……

一路上，张老师的表情似乎挺平淡，等到听完公安局同志的情况介绍、翻完卷宗以后，他的脸上才显露出强烈的表情来——很难形容，既不全是愤慨，也不排除厌恶与蔑视，似乎渐渐又下了决心，但忧虑与沉重也明显可见。

张老师从公安局回到学校时，已经是下午三点钟。他掏出叠得很整齐的手绢一边擦着脑门上的汗，一边走进年级组办公室。显然同组的老师们都已知道宋宝琦将于明天到他班上课的事了。教数学的尹达磊老师头一个迎上他，形成了关于宋宝琦的第一个波澜。

尹老师和张老师同岁，同是一个师范学院毕业，同时分配到光明中学任教，又经常同教一个年级。他们一贯推心置腹，就是吵嘴，也从不含沙射影、指桑骂槐，总是把想法倾巢倒出，一点"底儿"也不留。

三

尹老师身材细长，五官长得紧凑，这就使他永远摆脱不了"娃娃相"，多亏鼻梁上架着副深度近视镜，才使他在学生们面前不至有失长者的尊严。

在这 1977 年的春天，尹老师感到心里一片灿烂的阳光。他对教育战线，对自己的学校、所教的课程和班级，都充满了闪动着光晕的憧憬。他觉得一切不合理的事物都应该而且能够迅速得到改进。他认为"四人帮"既已揪出，扫荡"四人帮"在教育战线的流毒，形成理想的境界应当不需要太多的时间。不过，最近这些天他有点沉不住气。他愿意一切都如春江放舟般顺利，不曾想却仍要面临一些复杂的问题。

关于宋宝琦即将"驾到"的消息一入他的耳中，他就忍不住热血沸腾。张老师刚一迈进办公室，他便把满腔的"不理解"朝老战友发泄出来。他劈面责问张老师："你为什么答应下来？眼下，全年级面临的形势是要狠抓教学质量，你弄个小流氓来，陷到做他个别工作的泥坑里去，哪还有精力抓教学质量？闹不好，还弄个'一粒耗子屎坏掉一锅粥'！你呀你，也不冷静地想想，就答应下来，真让人没法理解……"

办公室的其他老师，有的赞同尹老师的观点，却不赞同他那生硬的态度；有的不赞成他的观点，却又觉得他的确是出于一片好心；有的一时还拿不准该怎么看，只是为张老师凭空添了这么副重担子，滋生了同情与担忧……因此，虽然都或坐或站地望着张老师，却一时都没有说话。就连搁放在存物架上的生理卫生课教具——耳朵模型，仿佛也特意把自己拉成了一尺半长，在专注地等待着张老师作答。

张老师觉得尹老师的意见未免偏激，但并不认为尹老师的话毫无道理。他静静地考虑了一分钟，便答辩似的说："现在，既没有道理把宋宝琦退回给公安局，也没有必要让他回原学校上学。我既然是个班主任老师，那么，他来了，我就开展工作吧……"

这真是几句淡而无味的话。倘若张老师咄咄逼人地反驳尹老师，也许会引起一场火暴的争论，而他竟出乎意料地这样作答，尹老师仿佛反被慑服了。别的老师也挺感动，有的还不禁低首自问："要是把宋宝琦分到我的班上，我会怎么想呢？"

张老师的确必须立即开展工作，因为，就在这时，他班上的团支部书记谢惠敏找他来了。

四

谢惠敏的个头比一般男生还高,她腰板总挺得直直的,显得很健壮。有一回,她打业余体校栅栏墙外走过,一眼被里头的篮球教练看中。教练热情地把她请了进去,满心以为发现了个难得的培养对象。谁知让这位长圆脸、大眼睛的姑娘试着跑了几次篮后,竟格外地失望——原来,她弹跳力很差,手臂手腕的关节也显得过分僵硬,一问,她根本对任何球类活动都没有兴趣。

的确,谢惠敏除了随着大伙看看电影、唱唱每个阶段的推荐歌曲,几乎没有什么业余爱好。她功课中平,作业有时完不成,主要是由于社会工作占去的精力和时间太多了——因此倒也能获得老师和同学们的谅解。

头年夏天,张老师接任这个班的班主任时,谢惠敏已经是团支部书记了。张老师到任不久便轮到这个班下乡学农。返校的那天,队伍离村二里多了,谢惠敏突然发现有个男生手里转动着个麦穗,她不禁又惊又气地跑过去批评说:"你怎么能带走贫下中农的麦子?给我!得送回去!"那个男生不服气地辩解说:"我要拿回家给家长看,让他们知道这儿的麦子长得有多棒!"结果引起一场争论,多数同学并不站在谢惠敏一边,有的说她"死心眼",有的说她"太过分"。最后自然轮到张老师表态。谢惠敏手里紧紧握着那根丰满的麦穗,微张着嘴唇,期待地望着张老师。出乎许多同学的意料,张老师同意了谢惠敏送回麦穗的请求。耳边响着一片扬声争论与喁喁低议交织成的音波,望着在雨后泥泞的大车道上奔回村庄的谢惠敏那独特的背影,张老师曾经感动地想:问题不在于小小的麦穗是否一定要这样来处理,看哪,这个仅仅只有三个月团龄的支部书记,正用全部纯洁而高尚的感情,在维护"决不能让贫下中农损失一粒麦子"的信念——她的身上,有着多么可贵的闪光素质啊!

但是，这以后，直到"四人帮"揪出来之前，浓郁的阴云笼罩着我们祖国的大地，阴云的暗影自然也投射到了小小的初三（三）班。被"四人帮"那个女黑干将控制的团市委，已经向光明中学派驻了联络员，据说是来培养某种"典型"；是否在初三（三）班设点，已在他们考虑之中。谢惠敏自然常被他们找去谈话。谢惠敏对他们的"教诲"并不能心领神会，因为她没有丝毫的政治投机心理，她单纯而真诚。但是，打从这时候起，张老师同谢惠敏之间开始显露出某种似乎解释不清的矛盾。比如说，谢惠敏来告状，说团支部过组织生活时，五个团员竟有两个打瞌睡。张老师没有去责难那两个不像样子的团员，却向谢惠敏建议说："为什么过组织生活总是念报纸呢？下回搞一次爬山比赛不成吗？保险他们不会打瞌睡！"谢惠敏瞪圆了双眼，几乎不相信自己的耳朵，隔了好一阵，才抗议地说："爬山，那叫什么组织生活？我们读的是批宋江的文章啊……"再比如，那一天热得像被扣在了蒸笼里，下了课，女孩子们都跑拢窗口去透气，张老师把谢惠敏叫到一边，上下打量着她说："你为什么还穿长袖衬衫呢？你该带头换上短袖才是，而且，你们女孩子该穿裙子才对啊！"谢惠敏虽然热得直喘气，却惊讶得满脸涨红，她简直不能理解张老师在提倡什么作风！班上只有宣传委员石红才穿带小碎花的短袖衬衫，还有那种带褶子的短裙，这在谢惠敏看来，乃是"沾染了资产阶级作风"的表现！

"四人帮"揪出来之后，张老师同谢惠敏之间的矛盾自然可以解释清楚了，但并没有完全消除。

现在，谢惠敏找到张老师，向他汇报说："班上同学都知道宋宝琦要来了，有的男生说他原来是什么'菜市口老四'，特别厉害；有些女生害怕了，说是明天宋宝琦真来，她们就不上学了！"

张老师一愣，他还没有来得及预料到这些情况。现在既然出现了这些情况，他感到格外需要团支部配合工作，便问谢惠敏：“你怕吗？你说该怎么办？”

谢惠敏晃晃小短辫说：“我怕什么？这是阶级斗争！他敢犯狂，我们就跟他斗！”

张老师心里一热。一霎时，那在泥泞的大车道上奔走的背影活跳在记忆的屏幕上。他亲热地对谢惠敏说：“你赶紧把团支部和班委会的人找齐，咱们到教室开个干部会！”

五

四点二十左右，干部会结束了。其他干部都走了，教室里剩下张老师、谢惠敏和石红三个人。

石红恰好面对窗户坐着，午后的春阳射到她的圆脸庞上，使她的两颊更加红润，她拿笔的手托着腮，张大的眼眶里，晶亮的眸子缓慢地游动着，丰满的下巴微微上翘——这是每当她要想出一个更巧妙的方法来解决一道数学题时，为数学老师所熟悉、所喜爱的神态。可是此刻她并不是在解数学题，而是在琢磨怎么写出明天一早同大家——也包括宋宝琦——见面的“号角诗”。

张老师同谢惠敏在一旁谈着话。围绕着接收宋宝琦需要展开的工作，已经全部落实。男生干部分头找男生们做工作去了，跟他们讲宋宝琦并不是什么威震菜市口的“英雄”，而是个犯了错误的需要帮助的人。对他既别好奇乃至于敬畏，也不能歧视打击，大家要齐心合力地帮助他。女生干部将分头到那几个或者是因为胆小，或者是出于赌气，宣布明天不来上学的女生家去，对她们和她们的家长讲清楚，学校一定会保证女孩子们不受宋宝琦欺侮；对宋宝琦这样的小流氓，消极躲避只能助长他的恶习，只有团结起来同他斗争，进行教育，才能化有害为无害，并且逐步化无害为有益。张老师则要对宋宝琦进行家访，对他以及他的家长进行初步了解，并进行第一次思想工作。石红的"号角诗"明天一早将向大家强调："让我们的教室响彻抓纲治国的脚步声！"

当石红的"号角诗"快要写完的时候，张老师同谢惠敏的谈话结束了。张老师把摊在桌上、刚给干部们看过的几件东西往一块敛。那是张老师从派出所带回来的宋宝琦犯案后被搜出的物品：一把用来斗殴的自行车弹簧锁，一副残破油腻的扑克牌，一个式样新颖附有打火机的镀镍烟盒，还有一本撕掉了封皮的小说。小干部们面对这些东西都厌恶得皱鼻子，撇嘴角。谢惠敏提议说："团支部明天课后开个现场会，积极分子也参加，摆出这些东西，狠狠批判一顿！"大伙都同意，张老师也点头说："对。要利用这个机会，进一步抓好反腐蚀教育。"

没曾想，临到张老师收敛这几件物品时，突然出现了矛盾，还闹得挺僵。

别的东西都收进书包了，只剩下那本小说。张老师原来顾不得细翻，这时拿起来一检查，不由得"啊"了一声。原来那是本文化大革命以前，中国青年出版社出版的长篇小说《牛虻》。

谢惠敏感到张老师神情有点异常，忙把那本书要过来翻看。她以前没听说过、更没看见过这本书。她见里面有外国男女讲恋爱的插图，不禁惊叫起来："唉呀！真黄！明天得狠批这本黄书！"

张老师皱起眉头，思索着。他回忆起自己中学时代的情况。那时候，团支部曾向班上同学们推荐过这本小说……围坐在篝火旁，大伙用青春的热情轮流朗读过它；倚扶着万里长城的城堞，大伙热烈地讨论过"牛虻"这个人物的优缺点……这本英国小说家伏尼契写成的作品，曾激动过当年的张老师和他的同辈人，他们曾从小说主人公的形象中，汲取过向上的力量……也许，当年对这本小说的缺点批判不够？也许，当年对小说的精华部分理解得也不够准确、不够深刻？……但，不管怎么说——张老师想到这儿，忍不住对谢惠敏开口分辩道："这本《牛虻》可不能说成是黄书……"

谢惠敏的两撇眉毛险些飞出脑门，她瞪圆了双眼望着张老师，激烈地质问说："怎么？不是黄书？！这号书不是黄书什么是黄书？"在谢惠敏的心目中，早已形成一种铁的逻辑，那就是凡不是书店出售的、图书馆外借的书，全是黑书、黄书。这实在也不能怪她。她开始接触图书的这些年，恰好是"四人帮"搞法西斯文化专制主义最凶的几年。可爱而又可怜的谢惠敏啊，她单纯地崇信一切用铅字新排印出来的东西，而在"四人帮"控制舆论工具的那几年里，她用虔诚的态度拜读的报纸刊物上，充塞着多少他们的"帮文"，喷溅出了多少戕害青少年的毒汁啊！倘若在谢惠敏她最亲近的人当中，有人及时向她点明：张春桥、姚文元那两篇号称"阐述无产阶级专政理论"的"重要文章"大可怀疑，而"梁效"、"唐晓文"之类的大块文章也绝非马列主义的"权威论著"……那该有多好啊！但是，由于种种主观和客观上的原因，没有人向她点明这一点。她的父母经常嘱咐谢惠敏及其弟妹，要听毛主席的话，要认真听广播、看报纸；要求他们遵守纪律、尊重老师；要求他们好好学功课……谢惠敏从这样的家庭教育中受益不浅，具备了强烈的无产阶级感情、劳动者后代的气质；但是，在资产阶级、修正主义的白骨精化为美女现形的斗争环境里，光有朴素的无产阶级感情就容易陷于轻信和盲从，而"白骨精"们正是拼命利用一些人的轻信与盲从以售其奸！就这样，谢惠敏正当风华正茂之年，满心满意想成为一个好的革命者，想为共产主义这个目标而奋斗，却被"四人帮"害得眼界狭窄、是非模糊。岂止《牛虻》这本书她会认为是毒草，我们这段故事发生的时候，《青春之歌》已经进行再版了，但谢惠敏还保持着"四人帮"揪出前形成的习惯——把那些热衷于传播"文艺消息"，什么又会有某个新电影上演啦，电台又播了个什么新歌呀这样的同学们，看成是"沾染了资产阶级思想"。就在前几天，她发现石红在自习课上看一本厚厚的小说，下课她便给没收了。那是 1959 年出版的《青春之歌》，她随便翻检了几页，把自己弄得心跳神乱——断定是本"黄书"，正想拿来上交给张老师，石红笑嘻嘻地一把抢了回去，还拍着封面说："可带劲啦！你也看看吧！"结果两人争吵了一场；后来她忙着去团委会开会，倒忘记向张老师反映了，没想到今天张老师竟比石红还要石红——亲口否认这本外国"黄书"不黄！在谢惠敏心中，外国的"黄书"当然一律又要比中国的"黄书"更黄了。面对着这样一位张老师，她又联想起以前的许多琐细冲突来。于是，往常毕竟占据支配地位的尊敬之感，顿然减少了许多。她微微撅起嘴，飞走的眉毛落回来拧成了个死疙瘩。

　　这时候，石红写完"号角诗"，正准备给张老师和谢惠敏朗诵，忽然听到张老师说："这本《牛虻》可不能说成是黄书……"她这才知道那本破书原来就是《牛虻》，赶忙凑拢谢惠敏身边去看。谢惠敏大声质问张老师的话刚一出口，她便热情地晃动着谢惠敏胳膊说："别这么说！我听爸爸妈妈讲过，《牛虻》这本书值得一读！这两天我正读《钢铁是怎样炼成的》，里头的保尔·柯察金是个无产阶级英雄，可他就特别佩服牛虻……"石红早就想找本《牛虻》来看，一直没有借到，所以她从谢惠敏手中拿过书来翻动时，心里翻腾着强烈的求知欲：这本书写的是什么时代的事儿？故事发生在什么地方？牛虻究竟是个啥样的人？真的有值得佩服的地方吗？……当她把破书还到张老师手上时，不禁问道："读这本书，该注意些啥？学习些啥？"谢惠敏咬住嘴唇，眯起眼睛，不满地望着石红，心里怦怦直跳。

　　张老师翻动着那本饱经沧桑的《牛虻》。他本想耐心地对谢惠敏解释为什么不能把它算作"黄书"，但这本书是从宋宝琦那儿抄出来的，并且，瞧，插图上，凡有女主角琼玛出现，一律野蛮地给她添上了八字胡须。又焉知宋宝琦他们不是把它当成"黄书"来看的呢？生活现象是复杂的。这本《牛虻》的遭遇也够光怪陆离了。对谢惠敏这样实际上还很幼稚的孩子，分析过于复杂的生活现象和精华糟粕并存的文艺作品，需要充裕的时间和适宜的场合。

想到这些，我们的张老师便把破旧的《牛虻》放入书包，和蔼地对谢惠敏说："关于这本书的事儿，咱们改天再谈吧。看，快五点了，咱们赶紧听听石红写的'号角诗'吧，听完分头按计划行动。"

石红念的诗，谢惠敏一句也没装进脑子里去。她痛苦而惶惑地望着映在课桌上的那些斑驳的树影。她非常、非常愿意尊敬张老师，可张老师对这样一本书的古怪态度，又让她不能不在心里嘀咕："还是老师呢，怎么会这样啊？！……"

六

五点刚过，张老师骑车抵达宋家的新居。小院的两间东屋里，东西还来不及仔细整理，显得很凌乱。比如说，一盆开始挂花的"令箭"，就很不恰当地摆放在了歪盖着塑料布的缝纫机上。

宋宝琦的母亲是个售货员，这天正为搬家倒休，忙不迭地拾掇着屋子。见张老师来了，她有些宽慰，又有点羞愧，忙把宋宝琦从屋里喊出来，让他给老师敬礼，又让他去倒茶。我们且不忙随张老师的眼光去打量宋宝琦，先随张老师坐下来同宋宝琦母亲谈谈，了解一下这个家庭的大概。

宋宝琦的父亲在园林局苗圃场工作，一直上"正常班"，就是说，下午六点以后就能往家奔了。但他每天常常要八九点钟才回家。为什么？宋宝琦母亲说起来连连叹气,原来这些年他养成了个坏习惯:下班的路上经过月坛,总要把自行车一撂,到小树林里同一些人席地而坐,打扑克消遣,有时打到天黑也不散,挪到路灯底下接茬打,非得其中有个人站起来赶着去工厂上夜班,他们才散。

显然,这样一位父亲,既然缺乏丰富而有意义的精神生活,那么,对宋宝琦的缺乏教育管束也就可想而知了。至于当母亲的,从她含怨的叙述中,不难看出她是怎样自食了溺爱与放任独生子的苦果。

绝不要以为这个家庭很差劲。张老师注意到,尽管他们还有大量的清理与安置工作,才能使房间达到窗明几净的程度,但是两张镶镜框的毛主席、华主席像,却已端正地并排挂到了北墙,并且,一张稍小的周总理像,装在一个自制的环绕着银白梅花图案的镜框中,被郑重地摆放在了小衣柜的正中。这说明这对年近半百的平凡夫妇,内心里也涌荡着和亿万人民相同的感情波澜。那么,除了他们自身的弱点以外,谁应当对他们精神生活的贫乏负责呢?……

差一刻六点的时候,张老师请当母亲的尽管去忙她的家务事,他把宋宝琦带进里屋,开始了对小流氓的第一次谈话。

现在我们可以仔细看看宋宝琦是什么模样了。他上身只穿着尼龙弹力背心,一疙瘩一疙瘩的横肉和那白里透红的肤色,充分说明他有幸生活在我们这个不愁吃不愁穿的社会里,营养是多么充分,躯体里蕴藏着多么充沛的精力。唉,他那张脸啊,即便是以经常直视受教育者为习惯的张老师,乍一看也不免浑身起栗。并非五官不端正,令人寒心的是从面部肌肉里,从殴打中裂过又缝上的上唇中,从鼻翼的神经质扇动中,特别是从那双一目了然地充斥着空虚与愚蠢的眼神中,你立即会感觉到,仿佛一个被污水泼得变了形的灵魂,赤裸裸地立在了聚光灯下。

经过三十来个回合的问答,张老师已在心里对宋宝琦有了如下的估计:缺乏起码的政治觉悟，知识水平大约只相当初中一年级程度，别看有着一身犟肉，实际上对任何一种正规的体育活动都不在行。张老师想到，一些满足于贴贴标签的人批判起宋宝琦这样的小流氓来，一定会说他是"满脑子资产阶级思想"。但是，随着进一步的询问，张老师便愈来愈深切地感到，笼统地说宋宝琦这样的小流氓具有资产阶级思想，那就近乎无的放矢，对引导他走上正路也无济于事。

宋宝琦的确有严重的资产阶级思想，但究竟是哪一些资产阶级思想呢？

资产阶级标榜"自由、平等、博爱"，讲究"个人奋斗"、"成名成家"，用虚伪的"人性论"掩盖他们追求剥削、压迫的罪行。而宋宝琦呢？他自从陷入了那个流氓集团以后，便无时无刻不处于森严的约束之中，并且多次被大流氓"扇耳刮子"与用烟头烫后脑勺。他愤怒吗？反抗吗？不，他既无追求"个性解放"、呼号"自由、平等"的思想行动，也从未想到过"博爱"；他一方面迷信"哥儿们义气"，心甘情愿地替大流氓当"催巴儿"，另一方面又把扇比他更小的流氓耳光当做最大的乐趣。什么"成名成家"，他连想也没有想过，因为从他懂事的时候起，一切专门家——科学家、工程师、作家、教授……几乎都被林贼"四人帮"打成了"臭老九"，论排行，似乎还在他们流氓之下，对他来说，何羡慕之有？有何奋斗而求之的必要？资产阶级的典型思想之一是"知识即力量"，对不起，我们的宋宝琦也绝无此种观念。知识有什么用？无休无止地"造反"最好。张铁生考试据说得了个"大鸭蛋"，不是反而当上大官了吗？……所以，不能笼统地给宋宝琦贴上个"满脑袋资产阶级思想"的标签便罢休，要对症下药！资产阶级在上升阶段的那些个思想观点，他头脑里并不多甚至没有，他有的反倒是封建时代的"哥儿们义气"以及资产阶级在没落阶段的享乐主义一类的反动思想影响……请不要在张老师对宋宝琦的这种剖析面前闭上你的眼睛，塞上你的耳朵，这是事实！而且，很遗憾，如果你热爱我们的祖国，为我们可爱的祖

国的未来操心的话，那么，你还要承认，宋宝琦身上所反映出的这种问题，在
一定程度上还并不是极个别的！请抱着解决实际问题、治疗我们祖国健壮躯体
上的局部痈疽的态度，同我们的张老师一起，来考虑考虑如何教育、转变宋宝
琦这类青少年吧！

张老师从书包里取出那本饱遭蹂躏的小说来，问宋宝琦："这本书叫什么名
儿？你还记得吗？"

宋宝琦刚经历过专政机关严厉的审讯和带强制性的训斥，那滋味当然远比
一个班主任老师的询问与教育难受，所以，他尽可能用最恭顺的态度回答说："记
得。这是牛亡。"他不认识"虻"字，照他识字的惯例，只读一半。

"不是牛亡，是牛虻。你知道这两个字是什么意思吗？"

宋玉琦面部没有表情，两眼直愣愣地望着对面在窗玻璃外扑腾的一只粉蝶，
极坦率地回答说："不懂。"

"那么，这本书你究竟读完了没有呢？"

"翻了翻篇。我不懂。"

"不懂，你要它干什么呢？这本书是打哪儿来的呢？"

"我们偷的。"

"打哪儿偷的呢？偷它干什么呢？"

"打原来我们学校废书库偷的。听说那里头的书都是不让借、不让看的。全
是坏书。我们撬开锁，偷了两大包。我们偷出来为的是拿去卖。"

"怎么没把这本卖了呢？"

"后来都没卖。我们听说，盖了图书馆戳子的书，我们要是卖去，人家就要
逮着我们。"

"你们偷出来的书里，还有些什么呢？你还能说出几个名儿来吗？"

"能！"宋宝琦为能表现一下自己并非愚钝无知感到非常高兴，他第一次有了专注的神情，眨着眼，费劲地回忆着："有《红岩》，有……《和平与战争》，要不，就是《战争与和平》，对了，还有一本书特怪，叫……叫《新嫁车的词儿》……"

这让张老师吃了一惊。他想了想，掏出钢笔在手心里写了《辛稼轩词选》几个字，伸出去让宋宝琦看，宋宝琦赶忙点头："就是！没错儿！"

张老师心里一阵阵发痛。几个小流氓偷书，倒还并不令人心悸。问题是，凭什么把这样一些有价值的，乃至于非但不是毒草，有的还是香花的书籍，统统扔到库房里锁起来，宣布为禁书呢？宋宝琦同他流氓伙伴堕落的原因之一，出乎一般人的逻辑推理之外，并非一定是由于读了有毒素的书而中毒受害，恰恰是因为他们相信能折腾就能"拔份儿"，什么书也不读而堕落于无知的深渊！

张老师翻动着《牛虻》，责问宋宝琦："给这插图上的妇女全画上胡子，算干什么呢？你是怎么想的呢？"

宋宝琦垂下眼皮，认罪地说："我们比赛来着，一人拿一本，翻画儿，翻着女的就画，谁画得多，谁运气就好……"

张老师愤然注视着宋宝琦，一时说不出话来。宋宝琦抬起眼皮偷觑了张老师一眼，以为是自己的态度还不够老实，忙补充说："我们不对，我们不该看这黄书……我们算命，看谁先交上女朋友……我们……我再也不敢了！"他想起了在公安局里受审的情景，也想起了母亲接他出来那天，两只红红的、交织着疼和恨的眼睛。

"我们不该看这黄书。"——这句话像鼓槌落到鼓面上，使张老师的心"咚"的一响。怪吗？也不怪——谢惠敏那样品行端正的好孩子，同宋宝琦这样品质低劣的坏孩子，他们之间的差别该有多么大啊，但在认定《牛虻》是"黄书"这一点上，却又不谋而合——而且，他们又都是在并未阅读这本书的情况下，"自然而然"地作出这个结论的。这是多么令人震惊的一种社会现象！谁造成的？谁？

当然是"四人帮"！

一种前所未及的，对"四人帮"铭心刻骨的仇恨，像火山般喷烧在张老师的心中。截至目前为止，在人类文明史上，能找出几个像"四人帮"这样用最革命的"逻辑"与口号，掩盖最反动的愚民政策的例子呢？

望着低头坐在床上，两只肌肉饱满的胳膊撑在床边，两眼无聊地瞅着互相搓动的、穿着白边懒鞋的双脚，拒绝接受一切人类文明史上有益的知识和美好的艺术结晶的这个宋宝琦，张老师只觉得心里的火苗扑腾扑腾往上蹿，一种无形的力量冲击着他的喉头，他几乎要喊出来——

救救被"四人帮"坑害了的孩子！

七

春天日短。当远处电报大楼的七记钟声，悠悠地随风飘来时，暮色已经笼罩着光明中学附近的街道和胡同。

张老师推着自行车，有意识拐进了免费出入、日夜开放的小公园里。他寻了一条僻静处的长椅，支上车，坐到长椅上，燃起一支香烟，眉尖耸动着，有意让胸中汹涌的感情波涛，能集中到理智的闸门，顺合理的渠道奔流出去，化为强劲有力的行动，来执行自己这班主任的职责。

晚风吹动着一直拖到椅背上来的柳丝，身上落下了一些随风旋转而来的干榆钱，在看不见的地方，丁香花开了，飘来沁人心脾的芳馥气息。

同宋宝琦本人及其家庭的初步接触，竟将张老师心弦中的爱弦和恨弦拨动得如此之剧烈，颤动得他竟难以控制自己。他恨不能立时召集全班同学，来这长椅前开个班会。他有许多深刻而动人的想法，有许多诚挚而严峻的意念，有许多倾心而深沉的嘱托、建议、批评、引导和号召，就在这个时候，能以最奔放的感情，最有感染力的方式，包括使用许多一定能脱口而出的丰富而奇特的、易于为孩子们所接受的例证和比喻，淋漓尽致地表达出来……

他感到，他比以往任何时候，都更爱我们亲爱的祖国。想到她的未来，想到她的光明前景，想到本世纪结束、下世纪开始时，"四化"初具规模的迷人境界，他便产生了一种不容任何人凌辱、戏弄祖国，不许任何人扼杀、窒息祖国未来的强烈感情！他想到自己的职责——人民教师，班主任，他所培养的，不要说只是一些学生，一些花朵，那分明就是祖国的未来，就是使中华民族在这960万平方公里的土地上，强盛地延续下去，发展下去，屹立于世界民族之林的未来！

他感到，他比以往任何时候，都更深刻地仇恨"四人帮"这伙祸国殃民的蠹贼。不要仅仅看到"四人帮"给国民经济所造成的有形危害，更要看到"四人帮"向亿万群众灵魂上泼去的无形污秽；不要仅仅注意到"四人帮"培养出了一小撮"头上长角、浑身长刺"的张铁生式丑类，还要注意到，有多少宋宝琦式的"畸形儿"已经出现！而且，甚至像谢惠敏这样本质纯正的孩子身上，都有着"四人帮"用残酷的愚民政策所打下的黑色烙印！"四人帮"不仅糟蹋着中华民族的现在，更残害着中华民族的未来！

对丑类的恨加深着对人民的爱，对人民的爱又加深着对丑类的恨，当爱和恨交织在一起的时候，人们就有了为真理而斗争的无穷勇气，就有了不怕牺牲去夺取胜利的无穷力量。

张老师陡然站了起来，他看看表，七点一刻。他想到了晚饭。不是他感到饿了，想自己回家吃饭去，他简直把自己也需要吃晚饭这件事忘到爪哇岛去了。

他是打算亲自到几个同学家里去，了解一下他们对宋宝琦来初三（三）班的反应。而这个时候，同学们家里一定都在吃饭，吃饭的时候进行家访是不适宜的。他想了想，便背着手，在小公园的树林子里踱起步来，同时确定下来，七点半左右再离开这里……

丁香花的芳馨一阵阵更加浓郁。浓郁的香气令人联想起最称心如意的事。张老师想到"四人帮"已经被扫进了垃圾箱，想到华主席为首的党中央已经在短短的半年内打出了崭新的局面，想到亲爱的祖国不但今天有了可靠的保证，未来也更加充满希望，他便感到宋宝琦也并非朽不可雕的烂树，而谢惠敏的糊涂处以及对自己的误解与反感，比之于蕴藏在她身上的优良素质和社会主义积极性来，简直更不是什么难以消融的冰雪了。

八

张老师推车走出小公园时，恰巧遇上了提着鼓囊囊的塑料包，打从小公园门口走过的尹老师。

尹老师大吃一惊："俊石，你怎么还有逛公园的雅兴？"

张老师笑了笑，没有解释。他也并不问尹老师从哪儿来，到哪儿去。他知道，尹老师坚持有一个多月了，每天下午四点以后，除了在学校组织一些数学后进的学生补课以外，还要轮流到他们家里去进行个别辅导。他熟悉尹老师的脾性，特别是"四人帮"控制着文教战线的时期，他往往牢骚满腹，对教育部不满，对学校领导不满，对学生不满，对家长不满。倘是一个局外人，听了他那些愤激之情溢于言表的话，一定会以为他是个惯于撂挑子、甩袖子的人；其实尹老师牢骚归牢骚，工作归工作，不管是什么时候，不管遇上什么打击、障碍、困难和挫折，他从未放弃过辛勤的教学劳动。就是在"四人帮"把学生中的无政府主义思潮煽动得达于极点，课堂里往往乱得像一锅煮沸的粥时，他虽然能在办公室里把牢骚话说到"咱们干脆罢教"的地步，一听到上课铃响，却又立即奔赴教室，仍然竭尽全力地用粉笔敲着黑板，用劝导、吆喝、说服、恫吓来让同学们听他讲述那些方程式和多面体。

张老师知道这是他已经结束了个别辅导，要奔赴胡同外的汽车站，乘车回家去了。他既然是忙完了工作，那么，牢骚一定是一触即发。果不其然，不等张老师开口，他便拍着张老师自行车的车座子，长叹一声说："'四人帮'给咱们造成了些什么样的学生啊！你想想看吧，我教的是初三了，可刚才却还在为两个学生翻来覆去地讲勾股定理……你比我更有'福气'——摊上个'新文盲'宋宝琦！说实在的我能理解你，眼下是'百废待举'，该做的事情那么多，而光是今天一个下午，你就为收留一个小流氓耗费了那么多心血，犯得上吗？！让宋宝琦滚蛋吧！公安局不收，让他回原来的学校！原来的学校不要，就让他在家待着！……"

张老师诚恳地对他说："经过这一下午，我越来越自觉地认识到，症结不在是不是一定要收下宋宝琦——的确，也许应当为他这样的学生专门办一种学校，或者把他同相似的学生专门编成一班；要不按他的文化程度，干脆把他降到初一去从头学起……但这都不是主要的。症结在哪里呢？今天下午围绕着收留宋宝琦发生的这一件又一件的事情，好比一面镜子，照出了'四人帮'残害我们下一代的罪恶；有些'四人帮'的流毒和影响，我以前或者没有觉察出来，或者没有像今天这样感到触目惊心，我想到了很多、很多……达磊，现在是1977年的春天，这是多么美好、多么幸福的春天啊，可它又是要求我们迎向更深刻的斗争、付出更艰苦的劳动的春天，因而也是要求我们更加严格的一个春天！朝前看吧，达磊！……"

尹老师从这简单的话语里不可能感受到张老师已经感受到的一切，但是，当他同张老师那饱含着醒悟、深思、信心、力量的动人目光相遇时，他的牢骚和烦躁情绪顿时消失了。1977年春天的晚风吹拂着这两个平平常常、默默无闻的人民教师，有那么一两分钟，他们各自任自己的思绪飞扬奔腾，静静地没有交谈。

张老师想到，过几天，针对尹老师思想方法偏于简单和急躁的缺点，一定要好好地找他谈一谈：感情绝不能代替政策；迫切希望革命事业向前迈进的心情，不能简单地表现为焦躁和牢骚；锲而不舍地坚持斗争的同时，又应当对事物的发展抱相应的积极等待的态度；对宋宝琦这类小流氓的厌恨，还可以转化为对祖国的幼苗遭到"四人帮"戕害而生的怜惜和疼爱……总之，要好好地同尹老师谈谈哲学，谈谈辩证法，谈谈现在和未来，谈谈爱和恨，谈谈生活和工作，乃至于谈谈《红岩》和《牛虻》……

远处又飘来了报告七点半已到的一记钟声，张老师收回沸腾的思绪，拍拍尹老师肩膀说："咱俩另找个时间好好聊聊吧。我还要到几个同学家里去一下。"

"快去石红那儿吧，"尹老师忽然想起，赶紧告诉张老师，"我刚从他们楼里出来，听我那班的一个同学说，谢惠敏跟石红吵了一架，你快去了解一下吧！"

张老师心里一震，他立即骑上车，朝石红家所在的居民楼驰去。

九

石红的爸爸是区上的一个干部，妈妈是个小学教师，两口子都是在轰轰烈烈的"四清"运动里入党的；从入党前后起，特别是经过无产阶级文化大革命，他们形成了一种很好的习惯，就是坚持学习马列、毛主席著作。他们书架上的马恩、列宁四卷集、"毛选"四卷和许多厚薄不一的马列、毛主席著作单行本，书边几乎全有浅灰的手印，书里不乏折痕、重点线和某些意味着深深思索的符号……石红深深受着这种认真读书的气氛的熏陶，她也成了个小书迷。

石红是幸运的。"晚饭以后"成了她家的一个专用语，那意味着围坐在大方桌旁，互相督促着学习马列、毛主席著作，以及在互相关怀的气氛中各自做自己的事——爸爸有时是读他爱读的历史书，妈妈批改学生的作文，石红抿着嘴唇，全神贯注地思考着一道物理习题或是解着一个不等式……有时一家人又在一起分析时事或者谈论文艺作品，父亲和母亲，父母和女儿之间，展开愉快的、激烈的争论。即便在"四人帮"推行法西斯文化专制主义最凶狠的情况下，这家人的书架上仍然屹立着《暴风骤雨》、《红岩》、《茅盾文集》、《盖达尔选集》、《欧也妮·葛朗台》、《唐诗三百首》……这样一些书籍。

张老师曾经把石红通读过的《共产党宣言》、《马克思主义的三个来源和三个组成部分》和"毛选"四卷，以及她的两本学习笔记，拿到班会上和家长会上传看过，但是，他更觉得欣喜的是，这孩子常常能够根据马列主义、毛泽东思想的原则去思考、分析一些问题，这些思考和分析，往往比较正确，并体现在她积极的行动中。

我们这个故事发生的那一天，张老师敲开石红他们家那个单元的门后，发现迎门的那间屋里，坐满了人。石红坐在屋中饭桌边，正朗读着一本书，另外有五个女孩子，也都是张老师班上的学生，散坐在屋中不同的部位，有的右手托腮、睁大双眼出神地望着石红；有的双臂叠放在椅背上，把头枕上去；有的低首揉弄着小辫梢……显然，她们都正听得入神。根据下午谢惠敏的汇报，这恰恰是那几个因为害怕或赌气，而扬言明天宋宝琦去了她们就不去上学的同学。

石红读得专心致志，没有发觉张老师的到来；有两三个女孩子抬眼瞧见了张老师，也只是羞涩地对他笑笑，没有出声叫他"张老师"，那显然并非忘记了礼貌，而是不忍心中断她们已经沉浸进去的那个动人的故事。

来开门的石红妈妈把张老师引到隔壁屋里，请他坐下，轻声地解释说："孩子们正在读鲁迅翻译的《表》……"

《表》是苏联作家班台莱耶夫在十月革命后不久写的一部儿童文学作品，它描写了一个流浪儿在苏维埃教养院里的转变过程。鲁迅先生当年以巨大的热情翻译了它。张老师虽然好多年没翻过这本书了，但石红妈妈一提，这本书里的一些人物形象和片段情节，顿时涌现在张老师的脑海中。张老师在短短的几分钟里，已经猜测出石红家里出现这种局面的来龙去脉了。果然，石红妈妈告诉他："石红一回家就把宋宝琦的事跟我说了。吃晚饭的时候她一个劲眨巴眼睛，洗碗的时候她跟我商量：'妈妈，要是我约上谢惠敏，把那些害怕、赌气的同学们都找来，读读《表》这本书怎么样呢？'我很赞成。我跟她说：'有党的领导，有社会主义制度，路线对了头，只要老师、同学们发挥集体的作用，小流氓也是能转变的啊！'后来她就找同学们去了——只是谢惠敏不知怎么没有来……"

正说着，石红读完一个段落，知道张老师来了，拿着书跳进里屋，高兴地嚷："张老师，你来得正好！快给我们讲讲吧！"

张老师被她拉到了外屋，几个小姑娘都站起来叫"张老师"，不等他发话，各种各样的问题就争先恐后地提出来了：

"张老师，这本书我们能读吗？"

"张老师，这本书里的小流氓，怎么又惹人生气，又惹人同情呢？"

"张老师，谢惠敏说我们读毒草，这本书能叫毒草吗？"

"张老师，您见着宋宝琦了吗？跟这本书里的小流氓比，他好点儿还是坏点儿呢？"

……

张老师且不忙回答，却反问她们："谢惠敏为什么不来呢？石红跟她吵嘴了？你们应该齐心合力把她拉来啊！"

小姑娘们激动地同声回答起来，吵成一片，结果一句也听不清，还是石红让大伙静下来，解释说："拉不来啊！除非现在报上专门登篇文章，宣布《表》是一本好书……"

原来，石红刚一找到谢惠敏的时候，谢惠敏见石红工作这么积极，还挺高兴。可是一听是找到一块去读一本外国小说，她就打心眼里反感。石红跟她解释，这本书挺不错，读了对解决那几个同学的问题能有启发……谢惠敏没等石红说完，立刻反问道："报上推荐过吗？"这一问使石红呆住了，半响才回答："没推荐呢。""读没推荐的书不怕中毒吗？现在正反腐蚀，咱们干部可不能带头受腐蚀呀！……"谢惠敏一脸警惕的神色，警告着石红，不仅自己拒绝参加这个活动，还劝说石红不要"犯错误"……这把石红惹恼了，同她吵了一场，但临走时仍然拉着她的手，央告她去"听听再说"，她把石红的手拂开了。石红走后，谢惠敏激动地走出屋子，晚风吹拂着她火烫的面颊，她很痛苦，上牙把下唇咬出了很深的印子……

在石红的家里，接下来出现了这样的场面：张老师坐在桌边，石红和那几个小姑娘围住他，师生一起无拘无束地谈了起来，从《表》谈到苏联的演变，从《表》

里的流浪儿谈到宋宝琦，从应当怎样改造小流氓谈到大多数小流氓是能够教育好的，最后渐渐谈到明天以后班里面临的新形势，张老师笑着问那几个小姑娘："怎么样，你们还罢课吗？"

她们互相交换完眼色，便都望着张老师，几乎是异口同声地说："不罢啦！"

张老师离开石红家的时候，满天的星斗正在宝蓝色的夜空中熠熠闪光。

用不着思索，蹬上自行车以后，他自然而然地向谢惠敏家里驰去。说实在的，当他同石红和那几个小姑娘议论时，谢惠敏无时不在他的心中；他疼爱谢惠敏，如同医生疼爱一个不幸患上传染病的健壮孩子；他相信，凭着谢惠敏那正直的品格和朴实的感情，只要倾注全力加以治疗，那些"四人帮"在她身上播下的病菌，是一定能够被杀灭的。

离谢惠敏的家越近，张老师心上的内疚感便越沉重。过去，对谢惠敏成为这样一种状态，他总觉得自己难以承担责任——他在接班不久的情况下，就向谢惠敏含蓄地指出过，不要只是学习零星的语录，不要迷信解释领袖思想的文章，要认真学习原著，要独立思考……但谢惠敏并未领悟。今天，张老师有了新的感触，他责问自己，虽然去年十月以前的那个学期里，是个乌云压顶的形势，可是，难道自己就不能更勇敢、更坚决地同荒诞、反动的东西作斗争吗？就不能更直截了当地、更倾注全力地同谢惠敏谈心，引导她擦亮眼睛、识别真假吗？……

快到谢惠敏家的门口时，一个计划已在张老师心中初现轮廓：他今天要把书包中的那本《牛虻》留给谢惠敏，说服她去读读这本书，允许她对这本书发表任何读后感。然后，从分析这本书入手，引导谢惠敏运用马列主义、毛泽东思想的立场、观点、方法去解答一系列互相关联的问题：应当怎样认识生活？应当怎样了解历史？应当怎样对待人类社会产生的一切文明成果？应当怎样批判过去文化遗产中的糟粕而取其精华？应当怎样全面地、辩证地看问题？应当怎样辨别香花和毒草，识别真假马列主义？应当使自己成为一个什么样的人？应当怎样去为祖国的"四化"、为共产主义的灿烂未来而斗争？……

张老师心中掀动着激昂的感情波澜。当他刹住车，在谢惠敏家门口站定时，心中的计划进一步明朗起来：不仅要从这件事入手，来帮助谢惠敏消除"四人帮"的流毒，而且，还要以揭批"四人帮"为纲，开展有指导的阅读活动，来教育包括宋宝琦在内的全班同学……他决定明天一早就去请示党支部。会获得支持吗？他眼前浮现出老曹在支部会上目光灼灼地发言的面影："现在，是真格儿按毛主席的思想体系搞教育的时候了！"他正是要"真格儿"地大干一场啊，一定会得到组织支持的！他心中又闪过了一些老师可能发出的疑问，于是，他决定，要争取在教师会上发言，阐述自己的想法：现在，我们不仅要加强课堂教学，使孩子们掌握好课本和课堂上的科学文化知识，获得德、智、体全面发展；不仅要继续带领他们学工、学农，把理论和实践结合起来；而且，还要引导他们注目于更广阔的世界，使他们对人类全部文明成果产生兴趣，具有更高的分析能力，从而成为社会主义革命和社会主义建设的更强有力的接班人……

这时，春风送来沁鼻的花香，满天的星星，都在眨眼欢笑，仿佛对张老师那美好的想法给予着肯定与鼓励……

1977 年 11 月

穿米黄色大衣的青年

一

1974 年春节后一天的晚上，我抑郁地坐在居室书桌旁抽着烟。平时我是不抽烟的。可是，那天在学校听完所谓"马振扶公社中学事件"的传达，在回家的路上，我却特意拐进食品商店买了一包烟。爱人在装订厂工作，上夜班不在家；孩子送到托儿所全托了，一个人在家，倒也清静。窗外小院里，只有风吹树枝的飒响。按说，这是备课、看书的最好时光。可是，既然"我是中国人，何必学外文"这种荒诞的逻辑，都被某些人誉为"反潮流精神"的崇高体现了，我这个外语教员，还有什么备课的兴致呢？书呢，案头倒有一册好不容易辗转借来的《契诃夫短篇小说选》，可心里是那么样地烦乱，翻开了《草原》，却怎么也走不进那个草原里去……一口烟呛得我咳嗽不止，我赌气地将刚燃去小半截的烟扔到了地下。

忽然有人"笃笃笃"地敲门，还呼唤着我："晁老师！"肯定是我教过的学生——

不知是个什么道理，正教着的学生，没有到家里来找我的；已经毕业的学生，倒常成为我家的不速之客——我把《契诃夫短篇小说选》放进抽屉，过去打开了门，一个小伙子的清秀面庞呈现在我的眼前。两道漆黑的细长眉毛，一双不大的单眼皮眼睛；高鼻梁，长人中，红润的薄嘴唇。我认出这是五年前教过的一个学生，虽然他"抽条"了，肩膀也宽了许多，那挺有特点的相貌，变化并不大。但我一时想不出他的名字来。我把他迎进屋子，请他坐，给他倒茶，顺便问他现在在哪个单位工作。他提醒我："我叫邹宇平，初一的时候您教过我。我1971年下乡插队两年，去年分到工厂当了个钳工……"我指指桌上的香烟："你也学会了吧？自己拿……"他摇摇头："我不学抽烟，我也不喝酒。我没参加'十元会'……"

"'十元会'？"我不禁愕然，"什么叫'十元会'？"

"嗨，"他轻描淡写地说，"我们厂七八个像我这么大的小伙子组织的。每个月开支那天，一个人出十块钱，别的人出一块钱，去吃馆子。'大头'轮流当。什么全聚德、丰泽园、沙锅居……转着圈吃呗。"

我震惊了。我觉得一些火辣辣的话语冲到了喉咙口。但是我强咽了下去。我用哆嗦着的手指头去取香烟……别忘了，在当时的情况下，哪怕是善意地批评青年人，也很可能被扣上"打击'儿童团'"的帽子；而且，也根本不允许公开承认有"十元会"这类社会现象。再说，我也摸不透邹宇平究竟是个什么样的青年——回想起来，我当他班主任的那几个月里，班上纪律极为混乱，我整天疲于同"闹将"们斡旋，他则是个"老蔫"，总是静静地坐在靠墙的座位上，属于"省事"的一流，品质、功课、纪律性都具中上水平。在这次以前，他似乎只在初中毕业时，随别的同学来我家坐过一会儿。他今天怎么想起来拜访我？

我笨拙地吸着香烟，眼睛望着墙上的中国地图，等着邹宇平开口。

来拜访我的毕业生，各种性格、各种思想情绪的都有。比如说，前天晚上来的刘丽云，一个胖胖的、戴眼镜的翘鼻子姑娘，爸爸是食品公司一个下属单位的党总书记，自己如今当了邮递员，就属于那种在任何情况下，都能直言不讳的"小钢炮"；她一边不停歇地嗑着葵花子，一边脸庞喷红地大声对我议论说："反正我想不通！周总理是党的副主席，干吗反倒要让政治局一个普通委员，给他送批林批孔材料？这人在国务院任吗职务也没有，凭什么把国务院的人全叫到首都体育馆开大会？倒好像周总理得听她指挥似的——什么呀，我想不通，反正！"她把"什么"发成"什马"的音，听得出来是表示蔑视。我并不阻止她"口出狂言"，但也并不附和插话。我爱人提醒她："这样的话你可别到处乱说去……"她自信地把头一摆："反正我又不是傻瓜！……唉，要是见着晁老师这样的人，也得把心里话憋着，那我非得憋破肚皮不可，准的！"……再比如，十天半月总要来我家一趟的赵海涛，黑黝黝的皮肤，精壮得像头小牛犊，话不多，来了就求我帮他借书，什么小说诗歌他一律不看，他感兴趣的是数学书，他似乎在悄悄钻研个挺高深的数学问题，问他，他只是憨笑，永远不予解释。他那诚恳而固执的借书态度，连我爱人也为之感动，常敦促我想方设法，托亲觅友，去为他掏腾一两本名称古怪的数学书——由于他总是如期归还，而且还回来的书总是面目一新，不仅细心地包上书皮，有时还代为重新装订，甚至把平装变为精装，所以我那些在科研部门工作的亲友，倒也越来越乐于借书给他。他的工作单位是废品回收公司，具体来说，他每日的工作就是蹬着平板三轮，到街头巷尾去收破料。有一回，我爱人忍不住问他："你钻研这些个学问干吗？人家准得说你不安心工作，搞'白专'吧？"他静静地坐在床沿上，两眼闪闪地、慢腾腾地说："学问是有用的。我收废品，付款从来没出过差错，批我'白专'就批去吧。我等着，总有一天……"

刘丽云也罢，赵海涛也罢，都好理解。可是我同邹宇平对坐了一会儿以后，却觉得他越来越不好理解。他似乎并没有什么话想对我说，也并不是有什么事来求我帮助。当然，也有那样的毕业生，他们来看望我，仅仅是出于凑巧路过了我家院门，或者仅仅是出于节日的一种礼貌表示；但是不管怎么样，他们起码总得问问我最近工作忙不忙、身体好不好，总要主动跟我说说他们自己的事儿……这个邹宇平却古怪到极点，我不说话，他便也不说话；甚至我问他一句什么，他也心不在焉，答不出个所以然来。我们俩就这么耗了一会儿。

倘若是在另一种情境下，我也许反而会因他的古怪，产生一种探究的兴趣。只是那天晚上，我心里正横着"马振扶公社中学事件"的阴云，因此缺乏足够的耐心。我烦躁地打量了他几眼，这才发现他穿着十分讲究，上身是淡咖啡色的宽条灯芯绒夹克，下身是裤线可以削萝卜的蛋青色的确良裤，脚下登着一双不知从哪里搞来的、线条粗犷的深黄皮鞋。我自己虽然不讲究穿戴，但是，对于注意把自己打扮得漂亮些的人，倒从来毫无"上纲上线"的腹诽——我总觉得，只要人家思想品德正派、工作积极努力，穿戴得讲究些，应属于允许范围之内的事儿。邹宇平见我用眼光在扫视他，不由得放平了翘叠的右腿，顿时提起了精神——也许是以为我会批评他，感到紧张。我批评他这个干吗呢？不，我告诉他："这两天，有点头疼……"他意识到这其实就是逐客令，于是他站了起来……

这个怪人！你明知已是"不受欢迎的人"，就快点离去吧。可是邹宇平却慢条斯理地穿他的大衣——这件大衣是他何时脱在我家床铺上的，在此以前我竟丝毫未曾注意到——大衣有什么难穿的，他却仿佛那是一件价值连城的工艺美术品，小心翼翼地往袖子里笼胳膊，轻轻地整理领子，抚摸鲜花似的扣着扣子……我很奇怪，那是件很薄的棉大衣，里面既无皮筒子也无人造毛，面子也无非是一般斜纹布，何以邹宇平对它如此珍视？

邹宇平面色沮丧地被我送到了大门外。我想，他一定是因为我没有热情地接待他而生了气，于是便诚恳地对他说："今天我心里不大痛快。其实我还是很愿意跟你多聊聊的——欢迎你以后常来。"

邹宇平满脸失望。显然是我辜负了他的某种强烈愿望。他希望我怎样呢？终于，他忍耐不住，扽大衣的兜盖，非常真诚地提醒我说："晁老师，您看这件大衣——颜色怎么样？"

我陡然一下子理解了他——原来，他来拜访我，仅仅是为了显示一下他的这件大衣！你看我竟把顶顶要紧的一项因素——颜色给忽略掉了！你看你看，我明明知道，最近有些男学生在说这样的顺口溜："匪不匪，看裤腿；狂不狂，看米黄。"却竟然"昏聩"到直至此刻才注意到——邹宇平的大衣是米黄色的！

几秒钟时，我回忆起刚才同邹宇平的那些问答——

"你们厂也在搞儒法斗争研究吗？""在搞。我反正不参加。头几个月的'反回潮'就把我弄晕乎了——越反厂子里越乱。我瞎掺和那个干吗？没劲儿，干脆溜边瞧瞧……"

"你平时看小说吗？下了班怎么消遣？打扑克吗？""现在的小说净让人上当，什么《虹南作战史》，那能叫小说？我不看。打扑克、下棋我自来就不爱好。下了班比上班还没意思——上班还能臭聊一阵呢……"

"你在厂里朋友多吗？""没有。积极的嫌我落后。那些个胡闹瞎混的人，我又嫌他们恶心。反正我上班好好干活，下了班我就张罗张罗自个儿……"

原来我没把这些话当成回事儿，现在，我猛地融会贯通，理解邹宇平了——是一种无形的力量，把他挤到"下了班就张罗张罗自个儿"的窄胡同里来的。他既不愿当"批大儒"、"反回潮"的积极分子，又不愿参加"十元会"；他既找不到真正吸引他心灵向上飞翔的小说，及其他精神食粮，又不屑于蹲到路灯下打"三先"……于是，只好从米黄色的大衣这类东西上去寻求寄托……啊，我的青年同胞，是谁把你们本可以熔铸成丰富而美丽、激昂而奋发的灵魂，压缩得这般苍白、这般庸俗、这般浅薄？就是那些前几天在首都体育馆的"送材料"大会上，敢于对周总理大不敬的家伙！就是那些把"马振扶公社中学事件"当做匕首，来刺杀我们社会主义学校的混蛋！

愤懑的波涛在我心中拱动。我想把邹宇平拉回屋里，同他倾心畅谈。但是我沉思默想的当口，他已经扭身离去了，我望着他那裹着米黄色大衣的细长身影，在苍茫的夜色中渐渐远去，心里充满形容不出的复杂滋味。

点点微雪落到我面颊上，我几乎要把自己的下嘴唇咬破。就在这天晚上，我暗暗发下誓愿：不管阴云还会怎样地加厚，甚至酿成倾盆毒雨，为了祖国母亲的年轻孩子们，我要尽一切可能，同那布下阴云的妖魔鬼怪作殊死的抗争！……

二

1978 年春节过后的头一个工作日，北京图书馆刚把大门打开，一群急不可耐的读者便涌了进去。我也是其中之一。我不但想利用寒假时间好好备一备课，也想利用挣脱了"四人帮"枷锁的图书馆所提供方便条件，借阅一些能开拓自己眼界的中外古今图书。

几乎每一个独自来馆的读者都是这样：急匆匆地进入目录室，分秒必争地查好书号，便径奔借书处；期待已久的图书一旦到手，便立即快步进入高大阔朗的阅览室，觅一中意的座位坐下；一旦坐下了，便目不斜视、杂念全息，专心致志地读起书来……正因为人们都是这样的精神状态，所以才出现了下面的情况。

我兴味甚浓地读毕了英文原版《大卫·科伯菲尔》的第一章，不禁舒了一口气，倚靠在舒适的圈椅背上，闭目思索起马克思、恩格斯论及该书作者狄更斯的那些话语来……当我睁开休息充分的双眼，准备俯案续读时，偶然朝对面座位瞥了一眼——啊呀，我愣住了；好熟悉的面庞！漆黑的细眉下，一双不大的单眼皮眼睛，正盯住案上一册大开本的技术书；高鼻梁、长人中下的薄嘴唇，依然那么样的红润，并随着默读翕动着。这不是邹宇平吗？是他！肯定是！不过，他此刻穿着半旧的工作服；他那件了不起的米黄色大衣哪儿去了呢？他是什么时候坐到我对面来的？他是真的没有发现我，还是发现了而出于羞赧或幽默，故意没有招呼我呢？……

我心里流过一排热浪，把刚才还占据着意识中心的大卫·科伯菲尔推到了一边，浮想联翩起来。瞧，曾经除了打扮打扮自己而外，对其他一切活动都丧失了乐趣的这个小伙子，现在却倾注着全部心力，在读着一本技术书！我当然可以根据逻辑推理，用 1976 年 10 月的惊雷和春风，来解释面前这个镜头；但是，我却不能满足于此。我想深入到这样一个青年人的灵魂里去。究竟是通过怎样的内心历程，沉睡的激情才奔腾起来，心灵的眼睛才越过米黄色大衣的庸俗境域，看到了革命理想的璀璨霞光？……

正当我忍不住要招呼邹宇平时，他恰好也读毕了一个段落，抬起了眼睛——我们四目相对，犹如火石相撞，顿时溅出了激动的火花；从他的眼神里我判断出，他的确是在此以前并未发现我——邹宇平首先压低嗓音惊喜地召唤了我一声："晁老师！"

一刻钟以后，我们已并排行进在北海大桥上。重逢的快乐攫住了我们的心。我们需要长谈，而图书馆可不是个谈话的地方。邹宇平一小时后要到厂里上中班。他们厂在前门外，走着去完全来得及，于是，我便决定陪他步行穿过南长街和天安门广场，边走边谈。

离开阅览室时，邹宇平从椅背上取下了大衣。出得图书馆，他穿上了大衣。我一眼就认出，还是那件米黄色的大衣；不过，一些地方有皱折，一些地方蹭上了灰道道；正当中原来的扣子显然是丢失了，补上的一颗颜色要深一些，显得很不协调。一目了然——这件米黄色大衣在主人心目当中，使用价值仍然存在，美学价值却荡然无存。我觉得这是邹宇平最大的变化，不禁指着他身上的大衣问他："你怎么不'张罗张罗自个儿了'？"

邹宇平脸颊发红了，他摆摆手说："嗨，别提了——我早打算把它拿去染成黑的，可路过洗染店多少次，总舍不得花时间钻进去张罗这个事儿……再说一时我也没别的大衣穿，就让它这个样儿吧！"

我连珠炮般地向他提出一系列问题："你们厂现在怎么样？""你最近除了干钳工活，还忙些什么？""你从什么时候开始跑图书馆的？"……

邹宇平的性格似乎并没有变。他有问必答，但答话都很简单。这种泛泛的问答令我很不满足，于是，当我们走到西华门附近时，我便开始往细微处探究了：

"你们那儿的'十元会'怎么样了？"

邹宇平现出一个开朗的微笑："解散啦。那会儿，我们青年不当流氓就算好的；生活枯燥，也不知道前头有什么等着我们，所以才有'十元会'，也才有我这米黄色的大衣，也才有一米高的金鱼缸，还有什么'家俱爱好者联谊会'……是'四人帮'把我们挤兑到小胡同里去的呀——我们又不愿意'头上长角，身上长刺'，去当他们的跟屁虫！……"

我还想进一步深入他的灵魂，便直截了当地问："告诉我，究竟是哪几件事，让你猛地醒了过来，觉得还有比穿上一件米黄色大衣更要紧的事情？"

邹宇平把步子放慢了，眉头颤动着，沉思了大约半分钟，才开口说道："主要是两件事。一件是前年3月6号，上班路上遇上了插队时分在一个村的刘丽云；

她气得涨红了脸，脑门上炸出了一溜汗珠，跟我说：'昨天的《文汇报》，你看了吗？'我告诉她：'这两年，什么报纸我也不看。'她当时就骂我：'这样的事你都不闻不问，真不如一头撞死！你还有没有良心？！周总理的骨灰都撒到祖国的江河大地了，可还有人骂他是最大的走资派——你就容得了他们？'我当时就跟她顶撞起来，扬着嗓门说：'我邹宇平再浑，这一腔子血也还是红色的——谁敢骂周总理？我去跟他们拼命！'她就把3月5号的《文汇报》拿给我看……我是个从来不失眠的人，那晚上半宿睡不踏实。说实在的，对江青他们，我是打那晚上才恨到咬牙切齿的地步的。'四人帮'他们整老干部，整这个，整那个，我这个落后分子心里想不通，气还能强吞下去——没想到他们整到周总理头上来了；周总理已经鞠躬尽瘁了，他们还整——由着他们这么整下去，中国不就完了吗？他们眼里也太没咱们老百姓了，真是欺人太甚！不能由着他们！……第二天，我一大早就找到刘丽云家，一屁股就坐到了没擦干净的板凳上，发现弄脏了这件米黄色的大衣，我也顾不上可惜——我憋足劲问刘丽云：'咱们该怎么办'……"

邹宇平说到这儿，胸脯起伏着。我俩并肩朝前走，踩得残雪沙沙响。我感到，自己是在随着一个年轻的灵魂，重温昔日风雨的冲刷。

"刘丽云怎么回答你的呢？"我催他讲下去。

"她把拳头一挥说：'斗争'……当然，我们都挺幼稚，能量有限；可打这以后，我就没心思打扮自己了，我又看报，又听广播，渐渐敏感起来——不用刘丽云提醒，也能听出'四人帮'那一套冠冕堂皇的词儿，骨子里是什么货色了；我看破了，就找那些没看破的人说去，到地震前后，毛主席逝世那阵，我把'十元会'里顶不过问政治的小酒鬼们，也给说动心了——大伙都憋着要跟'四人帮'他们拼；那时候不知道'四人帮'这个词儿，我们说起王张江姚，都用'那拨子混蛋'代替……后来，了不起的 10 月来到了，晁老师，我在游行队伍里喊拥护党中央的口号，那声音可真是打心眼里冒出来的呀！……"

"只要还有爱国心的人，都是这么个劲头啊！"我赞同地说，"多亏了党中央，要不，别的先不说，'四人帮'非把你们这一代人，毁成穴居野人不可啊！"

说着我们走出了南长街，来到洒满阳光的天安门广场。在这牵动亿万人民感情丝缕的地方，我和邹宇平继续畅谈爱恨和向往。我问他："那震动你灵魂的第二件事是什么呢？"他两眼显得比平时大也比平时亮，望着纪念碑和后面的毛主席纪念堂，告诉我说："我就是 9 月底，党中央关于召开全国科学大会的通知发表，我觉得眼睛和心一下都更亮了。恰巧那天我妈跟我唠叨说：'还不把你那件大衣拿去染染，眨眼冬天就到……'我一边收拾书包，准备到厂'七二一'大学上课去，一边跟她说：'妈，我不能再想着打扮自个儿，我得跟大伙去打扮咱们的祖国——得让咱们社会主义中国，也穿上现代化的服装啊！'……就这样，我总嫌时间不够；我们厂的小青年们差不离都跟我一样，我们都恨不得多长出个脑瓜来学习、学习、学习！……"

我的思绪正随着邹宇平的讲述飞扬，忽然，身后有人叫我："晁老师！"我和邹宇平同时转过身去——啊，是赵海涛。

我不禁责备他："你和刘丽云是怎么回事儿？半年多不到我那儿去了！你们考大学的事怎么样？体检了吗？……"

赵海涛推着辆自行车，车座上夹着一叠书，他显得更黑也更壮实，嘴唇上的黑茸毛已经有点小胡子的味道了，可他那内向的性格一点也没变，略显羞涩地回答我说："我们俩都体检了，等着最后一榜呢。"

我指指邹宇平说："认识吧，也是咱们学校毕业的，比你低两届。"

邹宇平笑着说："原先就面熟，这一年多在图书馆总遇上，半年前我们就交上朋友了……"

我忽然想起个问题："对了，宇平，你考大学了吗？"

邹宇平脸颊微微有点泛红，但鼓起勇气拍拍身上的大衣说："前几年把时间荒过去了，基础太差，就没考……今后我也不一定考了，我打算在厂'七二一'大学里好好学……"

赵海涛说："对，一样的……只要自己努力，一样能用真本事搞四个现代化。"

我问赵海涛："你这是到哪儿去？"

他说："去废品收购点接班，路过这儿——我打背影上认出了您，就追上来了。晁老师，我老早托您帮我借的那本书，还是没找着吗？"

我笑着说："你这个借书的！真盯得紧……不过，你很快就要上大学了，大学图书馆什么书都有，何必再托我给你找去？"

赵海涛认真地说："没发榜呢。也可能取不上我。"

邹宇平推了他肩膀一把："得了吧！你考不上，我……我把身上这件米黄色大衣输给你！"说完自己也忍不住笑了起来。

我倒觉得，赵海涛做好"万一"的思想准备，也是应当的。便对他说："考不上你也不必灰心，可以继续业余钻研数论嘛……"

赵海涛严肃地摇摇头说："考不上，那就是说，国家找着更有培养前途的人了——那我就放弃数论的研究，改攻实用数学——头一步，就是考虑用运筹学，来改进我们废品回收公司的工作……"

他这想法，出乎我和邹宇平的预料。我看见，邹宇平收敛了笑容，渐渐现出一个深思与钦佩的表情，愣愣地望着赵海涛。

电报大楼的报时钟声提醒我们，已经十一点了。邹宇平和赵海涛都需要立即赶到单位，去上十一点半的班。我们该分手了。

赵海涛骑车的身影很快消逝。我和邹宇平走到前门才正式分手。邹宇平朝我笑了笑，便转身径自往工厂走去了。他那裹着米黄色大衣的身影，久久地在我视线里活动着，我不禁回忆起四年前的那个夜晚，也是这个身影吸住了我的眼和心；这身影是多么地相同，而又多么地不同啊！

不知不觉地，我已经漫步在前门外的新顺城街上。"三门工程"的宏伟景象，展现在我的眼前。那一座连一座的，已经完工、接近完工、正在升起的现代化高楼，巍然屹立着。我朝前望去，在远处的人流中，那穿米黄色大衣青年的身影，依然清晰可辨。首都第一批现代化高楼下，正行进着多少个怀揣"四个现代化"宏图的青年？这样的高楼下，多么令人心潮激荡的时代剪影！

忽然，一个强烈的想法攫住了我——我要把它倾诉出来：在党中央领导下，在揭批"四人帮"的伟大斗争中，在向四个现代化进军的滚滚热潮里，最值得注意与欣喜的，是体现在广大人民，特别是被"四人帮"坑害过的青年一代，那灵魂上所发生的可喜变化……邹宇平这个穿米黄色大衣的青年，不就是活生生的一例吗？

呵，让我们信心十足地预言：我们的生活将变得更加美好，我们的灵魂也将变得更加美丽！

1978 年

没有讲完的课

回叙往事，不是为了图解我们已经获得的正确概念，而是为了尽可能深入地去剖析、探究那些我们尚未完全理解的问题……

一

在徐愫珍十七年的教学工作中，以这样激昂的感情来备一堂课，实在还是头一遭。

这是 1976 年 1 月 3 日上午，徐愫珍一个人坐在教学楼三楼的物理仪器室里。冬阳从关得严严实实的玻璃窗斜射进来，给徐老师勾出了个鲜明的轮廓。徐老师快满四十岁了，长年的辛勤教学劳动，在她眼角留下了浅浅的鱼尾印迹；不过，她那丰厚油黑的短发，那双虽是单眼皮然而秀气明亮的眼睛，以及高而长的鼻梁下那张经常有力地抿住的嘴，乃至于微微有点上翘的下巴，都仍然显示着青春的活力与饱满的斗志。

讲座定于 1 月 5 日下午两点，在毗邻这个物理仪器室的 301 教室举行。徐老师此刻选定物理仪器室来备课，是为了避开年级组办公室的杂乱干扰，以便能更深入地思考一些问题。瞧，她并没有死板地坐在桌旁整理教案，而是在一排高大的仪器橱前背着手踱来踱去。这些年，物理仪器室很少有人进来过，301教室原本是物理实验室，这些年也很少出现作物理实验的场面了。徐老师停住脚步，打开一扇玻璃残破的橱门，望了望橱角一只从网上惊缩到木缝中的蜘蛛，微微叹了口气。她打开了一只木匣，里面是一排钢制音叉；她依次拿出一只只出现黄色锈斑的音叉，用长柄木槌敲着。音叉所发出的从高到低、从清亮到混浊、从悠扬到钝涩的声响，仿佛象征着她内心复杂的思绪——困惑中有着清醒，信心里又包含着忧虑……

徐愫珍放回音叉，关好橱门，扫视着触目皆是的尘土，心里不由得发出愤懑的质问："难道，连这仪器室也不许整顿？"而"整顿"这个字眼一飘入脑际，三个人的形象便顺次生动地浮现在她的眼前。

首先是教育部长周荣鑫同志那难忘的身姿面容。头年夏天，徐愫珍和学校教育组组长丁朵一起，参加了周部长召开的座谈会。去开会前，丁朵叮嘱徐愫珍："咱们带耳朵去就够了。"徐愫珍倒也赞成。可是，座谈会开起来以后，来自兄弟学校的同志们一个接一个地抢着发言，把这几年中学的状况勾勒出了个鲜明的轮廓；大家要求从各方面进行整顿的呼声，使徐愫珍的心弦发生了强烈的共震，她憋不住了，不顾丁朵在桌下用脚尖踢她，在一位同志谈完对理科教学的意见以后，冲口而出地宣布："我补充点对整顿物理课教学的点滴想法！"当时丁朵如何屏住气息呆望着她，其他与会者如何众目汇焦盯视着她，她都没顾上注意；她只发现同她相隔五个人的周部长，应声将宽大的肩膀稍稍前俯；阔亮的前额下，两道浓眉微微跳动了一下；一双眼脸显露着疲劳而瞳仁喷溢着精力的眼睛，鼓励地、期待地望着她——刹那间，她有点心慌。尽管她已经讲过上万堂课，但这是怎样的场合，况且又面对着部长本人……她开始谈意见了，一开头，她听见从自己嘴里连续漏出了好几个破碎的句子——这是当老师的最忌讳的；于是她略微停顿了一下，以便镇定下来；就在这一两秒钟里，她瞥见周部长似乎在微微地向她点头，仿佛要同她一起共同摆脱不必要的拘束。她顿时获得了信心和力量，甩甩短发，朗声侃侃而谈起来……周部长全神贯注地听取她的发言，不时用笔在本子上作着记录、画着线和标着符号。现在回想起来，整个座谈会上，周部长的言谈神态里体现着为革命事业整顿教育的胆识和决心；但他对与会者提出的大量具体问题和建议并不轻率表态，在倾听发言时往往保持着深思和探求的神情，这又体现出他的慎重与沉稳……散会后，丁朵请徐愫珍到冷饮店吃了冰激凌，笑着说："你今天还是把舌头带来了……没闯祸！我看大家的表情都是在肯定你的意见，我听了也觉着痛快！"

　　正是在夏天那股暖人的东风推动下，徐老师所在的光明中学开始了生气勃勃的整顿工作。徐老师教的是毕业班，党支部在9月里确定下来，毕业班学业结束以后，在待分配期间，要切实作好对毕业生的思想教育工作，同时为他们开办一系列知识讲座；除了"农业机械"、"兽医常识"、"良种培育"这类联系农村实际的讲座外，也要举办几个开拓学生视野和引导学生展望未来的讲座，定下的题目有"天文常识"、"仿生学"、"激光知识"这么三个。徐老师分配担任的，是"激光知识"的讲座。从10月起，她就开始搜集资料，琢磨怎么讲才能使同学们既获得知识，又能为四个现代化的前景动心。常常是夜深人静时，耳边传来爱人轻微的鼾声和女儿喃喃的梦语，徐老师仍在台灯下钻研着资料，书写着教案；她感觉疲劳时，托腮闭目略一养神，周部长那双眼脸微微下垂而瞳仁炯炯的眼睛，便仿佛在几米外向她输送着一股无形的力量，她便不由得精神一抖，重新伏案工作起来……

但是，12月初的一天早晨，电台的联播节目劈头便播出了所谓"两校大批判组"的文章——《教育革命的方向不容篡改》。这篇文章有如酷寒的北风，给入夏以来生意盎然的校园套上了沉重的冰甲，使一切有权利苗壮拨节的禾苗都面临着最严峻的考验：或者是甘在冰下枯萎，或者是冲破冰层迎向太阳，在倔强的抗争中求得生存和发展。为毕业班同学开办"天文常识"、"仿生学"、"激光知识"这三个讲座，顿时大有"篡改教育革命方向"之嫌；负责"天文常识"和"仿生学"讲座的老师，一个气得生了病，一个心灰意懒，打了退堂鼓。但是徐愫珍老师却坚持要把"激光知识"讲座搞成！

说实在的，"不容篡改"的寒风来得这般突然、迅猛，徐愫珍这么个普普通通的共产党员、中学教师，在短时间内是不可能一眼看透其中奥秘的。可是，当徐老师在报纸上读到某篇"大批判"文章时，她义愤填膺得双手颤抖了——那是一篇不点名把周荣鑫同志当做"奇谈怪论鼓吹者"大加挞伐的文章，文中硬说周荣鑫同志在某次座谈会上鼓吹过这样的"奇谈怪论"——现在中学物理就讲三机一泵，不学光学不要眼睛了，不学声学不要耳朵了，将来的学生就是瞎子、聋子。还给扣上了"攻击教材改革"的吓人帽子。周部长何曾讲过这样的话！徐老师记得清清楚楚，倒是她在那天的座谈会上发言时讲过："有的中学物理课把声学、光学都砍掉了，只讲三机一泵。这不对，光学声学应该学。我认为，从一定意义上讲，我们不学光学是瞎子，不学声学就是聋子。"文章竟将座谈会中徐老师的发言加以改造，硬栽到周荣鑫同志头上去——这样干，哪里还有一点共产党人、马列主义的气味？！

回想着这些事情，徐老师胸脯起伏，两手揪着毛线围脖的长穗，抿住的嘴唇抖动着，继续在仪器室中踱起步来。她眼前很自然地又浮现出了丁朵的面影。

徐愫珍和丁朵同是北京师范大学物理系的毕业生，丁朵比徐愫珍高两届。在校时她们都是学校话剧队的成员，同台演过许多出戏。徐愫珍一直把丁朵当老大姐对待，丁朵也确实具有公认的老大姐风度。直到近一两年前，徐愫珍从未觉得丁朵有多大的变化。但是，渐渐地，徐愫珍感到丁朵似乎失去了一些美好的东西，而又增添了某些令旁观者不安的东西……

当徐愫珍激动地拿着那张批判"奇谈怪论"的报纸，来到丁朵的办公室里，向丁朵倾诉自己的义愤时，丁朵的反应是多么令人失望而气闷啊！当时，徐愫珍一边听着丁朵那疲惫的、饱含恳求的声音，一边注视着她。丁朵也不过比自己大三岁，可是，瞧，她这耳边已经出现了最初的几丝白发；丰满的圆脸庞上虽然还找不到几条明显的皱纹，但下巴已经发双，加上眨眼时下垂眼皮往往停留过久，而双眼又是那样地缺乏神采，不知底的人恐怕要把她列入"老太婆"的队伍里去了！

丁朵劝告徐愫珍的语调听来是真诚而善意的："'大辩论'的文章这么个写法，我也是一样地不理解。可是，有什么办法呢？写封信给报社为周部长辩诬？您想得太天真了！没有用的。弄不好还会惹祸。我看就不要去较真了。激光知识虽然更多地属于原子物理学的范畴，可是一般人一见'激光'这两个字，便会联想到光学。既然报纸把'不学光学就是瞎子'的话当成'奇谈怪论'了，我看我们也还是回避一下好，暂时别搞'激光知识'讲座了……小徐，你的心情、劲头我都理解，可是我们在一所小小的中学里，有什么办法呢？要知道，只要有一个赶时髦的学生，往上写一封告我们搞'激光讲座'的信，就可能把你、我乃至于整个支部，当做'回潮'的典型……"

元旦之夜，徐愫珍写好只署着自己一个人名字的辩诬信，不禁为丁朵拒绝与她合写并劝阻她不要写这封信而心里阵阵发痛。最令人痛心的还不是丁朵表露在外的胆怯与消极，而是一时摸不透：她内心里究竟盛载着一些什么东西？她怎么会变得不敢、不愿证明事实和坚持真理？当 2 日早晨徐悿珍和丁朵在公共汽车站相逢，徐悿珍当着丁朵把写给报社的辩诬信投进邮筒时，丁朵那透露着惊恐和担忧的眼神，更像冰碴溅落在了徐悿珍火烫的心上。不知为什么，来的那辆公共汽车并不十分拥挤，徐悿珍上得车后，车开时却发现丁朵没有一起上来；她从车窗望出去，只见丁朵呆立在站牌后的邮筒旁，仿佛一株生了病的树……丁朵啊，难道回忆起那次座谈会上周荣鑫同志正大光明的声容气度，还不足以激起你挺身而出、证明事实真相的勇气？难道眼见着在批判"奇谈怪论"的喧嚣声中，我们中华民族离四个现代化越来越远，也不能激起你"国家兴亡，匹夫有责"的热情？

想到这里，学校党支部书记曹战波的身影凸现在眼前。老曹也是北师大的毕业生，和丁朵同届，不过上的是政教系。他比丁朵又要大两岁，因为他是从朝鲜战场复员回来再上大学的。他那黑瘦而结实的身躯、稍微有点往下撇的八字浓眉、语尾上浓重的团泊洼口音，以及脖颈上那弹片造成的伤疤，合起来构成了一种赢得广大师生喜爱、尊敬的气质。区教育局、同区的学校、广大的家长，都认为老曹是个有水平的干部；可他领导下的光明中学，在每个风头上都并非先进典型，总是要等到下阵风刮过去以后，人们才意识到他的难能可贵之处。比如说，有一阵传来了某个"校门大开，校内无人"的"开门办学经验"，同区的其他学校纷纷效法，光明中学不少师生也有点坐不住了，或者是出于真诚而盲目的热情，或者是出于害怕落上顶"保守"的帽子，也来要求党支部"放手发动群众"。曹战波却冷静地组织党支部讨论了整整一天，统一了思想——该下厂学工、下乡学农的班级按原计划进行，其余班级继续在"小课堂"里上文化课。

结果，等"校门大开，校内无人"这股风刮过去以后，别的学校得到的是"讲用会"上的虚名，面临的是拢不回学生的狼狈局面，而光明中学虽然在总形势下也纪律不稳，上课铃响后，教室里总算还能坐上八九成打算听讲的学生。时常家长跑来，恳求光明中学接受自己子女转学，他们见到曹战波总不免恭维说："你们学校好，学生总能学到点东西。"曹战波总是收拢八字浓眉，摇着头说："好也好不了多少。大面上是这么个情况，我们只能尽力而为……"

徐憬珍很欣赏老曹这种实事求是、尽力而为的作风。的确，老曹绝非舞台和银幕上那些"高、大、全"的英雄：身居基层，却能识破全局；狂涛面前，却能一个独挽。她知道，老曹也时时困惑、痛苦、焦愁、忧虑，只不过绝不轻易外露罢了。今天早晨，徐憬珍快到学校时，迎面碰上了正骑车去区教育局参加"头头学习班"的老曹。徐憬珍知道，这个"学习班"是为领会"大辩论"精神而办的。看，老曹明明对"大辩论"是抵触的，却并没有断然拒绝参加这个学习班；当然他也绝非随波逐流——他停下来，扶住车把，表情并不丰富地问了徐憬珍两句话：

"信，寄了吗？"

"讲座，后天准时上没问题吧？"

徐憬珍只对他使劲点了两下头，他便骑上车走了。但就这两句听来平平淡淡的话，使徐憬珍心里充满温暖、昂扬的同志之情。老曹是支持自己寄出辩诬信的！老曹是支持自己顶着恶风搞"激光讲座"的！丁朵啊，如果也像老曹一样，该有多么好！

"笃、笃、笃"的敲门声，打断了徐老师的思绪。谁呢？除了物理教研组组长张俊石老师，没有人知道她在这间屋里啊。

二

徐老师打开门，一个充满朝气、满脸笑容的小伙子出现在眼前。这是毕业生里带头提出要到远郊山区去插队锻炼的共青团员岳航。岳航头上戴着顶大得有趣的狗皮帽子，红扑扑的方脸盘上，两只像浸过油的黑眼珠闪着快乐的光芒。他进门就调皮地说"徐老师，您以为躲起来我就找不着您了吗？您可得记住，夏天在香山公园作军事游戏，我一个人就逮着了三个'俘虏'！"说完嘿嘿地笑了，不等徐老师答话，便接二连三地又是报告消息又是提出问题："刚才我们在激光讲座的通知前头辩论起来了，李光仲他们几个捅着我肩膀问：'你到山区插队，哪辈子用得上激光？你干吗呀！'再说，就是一时用不上，我也想知道。我什么都想知道，银河系外头是什么？原子核里边是什么？太平洋下有些什么东西？屈原是个什么样的诗人？……我全想知道。因为我想成为一个有学问的人！因为我觉得知道得越多，就越能心甘情愿地、特师特冲地干革命！徐老师，我这么想对吗？您明天要讲多长时间呢？我爸借给您的资料有用吗？……"

徐愫珍端详着眼前的这个学生。她无法细听岳航连珠炮般的话语，她内心里仿佛颤响着高频音叉。前几天，丁朵好意地提醒她："岳航这样的学生，不要接触过多吧。他毕竟是知识分子的子弟——当然，我对他的印象跟你一样，也认为他的确算得上是德、智、体全面发展，又带头上山下乡，是个好团员；可是，现在让我们'同十七年对着干'呢，还是小心一点，不要让人家给我们扣上'欣赏十七年式的学生'的帽子啊……"

徐愫珍望着岳航那精神焕发的健康面庞，心内愤然地质问：岳航的父母与丁朵、与自己是同一代人，唱过同一批陶冶革命情怀的革命歌曲，阅读、观看过同一批铸造革命理想的文学作品和戏剧、电影，经历过大体相同的斗争风雨的洗涤、磨炼，在团旗、党旗下举拳重述过同一誓词，在社会主义革命和建设中都滴下过热汗、作出过成绩；为什么像这样的人，还要被认为是资产阶级知识分子呢？为什么他们的子女，还要被排斥在劳动人民后代的范畴之外呢？像丁朵这样的干部，为什么在树立典型、提名表扬乃至于日常工作中，竟害怕过多地触及这种类型的孩子呢？如果说"十七年"培育出了岳航父母那样认真工作、卓有成绩的科研人员，如果说岳航这样的求知欲强烈的学生便是"十七年式的学生"，那么"十七年"的教育路线又有什么根本错误呢？在"同十七年对着干"的口号后面，究竟包藏着什么样的祸心呢？！

岳航见徐老师似乎心不在焉而脸颊绯红，便停住话头，关心地问："徐老师，您不舒服吗？"

徐愫珍伸手捋捋耳后的短发，摇了摇头。

岳航把戴着大棉手套的右手伸到徐愫珍面前，变戏法般地将手套猛地抖落，露出掌心里的一件东西，同时兴奋地宣布说："送给您的礼物——我们小组四个人集体做的——希望您明天讲课时就用它！"

那是一只精巧的粉笔盒。徐愫珍取到自己手中，暂且忘记了忧愁、烦恼，感动地端详起来。接榫细密，涂着朴素的原色清漆，一打开，里面已经搁放好数支粉笔。岳航在一旁笑着说："我们记着您的话呢——'不能什么地方都要求出绿——在黑板上画示意图，要尽可能避免蓝色和绿色，因为坐在后头的同学不容易看清，要多用红的和黄的。'您瞧，我们搁的只有三种颜色——白的、红的和黄的。您喜欢吗？"

徐愫珍紧紧握住这只小小的粉笔盒，她发现岳航说完那套啰唆的解释，正调皮地冲她眨眼，不由得微笑了——这个小鬼头啊，他也懂得蔑视那个要求一律"出绿"的庞然大物！光是为了这样的学生，也应当把"激光讲座"搞好啊！

正在这时，张俊石老师来了。他是徐愫珍的入党介绍人。张老师虽然比徐老师还要小几岁，但在徐老师心目中，这位宽肩膀的男同志随时闪耀着值得自己尊敬、学习的光彩。

张老师告诉她："我接到了两个外校来的电话。他们的毕业生听说了咱们的'激光讲座'，一共有二十来个积极分子明天想来听讲，问咱们接待不接待。隔壁教室坐小一百人没问题，所以我答应了他们。你看，跟实现四个现代化有联系的事情，总是受人欢迎的。"谈到这儿，张老师微微一笑，用似乎平淡的语调说："如果明天你搞的是'大辩论'现场会，保险不会有自愿跑来听讲的。"

这些天来，张老师一直是"激光讲座"的积极支持者。徐老师听了他这几句话，接触到他那包含着更多意念和鼓励的目光，心里的火苗"嘭"地蹿得高猛了。她觉得讲好这一课不仅是自己的责任，更是许多革命同志的共同心愿。

没有掩实的门被推开了，丁朵走了进来。她满脸掩藏不住的惊惶失措，仿佛发生了火灾。她望了岳航一眼，岳航意识到自己留在这里不合适，叫了声"丁老师！"便转身出去了，还懂事地拉紧了门。

徐愫珍和张俊石都睁大眼睛望着丁朵。

丁朵跌坐到徐愫珍备课坐的靠背椅上，沉重地叹了口气说："怎么办？家里就剩我一个支委——你们帮我想想办法吧……刚刚来的电话，明天报社要来摄影记者，在咱们学校拍摄批判'奇谈怪论'的新闻照片；不知道他们是怎么知道的——说是咱们学校夏天有出席过周荣鑫同志的座谈会的教师，这次拍照片要求把这样的教师搁到主要位置上，为的是更好地揭露、批判鼓吹'奇谈怪论'的人……小徐啊——"丁朵急得几乎流出眼泪，她站起来贴近徐愫珍，心慌神乱地恳求说："为了咱们学校，为了老曹和支部，为了你自己——别的话我也没有了——你就让他们照一张吧！他们电话里说了，并不要你当时真的发言，只要黑板上写着'批判教育界奇谈怪论'的标语，周围有些样子像听发言的同学、老师，你在当中作个发言姿式就行了——我们何必那么叫真？将来万一……也不会有人来追究这种事情的。小徐！"

徐愫珍瞪视着这个她曾经搂住肩膀叫过"丁姐"的人，脑子里仿佛滚动着一锅开水，只觉得太阳筋在"卜卜卜"地跳。她咬了咬嘴唇，猛一扭身，几步走到窗前，把发烫的前额紧贴到了冰冷的窗玻璃上。她痛苦地思考着，是一种什么样的外力，使丁朵这个"人类灵魂工程师"的灵魂，被扭曲成了这个模样？又是一种什么样的内因，使她的灵魂不是奋起反抗，而是蜷曲以求适应？

是的，我们都应当帮助徐愫珍来思考。丁朵究竟是怎么回事呢？接到报社电话以前，她正在审阅团委会订出的寒假活动计划——作为党支委，她还兼管着学生团的工作。只是因为这份计划循例要上报区团委，丁朵便提起全副精神细细审阅，生怕出一丝纰漏。计划中有一项"忆苦思甜"的活动。丁朵猛地想起，前几年的报纸似乎有过"忆苦思权"的新提法。她刚把"甜"字圈去，要下笔时却又犹豫了——不是还有"没有路线，哪来政权"的说法吗？可见应当改成"忆苦思线"；可是恍惚又记得报上有篇文章强调过："有什么样的世界观，就会执行什么样的路线"，难道应当改成"忆苦思观"？唉唉，究竟怎么提才不至于被人上纲为"复旧"呢？——"忆苦思甜"可是"十七年"的老提法啊！丁朵捏着钢笔不知如何是好了……最近几年里，丁朵的思维活动经常是在形式、字面、提法上绕圈子，战战兢兢，小心翼翼。这也难怪，堂堂权威性杂志，不是也声色俱厉地宣布过"'大庆人'、'大寨人'的提法没有阶级性"吗？"文化课"前面不加"社会主义"字样，似乎就形同反动；报上登个杂技演出广告，还要标明是"革命杂技"……防被揪辫子，防被无限上纲，渐渐成了丁朵工作的一个中轴。光明中学嗷嗷待哺的团员们啊，审阅你们寒假活动计划的丁老师所想的，并不是如何使你们饱饮营养丰富的乳汁，而是一字一句地检验着："报上有过这种提法吗？"为了求证出"忆苦思X"的X究竟应当是什么，丁朵决心查遍头年的报纸。她很辛苦，她耗费着宝贵的心血……

把额头贴在窗玻璃上的徐愫珍，短时间内无法透彻地剖析丁朵。她耳朵里模模糊糊地听见张俊石在质问和反驳丁朵："这有什么难办的？告诉他们，我们这里没有开展批判'奇谈怪论'活动，没有他们需要的新闻，所以也无照片可拍……他们要伪造新闻照片，请到别的地方去！……老丁，你怎么变得这么胆小怕事？你怕个什么呢？天没有塌下来，也塌不下来！……你打电话告诉老曹了吗？没打通？他不会同意的……我们一起来抵制好了，没有什么了不起！"

丁朵仍在沉重地叹息："自然我也觉得造假不好，可这几年报社的人采访、组稿、拍照，想通过组织就通过组织，不想通过组织就直接下来硬搞……还净有'通天'的人，惹不起啊……"

张俊石还要再反驳丁朵，徐愫珍却再也不能容忍丁朵的态度。她猛地从窗户那儿走回到桌前，看也不看丁朵，只是用麻利的动作收拾好桌上的东西，并把岳航送来的粉笔盒珍惜地放进了衣兜中。然后，她把毛线围脖挪到头上，缠绕好头部，用力将余出的部分甩到脖颈后面。她那被银灰色围脖衬托着的脸上泛出亢奋的红光，一双灼灼的眼睛单单望定了张老师，铮铮有力地说"明天的课，我一定要讲好。请同志们放心！"说完，仿佛屋子里根本不存在丁朵这么个人，便迈着毅然决然的步子，拉开门走了出去……

三

当晚七点钟。呼啸的西北风把什刹海畔脱尽叶子的垂柳吹得向东狂舞,冻结的湖面偶尔发出膨胀的"冰吼"。环湖马路上很少的一些行人,个个都在快步奔向温暖的地方。徐愫珍却从家里出来,心里仿佛揣着一团火,准备穿过什刹海"葫芦腰"那儿的银锭桥,到湖北岸一条胡同里去找丁朵。

徐愫珍不是已经决定不再搭理丁朵了吗? 为什么现在又冒着凛冽的寒风,主动去丁朵家找丁朵呢? 这主要是因为下午下班以后,徐愫珍已经快走拢公共汽车站,张俊石骑着自行车迎面截住了她。张俊石告诉徐愫珍:他下午到区教育局走了一趟。教育局领导同志和老曹都说,关于"教育革命大辩论"的事情,局里这个学习班尚未吃透,许多学校都还没有开展什么批判"奇谈怪论"的活动,因此可以婉言谢绝拍照的事。"老曹当着我的面给丁朵打了电话,后来又嘱咐我,要尽量帮助丁朵。他说,像你这样不理丁朵是不对的,应当用一颗火热的心去唤醒她……"徐愫珍回到家里,做饭的时候想着老曹的话,吃饭的时候也想着老曹的话,爱人听她倾诉了心事后,也认为"应当用一颗火热的心去唤醒丁朵",于是,她就这么怀着一颗飘动火苗的心,跑出来了。

徐愫珍没有想到,就在她从南边奔向银锭桥的同时,丁朵裹着拉毛大围脖,激动地从北边朝银锭桥快步走来。丁朵接到老曹的电话后,就给报社打了个电话,婉言表示拒绝拍照之意。对方似乎也并不寻根究底和执拗坚持,只是"嗯"了几声也就算了。丁朵长长地吁出一口气来。她一点也不生小徐的气,但她决定要找小徐好好聊聊。她有一种不祥的预感:小徐指不定什么时候会突然"脱轨",爆发出什么不但毁了小徐自己也牵累支部和整个学校的"事故"。拍照的风险总算躲过去了,她要再尽最后的努力劝小徐自动推迟"激光讲座"——仅仅推迟,到适合搞的时候再讲嘛——如果小徐终于能同意下来，那么，自己所搭乘的光明中学这只小小的航船，也许就能在这场风云莫测的"大辩论"中，平平安安地驶过险滩……

当徐愫珍和丁朵面对面地在银锭桥上巧遇时，两人都不由得惊喜地"啊"了一声。两人都在一刹那间把对方估计成是"醒悟"了。

徐愫珍热情地拉过丁朵的大衣袖子，凑拢她朗声地说："老丁，我要给你看一张照片！"

丁朵一听"照片"两个字，便本能地紧张起来，她懵懵懂懂地问："什么照片？"

徐愫珍挽住她胳膊说："我知道你已经没有这张照片了，可我一直留着！老丁，我有好多好多的话想跟你细细、细细地说呢……我们何必怕那些不得人心的家伙？说人家鼓吹'奇谈怪论'，其实他们才是真正在宣扬'奇谈怪论'……"

丁朵紧张地朝四处望了望——只有寒风在吹掠，没有路人，可是她仍然惊怕地低声提醒着："小点声！咱们干吗在这儿说话，到……"她本想说"到我家去吧"，但突然失望地意识到，小徐依旧是上午物理仪器室中的那个小徐！她如果当着自己的爱人、公公、上初中的儿子说出什么"出轨"的话，将来连否认都难以否认……徐愫珍这时发出了"那么去我家吧？"的邀请，本来丁朵正是要到那儿去的，但此刻她又犹豫了。小徐的爱人和女儿也都是"人证"啊，万一小徐说得过了头，自己就算一句没有附和，将来要像前一阵"追查政治谣言"那么样地"追查"起来，也难免受牵连……"到鼓楼坐车去学校吧，还是在那儿谈方便。"徐愫珍同意了，她俩便穿过烟袋斜街，朝汽车站走去。

徐愫珍心里坦坦荡荡。从她入党的那天起，她就坚信，任凭狂风起、暴雨来，我们的党总是实事求是的。尽管这些年来出现了越来越多的颠倒黑白的怪事，但她心中有数——那是某些蠹贼盗窃党的名义搞的，党早晚是会清算这一切的！

如果一个共产党员失去了说真话的勇气，那也就是丧失了党性……因此，她认为无论在什么场合，她依据客观存在的事实，用马列主义、毛泽东思想去分析而形成的认识，都可以无所顾忌地讲出来；如果讲错了，她不怕批评；如果有人压制，她要据理力争。她不管丁朵如何沉默，走向车站的路上仍然兴奋地说着："老丁，我刚翻完中学、大学时代的照相册，我看到的是金色的年轮，而不是黑色的旋涡……我们怎么能接受'同十七年对着干'的口号呢？我们怎么能同养育我们长大成人的十七年革命岁月'决裂'呢？！……"

丁朵知道无法止住徐愫珍奔放的思绪，便加快几步走到前面，使她失去倾诉的对象……

徐愫珍看出丁朵也依旧是上午物理仪器室中的那个丁朵，便也沉默下来。她心中的火苗痛苦地抖动着。丁朵啊丁朵，如果你是出于一种盲从的热情，出于一种"左"倾的思路，出于一种真诚的糊涂，那么，我也许还能对你的表现谅解几分；然而你的恼人表现并不是由于感情的沸扬而是出于感情的贫乏，并不是由于真诚的执拗而是出于庸俗的苟且……这就更加令人痛心，更加令人失望！丁朵，你究竟害怕失去什么东西？

徐愫珍和丁朵默默无言地进入校园后，一眼就看见前院党支部办公室亮着灯。那遮着白布窗帘的玻璃窗上，清晰地映出了曹战波的侧影。他伫立在那里，手里夹着香烟，缕缕淡黑的烟影缭绕着他瘦削刚强的身板。

见徐愫珍和丁朵进得屋来，曹战波并不吃惊，他扬起眉毛，用眼神表示出"你们来得正好"，然后仿佛继续着自己的思索，一边踱着步子，一边抽着烟，用沉郁的语调说："他们要干什么呢？辩论教育革命的方向？他们的方向是首先扳倒周荣鑫同志，然后扳倒小平同志，然后……"他停步在桌前，四根手指按住最近的一叠报纸，拇指顺边缘狠狠劲一捻，接着说："好久见不到周总理在医院接见外宾的消息了，尽是他们杀气腾腾的文章……"他没有再说下去，眉尖在印堂那儿往一块碰，黑瘦的脸颊上，牙筋颤动着。

徐愫珍同老曹心心相印。老曹寥寥的几句话，把她的心火拨得更旺，使她看得更深、更远。"他们会把这样的报纸硬塞给周总理看吧？"想到了这一点，徐愫珍仿佛听到了自己怦怦的心跳声。"他们是用笔杆子杀人啊！杀好人！杀我们最亲近的、最宝贵的人！"她在心里这么喊着，却并没有出声。当人悲愤填膺达于极点的时候，往往并不呐喊，反而是倔强的沉默。

老曹的几句话，使丁朵更加心乱如麻。她这些天一直抑制住自己不要往深处想。"他们已经得势了，反正他们已经得势了……"她在心里反复强调着这个意念，但不愿意挑起涉及"险境"的争论。她希望老曹和徐愫珍能收回"脱缰"的思路，于是便突然主动地问徐愫珍："你不是要给我看张什么照片吗？在哪儿呢？"

一句话提醒了徐愫珍。她从兜里掏出笔记本，取出那张照片来，送到丁朵手里。这是她特意从学生时代的照相册上取下，要拿来唤醒丁朵灵魂中那些处于冬眠状态的感情的。

丁朵拿到手里一看，原来是 1956 年夏天，临放暑假以前，她和徐愫珍同台演出话剧的一张剧照。这剧照她也曾经有过，但她早就随同那一时期的其他照片以及日记、书籍、来往信件一类东西统统销毁、处理掉了，因为那都是"黑线专政"下的产物。她看着手里这张显得陌生的照片，表情是那样的淡漠，站在一旁注视着她的徐愫珍深深失望了。

曹战波站到丁朵身后也来看那张照片。多少闪光的回忆涌上了心头。他取过丁朵并不珍惜的照片，深情地望着，感慨万千地说："难忘的大学生活哪……"他清楚地记得校话剧队演出的这出话剧，他认出那个扮演工人妈妈的就是当年的丁朵，而那个扮演挂着两根小辫的女儿的，就是当年的徐愫珍。

徐愫珍控制不住自己的感情，她向丁朵倾诉出了全部肺腑之言："你怎么能忘记呢？怎么能无动于衷呢？当年在台上，你以工人母亲的名义，激动地向观众讲过这样的话：'孩子们哪，你们要爱咱们共产党的学校，社会主义的学校，人民的学校！不管是谁，他要来骂咱们共产党的学校，妄想把咱们的学校抢走，那咱们就得跟他拼！'每当这几句话出来，台下总有热烈的掌声；我记得你一演到这儿，眼里就忍不住涌出真情的泪光；我们跟你同台的演员，也就都忘了是在演戏，真恨不得为保卫我们的社会主义学校，立刻去赴汤蹈火，建立功勋！老丁啊，你实事求是地回忆回忆，十七年里，上中学、上大学，后来又来教中学，学校也好，我们自己也好，是有缺点，也犯过错误，可究竟主流是什么？我希望这张照片能在你心里变成一部电影，你好好地过一过这部名字叫'十七年'的电影吧……老丁啊，我们不能接受'同十七年对着干'的口号！把共产党领导的'十七年'否掉了，不就是否定共产党吗？！老丁啊，你当年的激情哪儿去了？你当年的斗志哪儿去了？你为什么变得这么麻木，这么胆小，这么委屈求全，这么软弱无能？！"

丁朵的心被触动了一下，但仅仅是一下；她低首不语，她宁愿努力去平息徐愫珍在她心灵中掀起的波澜，而不愿顺势去推动心潮使之翻滚。她听见老曹在她身边踱着步子，用诚恳而严峻的口气对她说："是该好好想想小徐提出的问题，你为什么成了这么个精神状态？当然，外因是清楚的——有些家伙正在往我们灵魂上泼脏水，给我们的灵魂披枷戴锁；可你为什么不反抗？你无非是怕触动到自己的小康之家，怕丢掉小小的乌纱帽，怕被假左真右的家伙打成'右派'……你怕这怕那，就缺一怕——你就不怕我们社会主义祖国重新变成'东亚病夫'！"

丁朵的心被老曹尖锐的分析刺痛了，但还并没有惭愧的情绪滋生。她叹了口气，揉揉太阳穴说："我怕是血压又高上来了……"她匆匆告辞离去，把老曹和小徐留在了屋里。她想：我走开对他们、对我自己都有好处，他们可以更加畅所欲言，而我也可以不必"卷入"过深。

当丁朵走出校园，迎面扑来刺骨的北风时，她觉得自己仿佛衰老了十岁，她渴望着赶回到暖气扑人的家中，落身到新买不久的沙发椅上，让小女儿冲上一杯麦乳精递给她喝。

四

在实际生活当中，一次深刻感人的谈话，往往并不能使昏迷的灵魂猛醒。这就好比有了高质量的火柴，也并不一定就能马上点燃架好的柴堆——因为还要取决于大的环境因素：是在炎炎烈日下去点，还是在瓢泼大雨下去点？

过一个星期天，5号上午，一切似乎都复归于平静。徐慊珍看到丁朵发青的眼圈，估计到她经历了两个失眠之夜。她俩都没有谈及前天的事。丁朵也不再阻拦"激光讲座"，事实上要阻拦也来不及了——几小时后这一课便要在301教室开讲。

这天的上午平平静静地过去了。

下午一点二十分，丁朵坐在办公室打毛线。她努力用机械的编织动作，来压抑前晚开始从心底往上拱动的"危险"思绪。突然，桌上的电话铃锐利地鸣叫了起来。她没有思想准备地拿起了电话听筒——什么？报社编辑部？记者一点半就出发？还是要拍前天讲好的新闻照片？出席过座谈会的教师不愿意拍可以不必勉强？支部另外请任何一位教师或同学来"发言"都可以？不必作更多的准备，只要选择一间比较宽敞整齐的教室，布置好黑板就行？原来没有批"奇谈怪论"也不要紧？可以用这次拍照来发动群众、推动工作？……什么？记者们两点以前就到？……丁朵不记得她是怎么同报社对话的，不记得她是怎么挂上电话的，总之，当她清醒过来的时候，这件事已经发生过了——而半小时后，更难承受的事还将发生！

这样的规律绝不仅仅在丁朵一个人身上发生作用：在一定条件下，软弱无能会转化为果敢地采取错误行动，苟且偷安会转化为毅然地背弃原则。

丁朵看看表：一点二十八分。还来得及"挽救"！她振作起精神，走出办公室，站在屋檐下一望，正好！有两个初二新发展的团员姑娘在那儿写黑板报，她把她们叫了过来："谢惠敏，你找上几个积极分子到 301 教室等着我，有紧急任务！石红，你有自行车吗？有？好！你这就骑车到曹老师家找他，告诉他报社记者两点钟到学校，请他下午就不要去教育局了！"

两个新团员认真地照办了。

丁朵吁出一口气来，立即奔赴 301 教室，组织谢惠敏她们几个在黑板上写出了"批判教育界奇谈怪论"的美术字标语……

徐愫珍中午回家吃饭，一点四十五分来到学校。刚进校门，丁朵就把她叫进了支部办公室。丁朵紧张而祈求地望着她，用仿佛怕被第三者听见的窃窃低语急促地解释说"……他们果然还是要来。老曹估计两点半才到得了。我看就让他们拍张照片算了。他们答应不勉强你，找个学生'发言'也成——我已经布置给谢惠敏了，就是那个高个子的新团员，她挺听话的。咱们也就 301 教室拿得出去，别的教室不是缺玻璃就是黑板有裂纹……讲座你就下星期再搞吧。小徐，要顾全大局，不要意气用事……"

徐愫珍在新的情况面前也反而冷静了下来。她没有同丁朵争吵，也没有再用满腔激情的话去打动丁朵，事实上无论是争吵还是打动也都来不及了——一辆"小面包"车已经停在校门口，携带摄影器材的三位记者已经进入校门。

徐愫珍用平静的语调对丁朵说："你让他们等着老曹回来吧。我该上课去了。"说完出了办公室，同三位迎面而来的记者擦肩而过，径朝 301 教室走去。

当她走拢 301 教室时，上课铃恰好响了。教室里坐满了来听讲的学生，他们嘈杂地议论着黑板上的那条标语。徐愫珍迈进教室时，只见岳航正拿着板擦要擦那条标语，她过去制止住了——"留着吧！"

教室里顿时安静下来，一屋子学生都把目光汇聚到徐老师身上。徐愫珍从容不迫地从绿帆布书包里取出教案和粉笔盒，又把扣放在墙边的小黑板提过来，挂到了大黑板的框钩上。用白、红、黄三色粉笔画着激光器示意图的小黑板，掩住了大黑板上标语中的几个字，于是形成了"批判教育——谈怪论"这样一种效果，一些同学忍不住笑了。

"不要笑。"徐愫珍严肃地对同学们说，"要记住，我们这一堂激光知识课，就是在这种口号构成的背景下进行的。"

同学们发现，徐老师挺着胸膛，眼里闪着异样的光。敬爱的老师啊，什么样的思绪在您心中翻腾？您将用什么样的开场白，来叩响我们的心扉，召唤我们的灵魂？

足足有半分钟，徐老师喉头蠕动着，却并没有开口。不是她准备得不充分，为了准备至多只占五分钟时间的开场白，她考虑过多少种角度，设计过多少种方案，酝酿过多么长时间的感情啊。但是，面临着新的事态，她感到原有的那些话语已经不够劲了。短短的三十秒里，我们中华民族近百年的历史扑到了眼前，黄河、长江的浪头在胸中滚动。祖国母亲啊，你为什么直到现在，仍然还不够富强？ 1974 年暑假回故乡的路上，在火车餐车里发生的一幕，回闪在徐愫珍的脑际。车窗外，稻田里水牛拉犁，河汉中木船扬着灰帆，还能看见正在大转变的蒸汽车头喷着团团白雾。徐愫珍听见斜对面餐桌上，一位外国游客用英语赞叹说："啊！多么和谐的古典美！"说者绝非恶意，听者闻之刺心。祖国母亲啊，我们推倒了三座大山，我们有了优越的社会主义制度，我们在毛主席、共产党的领导下，已经朝着繁荣富强的方向有了惊人的跃进。可是，我们还没能让先进的农业机械完全取代牛耕，没能让现代化的船舶完全取代布帆木船，没能让内燃、电气机车完全取代蒸汽车头——这倒也并不可怕，我们可以努力！可怕的是，现在竟有人要祖国在向现代化奔进的道路上刹车、后退！祖国母亲啊，那些不许我们给您穿上四个现代化衣装的家伙，已经在您身上布下了多少刀伤、多少鞭痕！中华民族的子孙啊，也许我们还不能在共产主义理想上，真正找到完全相同的语言；那么，急切而恳挚地希望祖国母亲富强的意愿，该能使我们的心弦共振吧？——要知道，在一些国家，激光技术不仅早已走出了实验室，被广泛应用于实际，而且正逐步走向普及……忧心如焚啊！此时此刻，在我们祖国的中学里，却连粗略地讲一点激光知识，也还要面临着黑云压顶的形势！那些逼得我们连一堂小小的激光知识课也无法正常进行的民族败类，伤害的正是我们全民族最基本、最珍贵的情感啊！

徐老师终于开始讲课了。不必具引她那激昂奔放的开场白，只要看看当她说到："要敢于顶着寒风逆流，全面发展德、智、体！要敢于如饥似渴地学习科学文化知识！为什么？因为——要扪着心口想一想：你爱不爱我们的祖国？你爱不爱我们的人民？"这时候，孩子们的眼睛仿佛"刷"地一下全都更亮了。岳航那作记录的笔在手中抖动着；一个特意从外校赶来听课的女孩子，眼角滚出了一粒晶莹的泪珠……

正式开始讲激光知识了。除了徐老师那响亮的话语，整个教室里只有笔尖在纸上滑动的沙沙声……

但是，突然，黑板上方的广播喇叭响了起来，传来被放大了的丁朵老师的声音："初二年级新团员们注意，初二年级新团员们注意，请你们马上到 301 教室集合，请你们马上到 301 教室集合……"

教室里顿时一片哗然。这是怎么回事？别是报错了教室的门号吧？

然而广播喇叭里固执地传来连续通知的声音："……新团员们注意，请你们马上到 301 教室集合……"

最先到达的是额上沁出汗珠的谢惠敏，她把一个折成"又"字形的纸条递给了气愤得说不出话来的徐老师。徐慊珍打开一看，上面是两行潦草的字迹："小徐，事后向你解释。必须这样办。祈你不要让两拨孩子们冲突起来。"

走廊里响起一片脚步声，二十几个新团员怀着严肃的心情跑来了，他们挤进门来，发现岳航为首的一批大同学正朝谢惠敏嚷："你们不能来这儿开会！这儿正上着课呢！"谢惠敏脸涨得通红，不知所措地结结巴巴解释着："丁老师让我们来的……她说有重要的事情……"这二十几个新团员全都莫名其妙了，怎么回事啊？

教室里一片声浪，气氛既混乱又紧张。在这种情况下，的确有可能发生两拨孩子的冲突。徐慊珍两条长眉锁在一起，咬咬嘴唇，痛心地扬声宣布说："同学们不要吵！今天的课，先讲到这儿……"一阵心绞痛，她捂住胸口，收拾好讲台上的教案，快步走了出来。头一个念头是去广播室找丁朵，但当下到一楼时，她又放弃了这个念头。她也不知道自己是怎么走出校园的，总之，当她意识到这一点的时候，已经置身在寒风扑面的人行道上了。

"徐老师！"身后传来亲热的呼唤。徐慊珍回转身一看，是岳航追上来了。他把一样东西递到徐老师手中，啊，是刚才遗忘在讲台上的那只粉笔盒。徐慊珍紧紧地捏住粉笔盒，一时说不出话来：

岳航的眼里闪着少年人少有的光，他憋了半天才说出这样一句话：

"徐老师，丁老师怎么这么坏啊？"

徐愫珍没有回答。她在痛苦地思考着：丁朵人当然还要算是好人，可为什么好端端的一堂对祖国对人民有好处的激光知识课，却由她直接出面予以腰斩？那一小撮挑动"大辩论"的家伙用麻醉、扭曲好人灵魂的办法，假好人之手来一点一滴地断送祖国的前途，其手段是多么毒辣！这情景是多么惨痛！

然而，这时陪着报社记者在301教室拍照的丁朵，良心反而无比平静。她把保自己的意识掖藏到灵魂深处的抽屉里，却让这样的感觉充塞了心胸——是她，在关键时刻拯救了小徐，拯救了整个学校。

其实来的三个记者并不是可怕的人。他们不过是奉命而来。他们内心里对教育革命也有另外的看法。但他们要完成上级定下的这张照片。他们见到丁朵便打官腔。他们问到学校开展"大辩论"的情况。他们问到出席过教育部座谈会的老师。他们听说这位老师不能拍照，便顺口问问为什么。他们强调时间紧，三点半还要到另一处拍照。他们催促丁朵快一点带他们到拍摄现场去。当时的情况不过就是这样。但是丁朵的灵魂直不起来。她盼老曹快一点来，而老曹偏偏迟迟未到。把张俊石这样的党员找来吗？且不说他有他的课，万一小张跟记者们闹翻了怎么办？……她终于"急中生智"，想出了这样一个"万全之计"——她相信小徐无论怎么固执，总不会忍心让二十几个天真幼稚的初二新团员受委屈的。

岳航和徐愫珍漫无目的地缓步在人行道上走着。两个人都在沉思。

一个骑自行车的人把车推到了他们身边。啊，曹战波！他额上缀满汗珠。石红没能在他家里找到他，后来跑到区教育局才见到了他。他闻讯赶紧往学校奔。

徐愫珍对他说："晚了！大概丁朵已经协助他们拍好照片了。"

岳航急速地把事情的大体经过讲述了一遍。

曹战波的牙筋抖动着，两只套着手套的手紧紧攥住自行车车把。他沉思了几秒钟，便抬起头，用闪光的双眼望定冒着寒风站定在身前的这两个知心的师生，一句一顿地说："不要光想着这堂没讲完的激光知识课。现在生活正在给我们上更要紧的一课。像这么复杂、高深的课程，咱们的党也还是头一回碰上，而且刚刚才开了个头。有人打出最革命、最神圣的旗号，要让我们国家头朝地、脚朝天。多少原来优美的灵魂被他们压挤得变了形状。他们把风气搞坏了，首先是党风。昧良心，说假话，办本来不愿意办的事，制造假材料，拍假照片，骗别人也骗自己……对一些人来说，竟然达到了'习惯成自然'的地步！不能再这样下去了！要一件事一件事地顶住他们，跟他们斗争！不能让报纸发表在 301 教室拍出的照片！我先回去，小徐你随后来吧——立即开个支部大会，作出决定！"

曹战波骑车奔学校而去。徐愫珍和岳航目送着他的背影，久久地回味着他的那些话。"不能再这样下去了！"徐愫珍的心海里涌荡着咆哮的巨浪，她紧紧地、紧紧地捏住那只粉笔盒，嘴唇狠狠地抿成个"一"字；她意识到，忍耐已临近最后限度，只等一个时机，一声号令，她便会同千千万万的革命人民一起，汇成惊涛怒浪，朝那邪恶的丑类呼号着扑去……

五

整整两年过去了。在这七百多天里，我们祖国的生活，就好比一条湍急咆哮的江河，它闯过了险谷深峡，历经了急遽的转折，又以宏传的气势向前方奔泻流荡……关于在小小光明中学有过这样一堂没有讲完的课的事，放在这波澜壮阔的大背景上，只能算是一朵小小的浪花。

是的，像光明中学这样的基层单位，大概是非常之多的——在揭批"四人帮"的斗争中，这里找不到"四人帮"的爪牙，没有人写过告密信、劝进信；揭发不出耸人听闻的有关罪证材料，也发现不了轰轰烈烈的英雄业绩。但也曾出现过戏剧性的场面，支部会上，丁朵含愧地把收藏了十个多月的辩诬信退还给了徐懔珍。原来，那天她守候在邮筒旁，待毕业于光明中学的邮递员来开筒取信时，借口装错了信瓤要回了那封信。如今，她承认那并不是真正为了"保护"徐懔珍，而是为了掐断可能"连累"自己的"导火线"。这就说明，历史赋予这小小单位的清除"四人帮"流毒——特别是治疗被"四人帮"玷污、扭曲了的灵魂的任务，一点也不比任何"重点单位"轻。

狭义和广义的课程都在继续进行。有的课讲完了，却并没有讲好。有的课讲得很好，却还并没有讲完。还有很多重要的课程，有待于严肃、认真地去讲……

1978 年 4 月

爱情的位置

一

刚下早班，车间主任魏师傅就把我叫去了。

我随他走到用三合板隔出来的、当做办公室用的车间一角。魏师傅转过身来，面对着我。咦，他怎么呈现出那么古怪的一种表情，仿佛他突然不认识我了，或者我犯了什么错误……我忍不住"扑哧"一声乐了出来。

"你呀你呀，好一个孟小羽！"魏师傅线条刚毅而皮肤粗糙的方脸盘上，一双不大而放光的眼睛里流露出失望与关怀的复杂表情；他晃动着裹满老茧的右手食指，喃喃地说："没想到你也搞起对象来了……你还早啊，急什么呢？等你到了亚梅的岁数，我给你介绍个顶呱呱的——你希望什么样的，到时候尽管告诉我好啰！可你现在……"

我好纳闷。谁向魏师傅"告密"了？难道是我自己不谨慎泄露了"天机"？似乎都不是。于是我尽量装出若无其事的模样说："瞧您都说了些什么呀——没有的事儿！……"

魏师傅先是缓缓地摇头，然后叹了口气，随之从工作服胸兜里掏出个对折的信封递给我："传达室老葛送报纸时候一块捎进来的——那小伙子连邮递员都信不过，亲自把它送到传达室来啦！"

我慌忙接过封口处粘得死死的信封，一见信皮上那熟悉而亲切的字体："孟小羽亲启"，心口那儿就像装上了个马达，而且顿时就觉得脸颊在往外放热。我撕开信封，只见信纸上头简简单单地写着："买到大华电影院三点一刻的票——《霓虹灯下的哨兵》，千万别晚。"我本能地伸腕一看表：两点过八分！又本能地一转身，正要往外迈步，身后传来魏师傅威严的咳嗽声，于是，便扭回头诚恳地对他说："魏师傅，您放心——我明天把什么都告诉给您！"

魏师傅显然不可能马上对我"放心"，但是我对魏师傅一百个放心。我理解魏师傅的心情。他对我们车间"文化大革命"当中陆续参加工作的八个青工思想上的指引、工作上的帮助、生活上的关怀，简直可以写成一本厚厚的书。我们当面跟他顶过嘴、犯过倔，背后却简直找不出一句埋怨他的话来。

我匆匆忙忙地跑进更衣室。别人都走了，只有亚梅还在仔细地用小立体梳，对着更衣室里唯一的一面缺了角的长方镜子梳头。在我们车间的八个青工里，她是年纪最大的，这 1978 年一到，她就该满二十八岁了。她正在公开"搞对象"——谁都认为这是天经地义，连前几年把她管得紧紧的魏师傅，半年前还给她介绍过一个小伙子呢。她见面后很满意，只是后来了解到这小伙子母亲有慢性病、弟妹又多，便"拉吹"了；现在她终于找到了一个"最满意"的，那优点这些天连我都能倒背如流："大学毕业，工资不用分给家里，个人还有几百元的存款；会木工活，为准备结婚已经陆续打好了大立柜、一套沙发和一个一头沉书桌；单位有宿舍，据说很有可能分到半个单元，表姐是文工团合唱队的，所以看演出很方便……"

我几下换好衣服，挤过去对着镜子用手抿了抿鬓角。这时亚梅一把抓住我，附在我耳边兴奋地说："嘿，赶明儿你想照相，甭客气，跟我说一声好啦……他有架海鸥牌的，装一二〇胶卷……"

我微微一笑，想说几句话，可是没说又咽了回去。我想说什么呢？想问她："他个人究竟怎么样呢？你摸透了吗？你——爱他吗？"我想，归根结底，你亚梅不是嫁给照相机以及那许多东西，最重要的是他本人——你要跟他度过今后的一生呢。倘若他一旦没有了存款折、大立柜、照相机以及许多现在吸引你的东西，你将怎么同他生活在一个屋顶下呢？

我怕亚梅伤心，我没把这话说出口。况且现在我也没有时间。可是亚梅并不轻易放跑我，她神采飞扬地从提包里取出一条拉毛大围脖，抖开围到头上，硬挽着我胳膊往镜子跟前凑，兴奋地睁大着双眼皮的鼓眼睛，用不容置疑的语气问我："怎么样，配得上我这件呢外套吧？"

说实在的，我吃了一惊。洋红的拉毛围脖配宝蓝色的呢外套，撇开我个人的口味不论，十个人里怕得有七个要说刺眼——可是我这个团小组长不应当在这类非原则性问题上去干涉一个同志，便含混地点点头说："嗯啦。"

当我终于摆脱了沉浸在幸福感当中的亚梅，登上开往大华电影院的电车时，已经是两点二十五分了。

二

我坐电车从来不坐座位——即便有空座位也不坐。1976 年 10 月以前，"四人帮"把社会风气搞坏了。不少同我年龄差不多的青年，上车不排队，坐车抢座位，自己坐在位子上，旁边站着一位颤颤巍巍的白发老大娘，或者是一位抱孩子的大嫂，居然可以无动于衷。他们为什么会丧失了起码的共产主义道德观念？我心里常常发痛地思考这个问题。1976 年 8 月，正是唐山震灾发生后不久，有天下班我上了电车，发现一个留小胡子的青年人坐在单座上，他身旁一位神色疲惫的老大爷吃力地抓住吊环，仿佛随时可能晕倒。"小胡子"不时翻眼瞥瞥那位大爷。——他那表情，分明是嫌厌老大爷不够整洁的衣裤险些蹭着了他雪白的混纺衬衫，不光是我，周围的几位乘客都有点看不下去了——我正犹豫着，要不要鼓起勇气命令"小胡子"让座，忽然，一个沉着而坚定的声音响起来了："同志，请你站起来，让这位老大爷坐下！"

我抬眼望去，发命令的也是个小伙子。他穿着一身看去很和谐的灰色衣衫，宽宽的肩膀，阔阔的额头，细黑修长的眉毛下，双眼闪着钻头般有力的光芒。

"小胡子"抱着双臂，满脸不屑的神色："我不让。又不是我一个人坐着，谁爱让谁让。"

这时候老大爷开口了："算了吧，我站着行呀！"

倒是另一个座位上一位花白头发的妇女站了起来："您坐这儿吧！"

老大爷叹了口气，坐下了。事情似乎也就过去了。

可是发命令的小伙子仍然目光灼灼地望着"小胡子"，用听起来心平气和的声调问："你能不能讲讲你的道理——为什么不给老年人让座？"

"小胡子"立即耸着身子，理直气壮地吵了起来："凭什么给他让座？我知道他是不是地富反坏？你要想坐叫声'哥儿们'，甭假门假事充好人！……"

胡搅蛮缠的人我也见过一些，可是像"小胡子"这号"高质量"的，倒是头一回碰上。周围的乘客大概和我的心情也差不多。大家都愤怒地瞪视着他，有的还出声叱责："真不像话！"……

我两眼紧盯着引起我好感的那个青年，他眉毛跳了一跳，一句一顿地对"小胡子"说："总有那么一天——你要后悔的！"

电车到站了，他在人们钦佩的目光下下了车。我从车窗里望着他那厚实的背影，直到看不见了为止。当晚在日记里，我记下了他留给我的强烈印象。

后来我发现，每当我上中班的时候，便很容易在电车上碰到他。他总是一上车便站到车尾角落那儿，掏出一扎外语单词卡背着。他在哪个工厂工作，或许他是个技术员？有一回，那已经是揪出"四人帮"以后，1977年开春的一天，他上车站到"老地方"以后，从兜里掏出来的不再是厚厚的单词卡，而是一本夹着铅笔的袖珍外文书。他翻开书，用铅笔轻轻点着，翕动着嘴唇，不顾车行造成的身体摇摆，专心致志地读了起来，因此我猜想他大概是某个研究所或设计院的"后起之秀"。

这一天下着毛毛细雨，那个时间电车上人不多。车上空出了好几个座位。售票员招呼我和他——只有我们俩站在车尾那儿——"同志前头坐吧——小心拐弯站不稳。"

我微笑着拒绝了。如果说，前几年我那坚决不坐座位的心理状态中，还包含着对"四人帮"造成的坏风气的一种挑战成分的话，那么，现在仅仅只是一种习惯了。

售票员是个乐乐呵呵的胖大嫂，她直率地望着我和他，笑着说："一对怪人！"

这时候，我和他才有了头一回对视。他微笑地望着我，一双眼睛仿佛在问："难道你也有上车决不坐座位的习惯？"我耳根那儿仿佛爬上了蚂蚁，忙把头低下来了。

打这回以后，他上了电车见到我，便浮出一个淡淡的微笑，然后还是靠在车尾一角读他的外文书。

据说真正的爱情有时会开始在一个偶然事件上。但细想起来，偶然当中往往体现着必然……四月中旬，《毛泽东选集》第五卷开始正式发行的那天早晨，当我跑拢王府井新华书店门口的时候，等着买书的队伍已经老长老长了，我后悔自己没有更早到来，同时禁不住用眼睛在队伍中搜寻熟人——不是想"加塞儿"，而是侥幸地想：每人许买两本呢，也许，能说服熟人把买到的书给我分一本——就这样，我在第二十六个位置那儿发现了他，而他也恰好一眼看见了我，当然，我们同时都微笑了。

"你看，我来晚了……"这是我对他说的头一句话。

"不要紧，我分给你一本好了。"他爽快地回答。

就这样，我们"正式认识"了。当我和他一人拿着一本包着粉纸的五卷，走出新华书店时，不由得随意交谈起来。我们不知不觉就走到了长安街上。当我听他说上午也恰好休息时，心里别提有多愉快。我们互相询问着：给周总理灵车送行那天，你来了吗？站在什么位置？悼念周总理的诗集买到了吗？你最喜欢哪一首？你最早听到揪出"四人帮"的消息是在什么时候？当时正在干什么？高兴成了什么样子？……啊，原来他和我有着那么多共同的情感，共同的想法，真愿意跟他这么一直谈下去。可是，当走拢东单10路汽车站时，他站住了，简单地同我告别说："我要上这个车。有点事得去办。"

我不记得自己当时说了句什么，也许是"谢谢你帮我买到了书"，也许是"好吧，遇上你我很高兴"，反正，当他乘坐的公共汽车远去时，我忽然变得那么怅然若失，而又那么心旷神怡。我抬起头，望见澄碧的晴空衬托着白杨树那饱含汁液的枝丫，上面的穗状紫花已快落尽，带茸毛的小叶正在春阳下闪着嫩绿的光泽……我意识到，那期待中的、神秘的、难以向哪怕是最贴近的人诉说的感情，终于袭上了我的心头。

第二天，当我们在上班去的电车上再次相逢时，除了互致微笑以外，自然而然地交谈了起来。

"你也学外语吗？"他掏出一本英文书拿在手中，亲切地问我。

"正听日语广播讲座——我叔叔是个日语翻译，他能辅导我。不过，我现在花工夫最大的是文学……我喜欢读中外古今好的短篇小说。"

"自己也写吗？"

我慌张地点了点头。

"我也喜欢文学。"他仿佛看出了我内心的羞怯，诚恳地说："不过，现在好的小说，尤其是短篇小说，好像还不太多……我喜欢契诃夫的、莫泊桑的、欧·亨利的；中国的，李准的《李双双小传》，王汶石的《春夜》，还有孙犁的《山地回忆》……读过了，隔一段时间还想再读一遍……"

我心里像流过了一条温暖的、明净的、琤琮鸣响的小溪。在我接触的同代人当中，几句话就能使人感到这般知心的，他真是唯一的一个。

每次总是他先下车。这回下车以前，我们约好第二天一早到北京图书馆去。

接下来的十几次约会，也都是到北京图书馆去。我们每次分手时说好下次到馆的时间。开头，我发现他同我一样有着严守时间的好习惯，我们总是前后脚地来到存物处的窗口前；不过，有一回我因为表拨快了，早到了一刻钟，当我穿过柏树墙当中的甬道时，偶然朝柏树墙的缝隙中一瞥，恰好发现那当中不但有高高屹立的华表，而且有焦急地朝大门口翘望的他——不知道为什么他并没有发现我已经提前到达。我没有招呼他，在一种难以形容的情绪支配下跑进了图书馆前厅。我以为他随后就到，但是他并没有马上就来。直到一刻钟以后——那正是我们约定的时间——他才仿佛刚刚到达似的走了进来。我没有戳穿他的秘密，但内心里感到非常幸福。

就这样，我们在分手后盼望下一次相会，我们在相会后共同坐在安静的阅览室中读自己心爱的书。常常是这样，我们不约而同地把眼光从书本上移开，在短促的对视中汲取一种无名的力量，然后又俯首更用心地读了下去……

不知不觉地，北海公园正门前那几株梧桐树的大叶片已经泛黄。满城都有人在谈论大学招生的事儿。这一天，我们从北京图书馆出来，边走边谈地穿过了北海大桥，来到团城侧面的梧桐树下。我们站在那儿，各自说出了自己的决定——

我告诉他："我想写一些关于青年工人的小说。激发我们的同龄人为实现祖国的'四化'去拼命劳动、创造……我觉得也许不去上大学中文系更好，我要把工厂和整个社会当做我的大学！"

他使劲地点头，额上的发尖跳动着，热情地支持说："好！我要去考考外语学院，不过，倘若考不上，我也不会'流自来水儿'——我研究过生活里的这一部分现象：'科班'出身的未必都是金刚钻，'草台班'出身的也未必都是铁疙瘩。取消'科班'是荒唐的，迷信'科班'也不对……写小说，好像从来都是'草台班'出身的更厉害一些哩！"

真喜欢听他这些话。我想到亚梅在我宣布不考大学时竟"哟——"地尖叫了一声，并且用两只拳头擂着我脊背笑骂着说："怪丫头！把你肚子里的墨水倒给我该有多美——考上了一毕业就是四级工的待遇呀！"……对比之下，更感到他是多么能理解我……

就在这一天，当暮色降临时，在紫禁城的筒子河岸边，呼吸着马缨花的芳馥气息，他先是轻轻、后是紧紧地握住我的手，久久地、久久地没有松开……

这天晚上我在回家的路上碰到了住在同楼的冯姨。她六十六岁了，却一直没有成家。我对她油然产生了一种怜悯的感情。我抢过她那并不沉重的手提包，一直帮她提到了家。我决定今后要更加主动地帮她干一些家务事——我心中盛满了那么多的幸福，我愿意尽可能地去帮助在某些方面欠缺幸福的人……

但是，两天以后，当我和他在电车上刚一相遇，我却说出了这样的话，仿佛我要拒绝幸福似的："我一个月之内不去图书馆了……"

他眉尖微微一颤，笑着，并不是开玩笑地问："怎么，为了写一篇绝妙的小说？"

我也笑着，更加不是开玩笑地说："先不考虑写小说的事儿。我们车间成立技术革新攻关小组了。每天班后都要坚持战斗，肯定得开它十几二十个夜车，魏师傅连铺盖卷都搬进车间了……他点名让我参加，开头我态度不大坚决，后来我也贴出了决心书……"

他仿佛并不是明知故问："开头不大坚决，为什么？"

我白了他一眼："傻瓜！"

他头一回当着我红了脸……

就这样，我们整整一个月没有见面。但是，在这一个月里，他的形象在我心目中不但没有褪色，而且在重温和假想的会晤中，变得更加真切、更加亲可爱了。在攻关战斗中，魏师傅表扬我说："小羽呀，你一个人真有两个人的劲呀！"我心里暗笑，魏师傅啊，你算说对啰！可是，魏师傅却一直到看见今天他送来的这个信封，才发现我的的确确不是"一个人"了。细想起来，这很奇怪，难道当我以前所未有的热情用新刀具试车零件时，那眼光和整个神态里所流露出的异样成分，不就是爱情的力量吗？魏师傅怎么就视而不见呢！专能探听别人秘密的亚梅甚至今天还蒙在鼓中，这又是怎么回事呢？

三

电车还要开七站才能到大华电影院，我有充裕的时间仔细地想一想。

越往深里想，我就越觉得有个"爱情的位置"问题，也就是说：在我们革命者的生活中，爱情究竟有没有它的位置？应当占据一个什么样的位置？

我今年满二十五岁了，小学六年级的时候，赶上了文化大革命，后来到中学参加了红卫兵，再后来是到农村插队，前几年又由农村来到了工厂。我们一天天长大，思想上、感情上、生理上都发生着变化，但我们面临的许多问题却得不到及时的指引，比如说，爱情问题就是这样……

前几年，我曾纳闷过，为什么我们的银幕、舞台上，不但丝毫没有爱情的表现，而且，甚至极少夫妻同台的场面，掐指一算，鳏寡孤独之多令人吃惊。难道我们的生活就应当是这样的？

我比亚梅那样的同伴幸福。我的父母即使在"四人帮"一伙推行文化专制主义的时候，也能及时地指导我，启发我，允许我在家里阅读他们保留下来的中外古今文艺名著，也偶尔比较深入地回答我一些无法在别的地方提出的问题。我就问过他们，是不是凡是涉及爱情的文艺作品，都算黄色的东西？事实上"四人帮"猖狂的那几年就是那样一种气氛，我还记得，当我阅读到《钢铁是怎样炼成的》一书中关于保尔与冬妮娅、保尔与丽达的有关章节时，曾经怎样地心跳耳热——不用别人来"揭发"我，我自己就产生了一种"犯罪"的感觉。保尔不是无产阶级英雄吗？他怎么会对冬妮娅这号人一度产生过那样的热情呢？他又怎么能对丽达产生超出同志之上的感情呢？无产阶级英雄不是都应当像电影《火红的年代》当中的赵四海那样，三四十岁也守着一个老母亲过活吗？爱情，在无产阶级革命生活中，似乎是不应当占有位置的啊！

把爱情问题驱除出文艺作品乃至于一切宣传范畴的结果，是产生了两种不正常的现象。一种，是少数青年把生理上的要求当做爱情，个别的甚至堕落成为流氓，这一种我暂不愿加以研究。另一种，可就非常之普遍了——不承认爱情，只承认婚姻。青年男女过了二十五岁，自己也好，家长也好，周围的同志也好，乃至于热心的邻居，便都开始公开谈论并行动起来——"找一个合适的对象"。我想，人们当然可以以各种各样的形式相爱——从一见钟情到心心相印；经过可靠的亲友介绍而相见恨晚；在同一单位中逐渐了解而终于互相倾慕……乃至于像李双双和孙喜旺那样"先结婚，后恋爱"，都是能结成美满的姻缘、缔造出幸福的家庭的。但是，我反对根本把爱情排除在外的那种婚姻。不是连值得尊敬的魏师傅也那样问我吗："你希望什么样的？"仿佛我不是要寻求真正的、健康的爱情，而是要挑选一件可心的毛线衣！

在有些人的心目中，搞恋爱，或者说是"搞对象"，总是同经常性的迟到、早退、工作中的走神，以及花枝招展的装束联系在一起的。而我和他，却并没有如此这般的行迹，难怪连一心真诚地关怀我的魏师傅，以及号称"全知道"的亚梅，都迟迟没有识破我的秘密。倒是爸爸、妈妈，从他们凝视我的目光中，以及他们互相交换眼色的神情中，我意识到他们已经产生了怀疑——估计很快就会有那么一个时刻到来，他们请我坐在对面，要求我把一切"和盘托出"……

四

下了电车，老远就看见他焦急地等待着我。

我穿过稠密的人群，摆脱开想从我这儿得到一张退票的影迷的纠缠，快步小跑来到他的身边。

"你真傻！"我嗔怪地说："干吗非写信，打个电话不成吗？"

"我买到票，就跑去打公用电话，老占线……恰好我上午办事要经过你们厂门口，就想了这么个办法……怎么，产生'副作用'啦？"

我心里非常高兴。我们早就约定，一旦《霓虹灯下的哨兵》复映，无论如何要争取早点看上。我们都在上小学的时候看过这部影片，当时并没有完全看懂，我们想怀着浓厚的兴趣、以成熟了的眼光来重看这部被打入冷宫达十年之久的影片。我们希望能从中获得激动心灵、引人向上的东西。我理解他那种急于把消息通告给我的迫切心情，于是我快活地笑着说："管他的！反正我们总算看上了……"

可是，他的表情为什么那么奇怪。他把我引到离电影院门口稍远的地方，一个食品店的橱窗下，道歉似的说："是这么回事……我们那儿的老贺，家里孩子病了，中午他跑到我家，求我下午四点去代他的班，我答应了。你别怪我。咱们退掉一张，你先自己看吧……"

我的头一个反应是深深的失望。我自己看……我怎么能一个人自己看呢？用一颗心看，与用两颗贴在一起的心看，是完全不同的两回事儿。这个闯入我们生活当中的老贺，我祝愿他一生幸福，可他的孩子为什么偏偏要在这个时候生病？他又为什么偏偏要找我现在最需要的人去代班？显然，老贺他们摸透了我对面这个人的脾气，知道他有着怎样的一片心地……

我在烦怨中看到了自己映在橱窗中的面容。啊呀，我的眉头怎么会变得像几何学中的相似符号？我那一贯闪烁着朝气的眼睛里，怎么会侵入了庸俗的色彩？我那会朗诵《雷锋之歌》、会演唱《周总理，你在哪里？》的小嘴，有什么必要这样紧紧地抿着？……如果说，当你爱慕的人要去做一件虽然微小但本质是美好的事情时，你却容忍卑微的念头侵扰自己，那么，这难道还称得上是无产阶级革命者的爱情？

显然，我表情中的每一个细微之处，都能在他的心中引起强烈的反响。我听见他迟疑地说："如果你不能……不愿意……我可以再赶紧打个电话试试，找别的人替他代班，不过恐怕不一定能落实……"

他跟我说话的时候，一直把两张电影票捏在手中。听了他这话，我瞪了一眼，说了声："你真傻！"便从他手中抽出那两张票，转身几步迈到已经开始绝望的一对等票人跟前，像发布命令似的把票递到那个娇小玲珑的小姑娘手中说："给你！"

对这从天而降的幸福，他们简直恨不得立即写一首赞美诗来感谢我，但是我接过钱便扭身跑回到"自己人"的身前，嘿，他居然还大睁着惊诧的眼睛，我不由得捶了他胳膊一下，更大声地责备说："你真傻！真傻！"

当然，他一点也不傻，因为他双眼里仿佛一下子充满了灿烂的阳光。当我们并肩向他的工作地点走去时，我们更加心心相印。现在离四点钟还有相当长的一段时间，我们不必着忙。恋人们在走路时总是要舍弃捷径的，我们也不例外。我们的目的地在北边，却先拐向了西面……

五

终于到了该分手的时候了。

我们还有许多的话要说。关于我的一个酝酿中的短篇小说的讨论，按理说就不该在兴味正浓时戛然而止。可是没有办法，我们两人的手表走得都令人遗憾地准确——恰恰全是三点五十七分。

没有告别的话。我们明天就会再见的。他扭身迈着敦实的步子朝嵌在一家药房与一家百货商店当中的饭铺走去。那是一家最普通的饭铺,不仅津津乐道"全聚德"、"丰泽园"、"沙锅居"的人们绝不会光顾这里,就是附近居民为招待不期而至的亲友、顾不上买菜做饭组织一次"随意便酌",也极少来到这里;这里接待的几乎都是纯粹为临时解决一顿"肚皮问题"的过路人。但是我相信绝大部分光顾过它的人都会为这里桌椅、地面的整洁,荤素炒面的实惠,以及那软硬适度的"蟹壳黄"火烧的质量留下深刻的印象。

他,就是这家饭铺里一个烙火烧的炊事员。

正当我恋恋不舍地望着饭铺那两扇吸进了他整个身影的玻璃门时,一个人突然一把抓住了我的胳膊。

我吓了一跳。

那是亚梅。她那张被洋红毛围脖裹住的长圆脸上,充满了惊疑的神情。她的眼皮双得更加明显,眼珠鼓得更加突出。

"小羽,怎么你——你跟他——搞上了对象?!"

我默默地望着亚梅。我的好亚梅,你这是怎么啦?倘若我是跟你身后的那株枫树在"搞对象",大概你惊诧的程度反倒会减弱一些吧?

亚梅拉着我往前走,仿佛我是站在一处悬崖上,下面就是随时可能吞噬掉我的一片狂涛,她必须赶紧把我引开了再说。她这时的自我感觉,一定是充满了真诚的姊妹之爱——她感到必须拯救我这只迷路的羔羊。

"我认识他。他不就是陆玉春吗?我们原来是邻居。他妈妈瘫痪好几年了,可是又能吃又能睡,恐怕还能拖上个五年八年的——就是因为离不了他照顾,才把他分到这么个破饭铺工作的。他跟你说过这回事吗?你愿意当个给瘫子倒屎盆的媳妇去?你这人真是又傻又怪,大学你能考上不去考,找对象又偏找个烙火烧的!我知道陆玉春上个月在全区饭馆的技术比赛里得了个烙火烧的冠军,可那算什么冠军啊！小羽，就凭你这长相，这风度，这才学，找个文工团的名角儿也不难哪……"

鲜血涌到了我的脸上，太阳穴那儿卜卜卜地跳着，我为亚梅感到难过。唉唉，如果有份《中国青年报》或者《中国青年》杂志，如果现在出版的报刊、书籍当中，能够有一批是指导年轻人怎样正确对待婚姻、爱情、家庭的，该有多么好啊！那样的话，即便亚梅并不读书、看报，我也可以向她推荐、转述，可是现在我却不能立时找到最有力量的论述和例子来说服她。我只能单刀直入地向她宣布说："我了解他。他什么都没瞒着我。我爱他。亚梅，你知道吗？我不是在搞对象，我是在恋爱……这是爱情，你懂吗？"

亚梅猛地煞住了脚，松开了我的胳膊，仿佛她脚下发生了七级地震，目瞪口呆地望着我。是呀，她一定在奇怪，我这个团小组长，今天怎么会"大言不惭"地公开说出了"爱情"这个字眼；因为，在亚梅这种同志心目当中，对象、爱人、结婚、登记……这些语汇是合法的、正当的，而"爱情"这样的字眼，即便不一定宣判为"流氓语汇"，也至少总含有几分落后、可耻的色彩。唉唉，是谁使得亚梅这样的姑娘与正当而健康的爱情绝了缘呢？是谁使得这个工作上还比较勤恳，品德上也无大疵的二十八岁的姑娘，在这个问题上变得这样庸俗和愚钝呢？

这回是我伸手拉住了亚梅的胳膊。我感到有许多话要对这个同伴倾诉。我坦率地对她说："亚梅，关于你的对象，你已经跟我说了好多好多……我一点也不反对你们的大立柜、沙发、一头沉和照相机，还有别的适用的、漂亮的东西，将来我们成了家，只要有条件，我们也会置备这些东西的……可是顶要紧的是人啊。他这人究竟怎么样？你很少跟我说过。你爱他吗？如果另外一个人有更多的东西，你是不是也可以嫁给那另一个人呢？别为我的话生气，亚梅，我只希望你仔细地想一想……"

亚梅的好脾气是任何时候也不会变的。她一点也不生气，而是老老实实地
回答我说："如果有条件更好的，当然我不一定非跟他过。可是谁再给我介绍呢？
我比你大，不能再等了……再挑下去，也许我连这个也会错过呢。小羽，你也
实际点吧。什么爱情，我不懂那玩意儿。你说说看，究竟什么是爱情？……"

我决心认真地来答好这个问题。我这样开头："当然，不同的阶级有不同的
爱情……"

亚梅立即打断我说："算了算了，别给我作报告。对了，好像报告从来也没
这么个做法的。无产阶级要什么爱情？你忘了当年咱们听到的关于舞剧《白毛女》
的报告？咱们还当大春和喜儿是一对呢，人家说了，把大春、喜儿看成一对儿
是修正主义观点，大春、喜儿之间只有阶级情谊……"

我正要反驳，她突然伸腕一看手表，"嗨哟"了一声，顿时就把必须将我从
悬崖上解救下来的使命抛到一边去了。她神色紧张地对我说："定好五点到他表
姐家去，瞧，差点耽误了……"说完便朝汽车站跑去，中途还扭回身来叮嘱我说：
"小羽，听大姐的——实际点儿！"

亚梅当然动摇不了我的信念，却掀动了我心中万千思绪的波澜。在一个无
产阶级革命者的生活中，爱情究竟占据着一个什么样的位置啊？我应当把这个
问题向谁提出、向谁索取答案呢？

六

亚梅既然知道了我和陆玉春的事，那么，明天这消息便会传遍全车间。魏
师傅大概也会为我叹息的——"一朵鲜花插到了面团上"——我必得承受各式

各样的眼光、询问、双关语乃至于公开的起哄。而且，爸爸、妈妈的"会审"，很可能就会发生在今天晚饭之后……

这一切我倒都不害怕。问题是怎样正确地对待。

倘若我承认自己爱的是一个在饭铺里烙火烧的青年，他们也许会惊讶、惋惜、讥诮、失望……

但是，我必须向一切人说清楚，我不是搞对象"对"上他的，我们之间不存在任何"等价交换"的因素——就是他烙一辈子火烧，只要他是一个高尚、正直、有道德的革命者，同他在一起我能感受到幸福和向上的力量，我就永远不离开他——一句话，我爱的是他本人，而不是他的职衔，他的财富！

不知不觉我已经回到了我家所住的那幢居民大楼面前。这幢大楼有上百扇窗户，窗里住着各种各样的家庭。当然大多数家庭都是和谐的、幸福的。但是，有一回三单元二楼那扇窗户里飞出了一个茶杯，幸好没有砸着人。据说那是一对新婚夫妇在打架。我去过他们那套房间——一切都齐备，从全套家具到用钩针细心钩出白鹤图案的窗帘；从鱼形玻璃花瓶里的塑料花卉到一对茶叶筒中的两种茶叶，色色精细、样样周到。但是顶要紧的一样东西——爱情——这个家庭里却一点也没有。造成了这种状况的原因可能是多种多样的。但是，"四人帮"自己荒淫无耻，却多年不许人们公开谈论、研究、指导、表现爱情，形成爱情在生活中找不到位置的局面，是不是也是一个重要的原因呢？

可是，我的这个想法正确吗？也许，一个优秀的无产阶级革命者，是应当自觉摒弃爱情的，在他或她的心目中，永远不许爱情占有一席位置。

我缓慢地一边思索着一边登上楼梯。啊，二楼——冯姨住在这儿！她！她不就是个不给爱情一席位置的革命者吗？而且，谁不认为她是一个优秀的革命者呢？

　　早在"一二·九"学生运动中，冯姨就是某大学地下党的负责人之一了，仅仅从我听到的那些片段事迹里，就可以知道她有着波澜壮阔的生活经历。解放后她在出版部门工作，"四人帮"猖獗时，她几次被批斗，后来实在找不到过硬的把柄，就把她闲置起来。揪出"四人帮"之后，她才又回到出版部门担任了顾问。几乎全楼的人都尊敬和喜爱她。同时，在她身上也多少笼罩着一点神秘的色彩——我们这些青年的姑娘更难免私下里窃窃私议——冯姨为什么要过独身生活呢？像她这么好的一个人，年轻时不可能没有人追求，那么，她为什么要拒绝爱情呢？难道在众多的追求者当中，就找不到一个值得去爱的人吗？也许，她是在用自己的一生说明——在革命者的生活里，爱情不必占据一个位置……真的，如果道理确实如此的话，我又何必恋爱和结婚呢？像冯姨这样度过自己的一生，岂不是更能体现出革命的彻底性吗？

　　都说青年人的心思像青云般飘荡不定。我也是这样。我突然决定先不忙回到四楼家里，而要到二楼的冯姨那里当一阵"不速之客"。我那翻滚在心里的问题，不是找到了一个最权威的解答者了吗？

　　我伸手敲响了门。

七

　　真是万万没有想到，当冯姨亲热地把我安置到她那独间单元的沙发上以后，头一句话便是："小羽，你怎么了？你大概正在谈恋爱吧？"

　　我像一个偷尝糖果而被妈妈抓住的小娃娃一样，羞得顿时低下头来揉折衣角——唉唉，冯姨呀冯姨，你有好厉害的一双眼睛啊！

冯姨一边给我倒茶，取零食，一边和蔼地问我："那个小伙子是怎样一个人？可以告诉我吗？"

我抬起头来，于是我看见满头白发而颜面还细腻红润的冯姨，正用满蓄爱怜的眼光注视着我。我被解除了一切戒备。等冯姨坐到我对面的沙发上以后，我便把一切，一切，关于我和陆玉春，关于我们之间的争论、憧憬与共同感到迷惑的一些问题，一股脑全向她倾吐了出来。我一直说到夕阳西下，玫瑰色的暮霭射进窗来，落到我们的身上。我最后连魏师傅、亚梅都说到了，结束时，我郑重地提出了关于"爱情的位置"这一问题。

我的话音消失了。屋子里霎时显得出奇的安静。冯姨双手捧着已经变凉的茶杯，眯着眼，仿佛在凝视什么看不见的东西。她好几分钟没有说话。

我紧张而急切地期待着。终于，冯姨把茶杯搁回茶几上，站了起来。她在玻璃书橱前背着手踱了几步，然后停下来，不像是回答我，倒像是自言自语地说："是呀。'四人帮'对我们社会主义制度下人民生活的破坏，特别是对青年人精神上的禁锢、愚弄与摧残，真是触目惊心呀！在揭批'四人帮'的斗争中，人们还没有来得及认真触及这个问题。这的确是个值得注意的问题。这些天正在研究如何贯彻全国出版工作座谈会的精神，我应当把这个问题提上去，我们应当立即着手出版指导青年人正确对待爱情、婚姻、家庭问题的书，包括直接涉及这些方面的文艺作品……"

这样的话语是不能让我满足的。我刨根究底地问："冯姨，对于一个革命者来说，即便是健康的爱情，是不是也总是一种牵累，一种奢侈品，一种应当压缩到最低限度的东西？"

冯姨显然很惊异我这么个毛丫头竟提出了这样成熟的问题，她扬起灰眉毛，惊愕地望着我，不由得反问："谁跟你这样讲过？"

"没人直接这么对我讲过。可是，我是在这么一种气氛里从一个小学生长大到现在这个模样的。比如说，连舞剧《白毛女》，人们也总是跟我们解释，大春和喜儿之间只有一般的阶级感情，谁要把他们看成一对未婚夫妻，谁就是修正主义……"

冯姨生气地坐回到沙发上，右拳一击扶手，摇着头说："否认爱情在无产阶级革命者生活中占有重要的位置，这才是修正主义……"

我应当为自己随即冲口而出的话后悔还是庆幸呢？当时我冒冒失失地说："可是您没有爱情，不也生活得很好吗？而且这丝毫也没有妨碍您成为一个好的革命者啊！"

冯姨顿时变了脸色。一开头我以为她是因为自尊心受伤而愠怒，后来我又猜想她是在沉思如何告诉我这仅是一种特例。但我全都猜错了。冯姨静静地仰靠在沙发上闭目凝思了一会儿，便下命令似的命令我说："小羽，请你到屏风后面去！"

冯姨的屋子有五分之一的地方被一架高大的紫木屏风隔成了一个小间。我估计那后面摆放着一些箱子和暂时不用的杂物。

听到冯姨的命令，我懵懵懂懂地绕进了屏风后面。果然有一摞箱子，不过还有一个五斗橱，橱上放着些零碎东西。天色已暗，又一直没有开灯。我什么也看不清楚。也许冯姨的高血压又犯了，她是让我从五斗橱中取点药给她。

我正纳闷呢，屏风外传来冯姨的声音："你打开台灯，仔细地看吧！"

我这才看见五斗橱上有座台灯，我扭亮台灯，于是——啊！台灯下倚靠着一张镶在栗色镜框中的旧照片，有一本书的封面那么大，那是一个穿着中式大褂、围着粗毛线围脖的、英姿勃勃的男青年；他爽朗地笑着，任扑面而来的风吹乱了他满头的浓发……照片旁边并排倚靠着一个镜框，里面是一首冯姨亲自写成的

"自度曲"——《喜相告》：

> 梦里千回又逢君，
>
> 今朝逢君喜泪盈。
>
> 魑魅扫，
>
> 天宇清，
>
> 党旗红艳巨手擎。
>
> 拨乱反正奔腾急，
>
> 正本清源雷万钧。
>
> 莫笑白发当年女，
>
> 犹向鬼雄诉衷情：
>
> 君血未白洒，
>
> 君血沸我心，
>
> 待到大见成效日，
>
> 梦中共赋祝捷吟！

　　我望望那张雄姿英发的照片，默诵一番这首《喜相告》；默诵一番这首《喜相告》，再望望那张雄姿英发的照片，我一切都明白了。唉，我还曾经为冯姨没有获得过爱情的幸福而叹息呢，原来她至今仍保存着爱情的力量！看吧，革命者的爱情，竟是如此的强烈、坚贞、执著，喷溢着永无穷尽的向上之力和奋斗之光……

　　我多么希望陆玉春这时就在我的身边，我们的爱情，能从这照片和"自度曲"中汲取到多么宝贵的滋养啊！

　　我泪眼模糊地回到了冯姨身边,央告她把自己的爱情讲给我听。冯姨点点头,缓缓地讲了起来:

　　"我二十岁那年,父母做主,把我嫁给了远房的表哥。我对他只有同情,没有爱情。他是个事事循规蹈矩、与世无争的小职员。我们在一起客客气气地生活了九个月。终于,外界社会的革命气息,吹开了我那颗被小市民气息裹得发闷的心。有一天,我向表哥倾诉了自己的苦闷与向往。我对他说:'要么,我们一起去冲;要么,我一个人去闯。'他吓坏了,竟至于捂住脸哭了起来。他不勉强我。我们离婚了。我记得那是个枫叶飘落的秋天,下着霏霏细雨,我提着自己的小箱子离开了那气闷的小屋。他高高地举起雨伞,生怕淋湿了我,同我一起走出了那条窄窄的胡同——他并不是因为对我恋恋不舍,而是要顺便到口上杂货铺去买东西。我们到了杂货铺门口便分手了。后来我再也没有看见过他,也很少回忆过他。今天若不是你提到爱情与婚姻之间的关系,我怕也想不起他来……后来,我到大学当了旁听生。渐渐地,我把自己投进了时代的洪流。我找到了党,同时,我也找到了真正的爱情……"讲到这儿,冯姨的语气急促起来:"小羽啊,'一二·九'运动里,他就是你刚才看到的那个,简直是一团火,一团狂风吹不灭、冷水泼不息的通红透亮的火……我们在共同的斗争里相爱,我们相爱着投入共同的斗争……上级批准了我们的结合,在我短暂而热烈的婚礼仪式进行完以后,我们和来庆贺的同志们拿起了旗帜和横幅,径直进入了游行示威的行列,高唱着抗日救亡歌曲,挽着臂膊阔步前进……1937年秋天,一天晚上,他回到家里,兴奋地告诉我党组织的决定:让我转移到延安去,他留在白区继续坚持斗争。秋天的沙风扑打着纸糊的窗格,我心里回旋着喜悦与惋惜的双重感情——啊,延安,党中央毛主席的所在地,我多么向往扑到母亲的怀中!如果他能和我同去,该有多么美满……但是,我理解这是斗争的需要。这一夜我们熄了灯，却并没有睡。我们约定：由于他不能写信给我，我也不能寄信给他，我将在延安把写给他的话记在一个笔记本上，等他有一天幸福地来到延安时，交给他看……到了延安，我果然这样做了。我很少得到他的消息，但我能从关于白区斗争形势的总消息里想象出他的身影、他的笑貌、他对敌人的愚弄和他对同志的幽默……1940 年，一个初冬的早晨，我在窑洞里正往笔记本上写着第二十五封给他的信，领导同志看我来了。他默默地把一个布包交给了我。那是从白区辗转捎来的。我双手颤抖地打开了布包，里面包着的，就是你刚才看到的那张遗像——领导同志诚挚地同我谈了整整一个上午，大滴的泪珠流过了我火烫的面颊，但是我咬住了嘴唇没有哭出声来。他是半年前被捕的，牺牲得很英勇，敌人消灭了他的肉体，但他的形象和精神却在我和同志们的心中，获得了永生。当天下午，我在那个笔记本上写下了第二十六封给他的信，而且我觉得他是能够收到的……这习惯我已保持了三十多年，我把革命形势的新发展告诉他，同他一起分担忧喜；我把工作中的困难、挫折告诉给他，同他商量克服的办法；我把斗争中的甘苦告诉给他，同他分享一切……你看到的自度曲，就是从前年我写给他的信里抄录出来的……"

我用整个身心倾听着，倾听着。暮色渐渐笼罩了整个房间，甚至我已经看不清对面冯姨的面影，唯有她那双闪动着不灭的青春火焰的眼睛，在灼灼地放光。

"小羽呀！爱情，这毕竟是个复杂而微妙的问题，"冯姨最后一边思考着一边对我说，"我认为，爱情应当建筑在共同的革命志向和旨趣上，应当经得起斗争生活的考验，并且应当随着生活的发展而不断丰富、提高……当然，性格上的投合，容貌、风度的相互倾慕，也是不可缺少的因素。当一个人为爱情而忘记革命的时候，那便是把爱情放到了不恰当的位置上，那就要堕入资产阶级爱情至上的泥坑，甚至作出损害革命的事来。当一个人觉得爱情促使他更加热情地投入工作时，那便是把爱情放到了恰当的位置上，这时候便能体会到最大的幸福。总之，爱情在革命者的生活中应当占据一席重要的位置……"

冯姨说着，激动地站了起来。我也激动地站起来，过去握住她的手说："冯姨，您赶快把今天给我讲的这些写成书吧，我们是多么需要这样的启发和指导呀！"

冯姨想了想，便肯定地点了点头说："我一定努力去写。小羽呀，我觉得你和玉春的爱情是很美好的，你们大胆地相爱吧！"

我不由得扑进了冯姨的怀里。我觉得自己从来没有这么彻悟，这么幸福。

几分钟以后，楼梯上响起一片激动的足音，那是我正奔回四楼的家中，不管爸爸妈妈今天"审"不"审"我，我决心主动向他们敞开心扉，并有信心得到他们的祝福与指导；而且，我还决定明天一早就找魏师傅汇报，我相信，最终他会举起那裹满老茧的右手食指，用完全不同于今天下午的语调点着我的鼻子说："你呀！你呀！好一个孟小羽……"

1978 年 7 月

面对着祖国大地

一群青年人正在爬山。

山像一座巨大的翠绿屏风。背景是碧蓝的天空,上面飘着大朵灰褐的云彩。仰头望去,觉得不是云朵在山巅后移动,而是山峰在拼命向上挺直自己的胸膛。越往上爬,山风越大。山风把谷中玫瑰田的芳香气息甩到青年人的身上。青年人借山风把自己的欢嚷声送到绿色溪谷的每一处角落。

来爬山的是群力机械厂的共青团员。厂团委会组织的这一次假日登山活动,不但使厂内的全体团员欣喜若狂,若干已经离厂的共青团员,也闻讯赶回参加。尤跃辉就是其中之一。

小尤是 1958 年生的,如今整整二十岁。他 1976 年高中毕业,因为是独生子,没有去农村插队,分到群力机械厂当了车工。这几年里,有多少人饱经了坎坷的斗争历程,尤跃辉却得天独厚,他还没有来得及卷进斗争的旋涡,便同大家迎来了"四人帮"垮台的大好春光。半年前参加高考,他以 336 分的优异成绩考取了第一志愿,如今已是重点大学重点专业的一年级学生。感谢伯乐们,他们慧眼识出了尤跃辉这只千里驹。

尤跃辉爬山也冲在前面。真是个俊秀健美的小伙子。山风吹乱了他的头发，却一点也不影响他容貌的和谐。无论那漆黑的眉毛，高高的鼻梁，还是双眼皮大眼睛，以及一笑便露出的整齐而雪白的牙齿，瞧上去都会使人产生一种"好像在哪部电影里见过"的感觉。此刻他矫健地用长而有弹性的双腿在山石上跳动着，上身只穿着背心，显露出黑红的皮肤和结实的肌肉，脱下的衬衣抓在手中，甩上去搭在右肩上，显得非常潇洒。

再转过几块庞大的山石，便接近山顶了。尤跃辉停住脚，转过身来，倚在披拂着山草、山藤的巨石上，脸上现出一个畅快的笑容，宽阔的胸脯有节奏地起伏着，向被他落下的伙伴们招着手。

离他最近的伙伴也落后了一百多米。还有几个姑娘简直还没爬拢半山腰，但是她们一点也不嫉妒尤跃辉。瞧，她们都停住脚在向他招手。有一个梳短辫、穿着紫罗兰上衣的姑娘，还向他扬着粉红色的手绢。

尤跃辉从裤兜里掏出口琴，脊背靠拢山石，双腿交错，用右脚球鞋尖打着拍子，使劲吹起了一支进行曲。这等于在向伙伴们呼唤："加油！加油！"

尤跃辉心中充满了幸福与自豪。生活多么美好。不仅通向锦绣前程的大门向他敞开着，就连以往那仅在朦胧中显现的爱情长廊，如今入口处也清晰可辨——那穿着紫罗兰上衣、摇着粉红色手绢的双辫姑娘，为什么一见他便脸颊绯红，眼仁放光？难道悄悄地邀她一同到公园里散步，她会拒绝？

不知不觉地，尤跃辉已经在改吹一首抒情歌曲，这是一首曲调优美健康的爱情歌曲。"四人帮"曾经把一批这样的歌曲宣布为"黄色"，倘在两年前，光凭敢于吹奏这种曲调的表现，尤跃辉便会立即被取缔大学生资格。可是，此刻芬芳而青翠的山谷中回响着这首乐曲的旋律，所有的青年人听了，心里都涌现出一种绝对纯正而又极富向往的情绪。

又不知不觉地，尤跃辉停止了吹奏。他把视线从紫罗兰色移向了天上银灰的云朵。有才能的人总是具有高度的自制力。尤跃辉目送着云朵在扩散中向西飘去。云朵中仿佛发出一种催人清醒的悠扬钟声。他的脸色变得严肃起来。他心里想着：不，不能邀她一同到公园散步。甚至不能对她那绯红面颊上方的一对闪光的黑眼仁，报之以歌中所唱到的那种目光。不是她不可爱。首先应当爱自己的学业。才二十岁，不能过早地沉迷于那种虽然合理而且健康的感情。亲爱的党，亲爱的祖国，派出了伯乐，把我当做千里驹选了出来，给了我这么难得的学习机会。我得发奋学习，把世界上最先进的东西学到手，而且还要去向前发展……瞧同学们多么努力，有几个舍得把星期天用来玩的？此时此刻，我倚在这山石上观山景，却有多少同学伏在图书馆的桌案上读书……不过，"文武之道，一张一弛"，我有八个星期日没出来活动了，今天对原单位伙伴们的盛情难却，跟他们来登这妙峰山还是很有意义的。从图画上看山村，从诗歌中饮清泉，从乐曲中闻鸟鸣，毕竟不能取代亲踏山间小路、亲捧泉水洗脸、亲聆谷中百鸟喧哗……此刻脑筋多么清楚、身体多么舒适、心情多么怡悦，明天在校攻书，定能事半功倍！想到这儿，尤跃辉向眼看就要撵上自己的伙伴喊了声："嘿，追我呀！"便松鼠般跳到山石后面，径奔山顶而去了。

第二个到达尤跃辉停留过的山石边的青年，名叫李抗。他是 1950 年生的，如今已经二十八岁。文化大革命开始的时候，尤跃辉刚上小学二年级，而李抗已经是初中毕业生了。在急风暴雨般的阶级斗争、路线斗争中，尤跃辉有条件而且无可责备地时常游离在外——他实在还太小，当人们在面红耳赤地辩论着如何正确理解"十六条"时，他却和伙伴们在院里热汗淋漓地捉迷藏。李抗则不然。他经常顾不上在家里吃饭，咬着个冷馒头跑到学校里参加运动。他喜悦、兴奋、激昂过，也惊愕、迷惑、痛苦过。他懂得了不少道理，也产生了不少问题。他曾和伙伴们徒步长征，从北京一直走到过云南。他插队当过三年羊倌，后来来到了群力机械厂。羊粪蛋味和润滑油味熏出了他的特殊气质。他的双眼看见过许多不寻常的景象，他的脑子里思索过许多深奥的问题。如今他是厂团委会的副书记，今天的爬山活动他担任领队。他肩膀宽厚，双腿粗短，平头上的头发粗而直，长着一双爱眯缝起来看人的眼睛，额头上有三条逐渐变深的抬头纹。

来到巨石前，李抗回转身，双手叉腰，微笑着观察在山路上逶迤前进的一线队伍。听那兴奋的喊声，爽朗的笑声，断续的歌声，谁能再说"单纯的爬山活动"没有意义？"单纯的爬山活动"是准备这次活动的过程中，团委会内部争论时形成的一个称呼。有人总觉得光是爬山不足以构成一次团日活动，总得加点政治意义明显的环节，例如爬山前听一次忆苦思甜报告，登上山顶后安排一项读报活动，或者至少可以在山泉边的野餐过程中，插入半个小时的批评与自我批评。但是李抗带头把上述方案否决了。忆苦思甜、读报、批评自我批评无疑都很必要，但是可以另外再安排专门的团日活动，这回就是爬妙峰山。不要小看这爬山活动的意义。谁说爬山仅仅是锻炼身体？大伙看见妙峰山榆沟大队种植的满谷玫瑰时发出了怎样的惊叹！敢情还有专门种植玫瑰花的生产队！摘一朵紫红的重瓣玫瑰，送到鼻边拼命地嗅着，满肺里都是浓郁的香气。顺便问问收花的社员："这玫瑰花有啥用处？"不拘形式的亲昵问答中，得到了新鲜的知识。这玫瑰花不仅可以炼出香精，还可酿酒，乃至于腌渍成玫瑰酱直接食用。眼界顿时开阔了，世界上的事物原来这般丰富多彩。人们到处生活，到处劳动，到处收获。人们到处遇上矛盾，到处有难题。前几年强调一切生产队都要以粮为纲，不分青红皂白必须作到一律粮食自给。这里的山地不适宜种粮食，花农们也缺乏种粮经验。但是无法抗拒，就是那么个精神，而且立即停止了原来的口粮调拨。结果抽出百分之八十的劳力去种粮食，玫瑰花田顾不上经营，有些地方蒿子竟比玫瑰花株还高。玫瑰花减产了，粮食也没打够。还是得吃返销粮——但这回供应的是四号棒子面，社员们吃着这不可口的棒子面，生产积极性起不来，玫瑰花越来越少，外贸部门急得直跺脚——国外一窝蜂地来定货，争着要"金顶妙峰山玫瑰露"。直到这群青年们来爬山，这里的问题仍未彻底解决。青年们听到这些情况，立即热血沸腾，焕发出抱打不平的天性。有的简直恨不能马上给《人民日报》写封信，也有不同的看法，于是争论起来。离开玫瑰谷了，还边往上爬边脸红脖子粗地争："这里究竟当以种粮为主，还是以种花为主？"——这种情况，靠围个圆圈干巴巴地读报纸能出现吗？"单纯的爬山活动"实际上并不单纯，也不可能单纯。不必人为地去制造"复杂的爬山活动"，青年人能够在登攀中自觉地丰富自己的心灵。

有个黑瘦的，戴眼镜的姑娘，赶过了三四个走在前面的青年，气咻咻地来到了李抗身边。她用手绢揩擦着额头和鬓角边的汗珠，满脸愤慨而紧张的神色。李抗对她的神情大惑不解，不禁惊讶地望着她。

女青年喘息略定，便凑拢李抗身边，压低声音，急促地报告说："你听听安福民刚才说的话！这回可不再是一般的发牢骚，简直反动！"

李抗用眼睛向下面山道上搜索了几下，一时没有看到安福民的身影。他问："什么话，让你觉得那么反动？"

女青年显然觉得重复出来都是一种耻辱："他说什么——人生最痛苦的莫过于梦醒了而无路可走！"

这位因为义愤而胸脯大起大伏的女青年，名叫洪莉茹。她是 1953 年生的，现在二十五岁。她 1973 年从内蒙生产建设兵团回到北京，一入群力机械厂，很快就给人们留下了深刻的印象。她属那种在政治上顶顶要强的青年。凡是组织上的号召，她总是生怕落后地抢先响应。她永远要当左派。她不能容忍自己有一点点落后，因此她往往缺乏冷静。而只有冷静才能深入地思索、明晰地辨别。"评法批儒"时，人们见她爬上高高的梯子，在巨大的壁报专栏上方耐心地画着法家肖像，白的确凉衬衣蹭上了广告色也在所不惜；"批林批孔"时，她在大会上发言，突然离开讲稿，宣布要把自己的名字改成"洪力法"，而且眼里竟涌出了绝非虚伪的泪水——她痛恨父母给自己取下洪莉茹的名字有"利儒"之嫌；"反击右倾翻案风"时，谁都不愿在车间学习会上念报纸上的大块文章，她却总是不怕唇干舌燥，甩着嗓门耐心地念那些梁效、罗思鼎的裹脚布文章……"四人帮"垮台以后，在欢庆胜利的游行队伍中，她抢着振臂领呼口号，并屡屡埋怨有的同志声音不够响亮；前些时，人们看见她在饭厅里堵住党委书记提意见：尽管当时的"评法批儒专栏"是党委中的"震派人物"挂帅搞的，可你党委书记为什么就没有顶住？她又在车间学习会上朗声念起了批判梁效和罗思鼎的文章，并对那些听得不够仔细的同志真诚地皱起了双眉……不要以为我在勾勒一个"风派"的形象，不，群力机械厂没有任何一个人认为洪莉茹是"风派"。甚至没有任何一个人提出来要求她"说清楚"。因为她实际上是再清楚不过的一个人——她要革命，而这些年革命与反革命的标准，被林彪、"四人帮"颠倒了个个，她不断地用自己的革命愿望去适应报上宣传的标准，无怪乎便呈现出了这么一种特异的状态。

当她宣布改名"洪力法"时，李抗便私下里开导过她，不仅告诉她"莉茹"绝不等于"利儒"，而且归根结底决定事物本质的并非字面和外表；李抗还半含蓄半直露地向她诉说了自己对所谓"评法批儒"、"批孔批周公"的看法，也曾引得她眨眼思考。可惜洪莉茹当时都仅是略一思考便罢，犹如浅掘地皮而不深翻，所以李抗及其他同志往她心上播下的真理种子，总是不能发出苗芽，拔节生长。

揪出"四人帮"以后，李抗早盼得有机会同洪莉茹深入地谈一谈。现在他感到机会到了，便平静地对洪莉茹说："安福民说的这句话不是他发明的。这是鲁迅先生说过的一句话。"

洪莉茹吃了一惊。鲁迅先生怎么会说出这种……起码得算是落后的话来？！但洪莉茹并不是愚钝的人，略一思考，她便有所分析地说："鲁迅先生说的是旧社会的情况，现在是什么时候了？安福民这么说，就不成！"她冲动地提出建议："一会儿到了山顶，发动大伙开个小会，分析这句话，好好帮助帮助他！"

李抗沉吟地说："安福民这样引用鲁迅先生的话，的确不怎么合适。可我们作团干部的，首先应当理解每一个团员，才能做好宣传教育工作……"

李抗边说边用眼光寻找爬山行列中的安福民，找到了。呐，那刚从石砬子后面转过来的小伙子，就是安福民。他个子不算小，肩膀却窄而薄，体形看去不那么爽目。头发不够黑，眼睛细长，上牙床略微有点往外暴，面孔也不漂亮。不要光在电影、戏剧、小说、诗歌里描绘俊俏小生和姣好姑娘，大量存在着容貌远非完美的青年人，尤其不要光把容貌上有缺陷的形象派作反面人物，一个人容貌的美好程度同一个人心灵的美好程度，是既不成正比也不成反比的。此刻安福民确实满脸愁闷，边往上登边用手里提的一支野花抽打着身边山石上的鸢尾草，李抗望着他，心里一阵激动。李抗理解安福民，不要抓住他的一两句话就给他无限上纲，谁也难免说出一两句话不恰当的话来，青年人更避免不了"口出狂言"。面对着我们伙伴那被"四人帮"弄得伤痕累累的灵魂，请不要皱眉厌弃，请伸出温暖的手，给予深情的抚慰，细心的疗治！

安福民和洪莉茹同岁，他们都是有名的"六九届毕业生"，文化大革命开始时他们接近小学毕业。毛主席早在1966年夏天就反复指示：大中小学都要复课闹革命。林彪、"四人帮"不让。安福民他们这批小学生停课两年才到了中学，还没上半年课，就到了 1969 年，于是他们便算初中毕业了。不是按照学业程度而是按照岁数来推算属于哪届毕业生，自安福民他们这批青少年始，要不是揪出了"四人帮"，大概这种局面还结束不了。那时期，中学成了职业介绍所。不少学生混到了毕业年龄，便消极等待分配。或者分到农村、兵团插队落户，或者照顾到工厂、商店等企业、事业单位工作。安福民因为得过肾炎，所以在 1971 年照顾到群力机械厂当了炊事员。安福民工作既谈不上安心积极，也谈不上不安心不积极。他蒸出的馒头时而碱大时而碱小，但有时也蒸得恰到好处。他既主动为病号作过可口的病号饭，也在售菜窗口同并非挑剔的买主吵过嘴。就这样，岁月匆匆而过，一晃已是 1976 年。10 月的春雷震醒了许多昏睡的青年，安福民便是其中之一。原先周围的生活像一部放映得马马虎虎的影片，焦点不清，还忽而失声，忽而错格；现在周围的生活却像一部精心放映的影片，那么清晰、那么真切、那么优美，那么容易理解和那么令人乐于接受。高考招生的改革更令人身心一震。对安福民这样的青年来说，择优录取确立了一种新的价值法则，一种新的道德观念，一种新的革命责任感。他第一次为自己缺乏文化科学知识而感到惶急。他参加了高考，失败了，连体检资格也未取得。发榜的那天，他蒸出了一锅又黄又苦又硬的馒头，可是没有一个来吃饭的人责备他。他怕接触每一个人的目光，卖完饭，他便躲进炊事员休息的小屋，许久许久都没有出来。

这以后，报上登出了多少文章，告诉人们要承认才能；要学习伯乐，善于相出千里马；要不拘一格降人材，要尊重有杰出贡献的人。到处在谈论陈景润，到处在惊叹宁铂这样的"神童"。这无疑都是非常正确、非常需要的。为了我们祖国的繁荣富强，为了我们中华民族的强大兴旺，为了拨乱反正、消弥"四人帮"造成的外伤和内伤，我们必须这样做。但是，就在团员们欢送了尤跃辉等五名青年上大学以后，一天晚上，淡金色的月牙儿斜挂在天上，旁边飘动着一两缕镶银边的紫云，李抗刚推车走出厂门，被后面一个声音叫住了——扭头一看，正是安福民。

两个青年一同骑车回家，他们有好长一截可以同路。骑过建国门外的立体交叉路，接近长安街时，安福民突然停住一般的闲扯，非常严肃地问：

"现在千里马吃香，我没意见，四个现代化需要千里马。可是，百里马、十里马怎么办呢？"

李抗在车上偏头望了安福民一眼，唉，他永远难忘安福民那双细眼睛里闪动的异样的光。那是一种极其复杂的感情的表露。

李抗一时答不出来，但他难以抑制住喷泉般的思绪。是的，祖国急需人才，急需千里马。但是，千里马总是一个少数，报考大学的青年人如山似海，考中的只能是一小部分。有的人没成为千里马，主要是自己一贯懈怠，纵有好的环境条件，却从不知道珍惜；有的人没成为千里马，则主要是客观条件的限制，例如安福民，由于林彪、"四人帮"阻扰落实毛主席"复课闹革命"的指示，他成了没学过中学功课的中学毕业生。他面对着世界地图找不到拉萨和巴黎的位置，他不知道什么叫攻打巴士底狱和五胡十六国，因为他在学校期间，根本就没上过地理课和历史课；他曾看见几个头发花白的老师天天在打扫厕所，一问，有人告诉他："都是废物，教史地的……"而他又缺乏尤跃辉那样的家庭条件——小尤父母都是有见解、有文化的中年干部，学校里欠缺的东西，父母可以补给他；安福民的父母都是电车上的售票员，他们做不到这一点。现在安福民懂得了千里马对祖国和人民是多么重要、多么急需，然而他觉得自己已经被耽误了，纵使加倍地努力，也不过能由十里马进步到百里马。他应当怎么办？

在这妙峰山上，李抗从高处望着安福民，豁然明白了他那"梦醒而无路可走"的话是什么意思。这话是不对的，但应当理解安福民为什么说出这样的话来。前些天，李抗已经找安福民谈过，是他引导安福民开始阅读鲁迅的小说。他俩一起先看电影《祝福》，再一起读小说《祝福》，然后再同看一遍电影。他们之间的谈话渐渐深入起来。两个青年人一起在长安街的华灯下漫步，思考着前辈人遭遇过的命运，思考着革命的必要性，思考着今天自己在生活中应有的位置——不是指职业，而是指个人对国家、对民族、对革命事业所应当承担的责任。安福民还没有想透彻，所以今天讲了这样的话。洪莉茹啊，你多咱才能学会从同伴的错话中听出他的苦衷，多咱才能放弃对同志无限上纲而学会对同志关怀体谅、耐心启发？当然，关键恐怕在于洪莉茹自己还不能准确地认识革命，正确地分析生活……

"快来啊！太美啦！"已经到了山顶的尤跃辉蹦回到巨石前，先是高兴地对李抗和洪莉茹嚷，然后就挥动双臂招呼着陆续接近巨石的伙伴们。

终于，所有的青年都攀上了山顶。

啊，多么震动灵魂的景象！向左右延续的绿色山峰，如展开的燕翅，渐次平缓下去。"燕翅"所环抱的是一望无际的锦绣平原。一大格一大格的麦田，缓缓地泛着金波。林荫带勾出了一条条墨绿的、毛茸茸的粗线。积木般的粉墙灰瓦房子，错落有致地摆在树丛中，犹如这山坡草丛中娇艳的山丹丹。远方是雾霭中的地平线；右前方接近地平线的地方，是隐约可见的北京城。

先是一阵杂乱的欢呼和狂喜的赞叹。然后，不知不觉地，只剩下了兴奋和低语。青年们都睁大眼睛望着这祖国的大地，丰富的感情在他们心中涌动。他们从各自不同的角度思索着，而基本旋律却是一致的：就是李抗和洪莉茹，或者尤跃辉和安福民，从他们灵魂深处冒出的音符，也是那么相近。

尤跃辉深呼吸着，贪婪地望着眼前的景象。他觉得不仅是自己望着祖国的大地，祖国大地也正在望着自己，那蓝色湖泊便是祖国大地深情的眼睛。祖国大地仿佛在说：尤跃辉啊，你同你大学的战友，你们这些千里驹，将怎样来打扮我？看吧，这一块块金黄的麦田，一畦畦碧绿的稻地，还主要靠镰刀割，畜力耕，不错，生产队有了拖拉机，可你看吧，大都奔驰在那灰色的直线、折线——公路上，跑运输呢。真正实现农业现代化，还需要你们这些中华民族的子孙作出切实的努力……尤跃辉用手指梳理着被山风吹乱的头发，眼里几乎涌出泪水。他为自己仍然还不够刻苦，仍然还不能真刀真枪地为祖国出力而感到惭愧。快些学吧，快些干吧，快些改变祖国大地的面貌吧！蓦地，他仿佛已经置身在二十三年后的今天，重新站在了这妙峰山上，看啊，神妙的机械化农庄，半透明的雪花形的蔬菜温室和养鸡场，城市般繁荣的居民点，银线般的高速公路，彩毯般的游览区，星形的文化娱乐中心……

李抗站在尤跃辉身边，面对着这雄伟壮丽的祖国大地，想得很深、很远。他想到大地上的人们，人们的生活；他想到自己的同代人。经历过林彪、"四人帮"对我们灵魂的浩劫，有些青年人对一切都丧失了信任、兴趣和信心。报上又登了什么新的文章吗？没有看头，左不过是那么回事儿。受"四人帮"打击的老干部、老科学家、老作家又出来工作，又发表作品了吗？指不定啥时候又会批斗他们，还要强迫我们青年人参加、表态。二十三年以后真能大变样吗？难说！还是找点木料给自己打了大立柜，留着结婚时候用实惠……啊，真该把这样的同代人都引到山顶上来看看，不仅要引到这自然的峰顶，更要引到历史的峰顶，心灵的峰顶。看吧，尽管林彪、"四人帮"荼毒破坏，这祖国的大地上，毕竟有着鲜明的社会主义制度优越性的印迹。那右前方在山影下闪耀着银光的不是十三陵水库吗？那有着银碟似的庞然大物的一组建筑，该是卫星地面接收站吧？那镶着绿宝石花边的淡蓝色玉带，不就是秀美的百里引水渠吗？……我们能够在二十八年半的时间里，把一个满目疮痍的祖国打扮到这个程度，我们就应当充满信心地去继续精雕细刻，使祖国大地更加繁花似锦，光彩夺目！安福民啊，不要颓丧！有伯乐识千里驹，也有诸葛亮来调理百里马、十里马。党中央正在用一切办法，调动一切积极因素。为了实现新时期的总任务，各种各样的马都应当、也能够作出自己的贡献，并享受共同的幸福……

安福民呢？他在想什么？这在祖国胸膛上出生、长大，而又一度欠缺调养的青年，是什么力量使他细小的眼睛显得比平时精神，是什么思绪使他那有缺陷的面容显得这般和谐、肃穆？面对着祖国大地、安福民耳边重响起李抗同他谈过的那些话。真奇怪，这壮观的大地，这调动人想象力的地平线，这雄浑的山原相连的自然景色，仿佛都成为了李抗那些火热议论的无声注解。是的，祖国大地是慷慨的，她需要千里驹，也绝不会亏待百里马、十里马。你看那田原上，有多少条不同的道路，条条都能通向广阔的地平线。就算当一辈子炊事员，做一辈子饭，只要把自己的这一份工作同使祖国繁荣富强的总目标联系起来，尽自己最大的努力，行行出状元，也一样能够攀登高峰，能够创造奇迹，能够赢得荣誉。梦醒了，并不是无路可走，而是还没有下决心向正确的路上迈步……

洪莉茹坐在一块山石上，双手抱膝，仔细地辨认着祖国大地上的每一处景物。一株野茉莉从山石缝中蹿出来，在她身边放出阵阵幽微清淡的香味。她刚才还有点生李抗的气，现在却心平气和了，李抗早就说要和她聊聊，并且已经几次透露给她，要谈的题目是"什么是革命、什么是左派？"真的，真应该好好想想这一切了。为什么最近同伙们对自己议论很多，还有人给自己取了个"一贯紧跟派"的外号？自己的前后矛盾之处，不用别人提醒心里也清楚。前一阵都用"反正我是真想革命"的逻辑自我解释清楚了，现在开始产生了越来越浓厚的惭愧情绪。是的，自己积极了半天，革了半天命，连安福民说一句不恰当的话也不轻易放过，究竟对于面前这祖国的大地，有什么好处？给她增添了什么光彩？给她消除了什么痈疽？……

我很抱歉，没有给读者们提供一个有趣的故事。但是我仍然希望读者们来读它，并且由此而产生一种探求的兴趣，勃发出一种登高的欲望。请想象一群青年站在妙峰山峰顶上，面对祖国大地的情景吧。祖国大地袒露出胸膛，慷慨地向他们赋予着，也严肃地向他们索取着。在这神圣的景象前，他们熄灭了一切杂念。就连那穿紫罗兰上衣的双辫姑娘，也忘记了去欣赏尤跃辉那健美的侧影，而用牙轻轻地咬着手中的手绢，出神地凝视着祖国大地。山风吹动着这群青年的头发，他们用年轻的灵魂真诚地思索着。他们置身其中的生活，在许多方面都还远非完美。有不少问题仅仅是刚刚提出，准确而充分的答案还需要经过实践和摸索才能够获得。将会有喜剧，也很难保证不出现悲剧。他们前面还有很长很长的生活道路。他们之间免不了会争吵、冲突。他们的生活将会构成许多也许平淡也许奇突的故事。但无论如何，有一点是肯定的：他们的存在和努力将构成我们中华民族的下一章历史，这新的一章应该而且必将是更加灿烂的……

我们将同他们一齐前进。我将会再次讲到他们……

1978 年

醒来吧，弟弟

一

我和弟弟站在过道里，给刚洗好的床单拧水。我俩朝反方向拧着，拧下的水哗哗地流向厨房的泄水孔。

似乎只有在这种时候，我才有机会同弟弟谈谈心。

"昨天报上那篇同'四人帮'斗争的青年英雄的报道，"我对他说，"你真该看看。"

弟弟淡然一笑："我瞄了几眼。没什么大意思。"

我双腕不由停止了动作。我的耐性到了尽头。我瞪着他，气愤地说："什么都不能打动你！你还有没有心肝？！"

弟弟走过来，把他手里的床单头同我手里的床单头并到一起，又从我手中取走床单，一边朝阳台走，一边和和气气地对我说："我的心在胸膛里，肝在肚子里。我尊敬他，可我并不佩服他。他太认真了，结果闹到蹲监狱。其实有什么用处呢?"他的声音越来越远,开始传来抖动床单的声音,他要晾床单了。

我知道,他的耐性也到了尽头。如果我追上去同他争辩,他将并不应战,而是嘴角上挂着微笑,彬彬有礼地声明他还有"急事"待办,然后便径直离去。

我重重叹了口气,回到我们那个中单元的大屋里。

二

大屋的北墙上,挂着一张八寸的"全家福":爸爸、妈妈坐在前面,我和弟弟斜错着站在后面。大屋的五斗橱上,立着另一张六寸的合影:妈妈坐在当中,我和弟弟坐在两旁。爸爸呢?

在林彪、"四人帮"卷起的恶浪里,爸爸先是被当做"黑帮"揪出来,后来算是"走资派";再后来我们全家随他到了干校,眼看快解放了,不知怎么搞的又成了"假党员";后来虽然终于恢复了组织生活,却又成了干校的"老学员"。直到1975年春天,他才被召进城里,我们也才住进这幢宿舍楼——他被重新任命为局长。但是,秋天一过,大字报又刷到了我们单元的门上,爸爸增添了一个新的头衔:"复辟派"。然后是有一天下班他没回家,然后是通知我们到医院去,然后……爸爸的单人放大照挂在了双人床边的墙上,围上了粗粗的黑框……

我拿起五斗橱上的三人合影,端详着弟弟的眼神。啊,是从哪一天起,弟弟双眼里开始呈现了这么一种冷漠的光? 我走到北墙前,同1965年拍的那张"全家福"对比着。那时候弟弟刚满十岁,还没上到三年级。那是怎样的一双眼睛啊,像两朵乍开的雏菊,满蓄着稚气与欢乐……

亮晶晶的光彩……它是怎么熄灭的呢? 我苦苦地思索着:是从江青煽动"文

攻武卫"开始？是林彪自我爆炸以后？……反正，自从插队落户回来、进厂出师以后，弟弟那种满不在乎的劲头就变本加厉了。妈妈尝试过很多次：同他促膝谈心，指出他滋生了一种很危险的情绪；又举我为例：经历过更多的波折，现在当了中学教员，如何认真、乐观地工作……弟弟低头听着，偶尔也"嗯"一声，点下头，以取得妈妈释然。可事后却依然故我！有时，我也狠狠地数落他。他却并不反驳，只是冷冷地抱着吉他，随手拨出一组琶音，令我心碎地说："算了算了。爸爸、妈妈、你，吃亏就在什么事情都太认真……"

……不错，弟弟也偶尔迸现过认真的火花。特别是1976年10月8号，那个晚霞如火的傍晚，妈妈带回了"四人帮"倒台的消息。弟弟马上翻出两张红绿纸，裁出了许多三角旗，命令我帮他——糊到麻绳上。然后，他就踩着两层椅凳，在我们单元的两间屋里，挂起了对角交叉的彩旗……但是，几个月过去，他竟又复归于冷漠！为什么？为什么呢？

记得那次：妈妈去爸爸他们单位，要求澄清"批邓"时给爸爸定下的罪名，要求补开追悼会；先是得到了"当时批邓没有错"的回答，后是被告知"不要纠缠历史老账"。妈妈和我并不灰心，相信问题定能解决，弟弟听后却颤动着牙筋，眼里褪去了一层光焰……

记得那天：弟弟他们厂里披红挂绿，鞭炮"噼噼啪啪"地响，再次被评为大庆式企业；庆祝大会没完，弟弟就溜回家来了，还带来好几个毛头小伙，先是就着啤酒聊大天，然后就伴着吉他，闷声闷气地哼上了歌……

现在，忆起那忧郁的旋律，我的心还阵阵发紧。弟弟啊，你心灵中的青春火焰，真的就这样熄灭了吗？

三

门"砰"的一声响，显然，弟弟又出去活动了。这天是星期日，我休息，他上夜班。洗完床单，他本该抓紧时间睡觉，可是，瞧，这不，他又走了。去哪儿？找谁？我统统不清楚。问多了，他会不耐烦地皱起眉头说："你放心。难道我会去溜门撬锁？"这当然不会，可是我心里却更加难过。倘若他真的当了小流氓，我也许反而不至于难过到这种地步……

妈妈出差去了。他们那个出口公司真是忙得出奇，她一年到头不知要出多少回差。妈妈出差的时候，几乎成了惯例，我就到妈妈的双人床上去睡；而弟弟，便独占了那间我俩的居室，我的床铺则成了他摊放杂物的地方：撂着吉他琴弦——坏了的和没用过的；一些不知哪儿借来的西洋古典音乐唱片；一叠包括《柏拉图文艺对话集》和《篮球基本技术图解》在内的开本不等、新旧不一、交错杂陈的书籍……

我坐在大屋的书桌前，批改着带回家的学生作业，好不容易才把弟弟忘记。

"笃、笃、笃"，有人敲门。我去开了门，是个同弟弟差不多大的姑娘：运动头，粗黑的眉毛，很有神采的一对眼睛，厚厚的嘴唇。

"我找彭晓雷。"

"他不在家。"

"我等他。"不等我让，她就主动进来了。她很熟练地进到弟弟的屋里（一定是我不在家时，弟弟带她一块来过），把手里的"痰盂包"撂到曾经是我的床铺，现在是弟弟的杂货摊上，转身坦然地自我介绍说："我叫朱瑞芹，跟晓雷同厂。我是天车工。"

"你好……"我该怎么对待她呢？"你坐吧，不过，我弟弟不知道什么时候才会回来。"

她没有坐。真是"宾至如归"：她端起桌上已经空了的水果盘，弯腰从"痰盂包"里一把一把地抓出了一满盘樱桃；然后，很自然地端着盘子进了厨房，在自来水管下冲洗起来。

洗好樱桃，她回到弟弟屋里，把盘子搁到桌上，打个手势对我说："你吃吧。我喜欢樱桃，又好看，又好吃。"随即落座在弟弟常坐的那把折叠椅上，边捡起个殷红鲜亮的樱桃放进嘴里，边大大方方地望着我，点点头说："你坐呀。"仿佛我倒是个客人。

我倚着门框，双手抱在胸前，望定了她。她就是朱瑞芹。我回忆起来，弟弟有一次提起过她。弟弟是难得同我谈论厂里的领导和同事的，但是，有一次却用兴奋的语调，足足跟我谈了二十分钟朱瑞芹。

"你就是朱瑞芹？"

"对。草斤芹，不是钢琴提琴的琴。"

"啊。你在农村插队那阵，有一回，队长突然撂挑子不干了？"

"不是突然。他早就说过他不想干。"

"于是，你就去敲响了上工钟，于是队里的人就都来集合了？"

"队长也来了。"

"你理也不理队长，就分派活儿。当时正是大秋忙季，劳力居然都按你的分派，下地干活去了？"

"我派队长去耪地，他没动弹。"

"后来他回家去跟孩子发火，还喝了半斤白干？"

"那管什么用？当晚记工分的时候，我告诉记工员，他那天没分！"

"后来公社表扬你，要把你树成'扎根'典型？"

"可我并不打算一辈子扎在农村。工厂去要人,我立刻找到公社书记,告诉他:嘿!你可得把我分到工厂去,因为我更喜欢当个工人!"

"你在工厂里开天车,从没出过事故。可是有一回,却猛挨了一顿撸?!"

"你知道?"

"知道。你们厂汪彦斌犯了案,进了拘留所。你平时不怎么跟他来往,却冒充他妹妹跑去探监……"

"我就想看看监狱什么样。我什么都想知道一下。我不过就是这么个意思。"

"可是厂领导不能理解你。他们差点开全厂团员大会,给你来个专场?"

"没批判成。因为忽然'批邓'成了'一切的中心'。"

我俩停止了对话,默默地对望着。我和他们只差五六岁,为什么我们之间竟有了这么多的差别?我要努力去理解他们,然后才好开导他们。

"我也知道你的情况,"她开口说,"六年前,你拿着旧底片到照相馆印相片,你拿去了十一张,结果照相馆只给印四张。因为那七张上有少先队中队旗——当中缺块三角形;有教室里的'知识角';有新年晚会上的'动脑筋爷爷'……"

"他们说这些属于'四旧',有规定不能印……"

"你回到家就咬着嘴唇哭了?那时候你已经二十岁,却哭得像个小孩一样!"

"准是弟弟讲给你听的。后来,弟弟找到他的朋友,在家里给我放大了出来……"

"你们心里有数不清的这号照片。你们什么都知道。"她顿了顿,低下头双手抱住膝盖,"可我们什么都记不清,所以相信了'砸烂十七年'的道理……"

"你不要像晓雷那样,"我忽然感到她是可信赖的,便诚恳地对她说,"你劝劝他。'四人帮'已经倒了,'彻底砸烂'的道理该扔进拉圾箱了。你要劝他振作起来!"

"不容易。"她认认真真地告诉我,"心上的火苗儿熄了,再燃起来比什么都难。

我比他强不了多少……可是，我一定努力试试。"

正在这时，弟弟回来了。

四

没多久，妈妈出差回来了。可还没来得及过问弟弟的事，就又接到了新的任务。这次是出国，要整整三个月。临走前，妈妈专门腾出个上午，要同弟弟好好谈谈。可一直等到非去赶飞机不可了，上夜班的弟弟也没回来。妈妈心里着急，下楼时千叮咛万嘱咐地对我说："别人家是长兄如父，你还要添个'如母'——晓雷托付给你了，你可得让我放心……"

可我又有什么办法？弟弟从外头回来，我走过去呲他，他却无动于衷地钻进厨房去找吃的；我忍不住拉了他衣襟一下，竟被他"客气"地拂开了……啊，弟弟！记得爸爸被打成"黑帮"时，我俩随着去干校。那时你总跟在我身后，拖着我的衣角；我只顾用全部身心去体验和理解眼前的急风暴雨，多次拂开了你的手……弟弟啊！昔日你需要我帮助时，我忽略了你。而今天当我要帮助你时，你却又冷淡了我……

正当我对弟弟几乎绝望的时候，有一天，忽然出现了一个新的情况。

那天弟弟下了中班，回来稍微吃了一点东西，便一头钻进"自己的"屋子去了。没有吉他的声音，没有唱片的声音。我装着找一件什么东西的样子，进去转了一圈，发现他也并没有读什么书，只是仰躺在床铺上，双手枕在脑后，双脚交叠，望着天花板发愣。

我的弟弟，我的亲弟弟！我们一直生活在一个屋顶下，可是，此刻我却一点也不了解他。他在想什么？他仍然在觉得什么都是"没意思"，还是多多少少发现了一点有意思的因素？

这时候有人敲门。弟弟姿势没变，但从那眼珠的移动中，我看出他有点儿纳闷。好一阵没有人来找过他了，那些时常来同他弹吉他、喝啤酒、听唱片的小伙子好久没来了，朱瑞芹也好久没露面了。

我去开门。门外站着个比我矮半头的老头。显然他敲错了门：我不认识他，弟弟也不会有这么个朋友。

可是，他却开口说："果然是这儿。你是彭晓风吧？你们哥俩长得一个模样。"

我把他让了进来。

"晓雷在哪儿？"

我把他领进了弟弟的房间。

弟弟照旧躺着，姿势居然仍旧不变。不过，眼睛却盯着不速之客，闪出诧异、猜测、拒绝的光芒。

我生气了："晓雷，滚起来！太没礼貌了！"

毕竟来的是个长辈，而且身体那么单薄。

弟弟坐了起来。

来人自己坐到的叠椅上，环顾了一下整个房间，然后望望弟弟，再望望我，不慌不忙地问："那么说，你们的母亲还得一个月才回得来啰。你们哥俩还是各居一屋，'互不干涉内政'？"

弟弟忽然"嘿嘿"一笑，挑战似的说："卢书记，我全懂。以往新来的一把手，也都是这么开始工作的：穿上工作服到车间干半天活啦，骑着自行车到职工家问寒问暖啦……可不出两个月，瞧吧，他们就钻进办公室，开起扯皮的马拉松会来了。再也难见着！"

我这才知道，来的是弟弟他们厂的新书记。我真希望这位书记能改变弟弟的精神面貌。他能够吗？

弟弟继续"先发制人"："我知道，您是从朱瑞芹那儿打听出我们家情况的。卢书记，您希望我怎么样？您指示吧，我听着……"他特别把"书记"、"您"这样的字眼强调出来。太不像话了！我忍不住要开口喝住他，可是卢书记却朝我微微摆了摆手。

卢书记掏出香烟，开始讲话。我本以为他会这样开头："别叫我卢书记，叫我老卢吧……"谁知他并没这样，而是单刀直入地望定弟弟问："今天朱瑞芹在二车间撕产值表的事，你听说啦？"

"我对这号事不感兴趣。"弟弟傲慢地回答，"我为朱瑞芹遗憾。她越来越成'红尘'中的人了。其实何必争那份气？……你们打算拿她怎么办？全厂通报批评？组织'小评论'围剿？'耐心细致的思想工作'？'原谅初犯，下不为例'？……"

卢书记两眼里闪着锒铄的光芒，似乎他全身的精力都集中到瞳仁里去了："朱瑞芹做得对呀！厂党委研究了，明天要在全厂大会上表扬她呢。你怎么估计她会挨整呢？难道你真认为她错了，该挨整？"

弟弟的身子明显地一震。显然，这完全出乎他的意料。

"我来厂后，调查研究了一个多月，找了好多人，就没顾上找你……现在我来告诉你一件事，新党委的意见统一了，咱们厂要整顿！以往顶着'大庆式企业'的牌儿，说白了，是个假典型！二车间的问题很严重，几乎月月谎报产值，把这个月头五天的愣安到上个月去。朱瑞芹她们敢于揭这个矛盾，好得很嘛！"

"其实，这是秃脑壳上的虱子，无所谓揭不揭。"弟弟开始激动起来，"可是这些年大家都不当回事儿，作假成了家常便饭：说假话，报假产值，表假态，搞假挑战、假应战……工厂里的语录牌一遍遍地漆得油光锃亮，进口设备却撂在车间外头，任凭风吹雨淋也不抓紧安装。动不动就来顿锣鼓喧天、鞭炮齐鸣，其实谁心里不清楚？全是'样子货'！……"

"于是，你也就假装不知道这些个事，心平气和地在'红尘'外头过日子？"

"那怎么着？你瞧着吧！"弟弟梗着脖子犟嘴，"作假这条在咱们厂扎下根了！你支持个朱瑞芹顶啥用？！党委里那些个人，都是真心跟你走的？政工组里那些个编假材料的人，都能转过弯来听你的？……你呀，顶多能起这么个作用，让作假的幅度稍微小一点儿……其实那又有什么意思？归里包齐还不是假、假、假！"

弟弟的态度简直可恶。可是我对他们厂的情况一点也不了解，所以一时也无法插嘴。

我和弟弟都望着卢书记，等待他回答。他却不慌不忙地从兜里掏出打火机来，打火点烟。咔嗒、咔嗒、咔嗒……连续打了七八下，只见火星迸，不见火苗冒。我连忙从桌上取来火柴，要擦燃一根帮他点烟。他摇摇头表示拒绝，继续固执地咔嗒、咔嗒地打着。终于，当我在心里数至第十二下时，火苗腾起了。卢书记且不忙点烟，举起飘动着蓝色火苗的打火机，意味深长地望着弟弟说："你那个看法，我认为有点片面。不过，你反对作假，这点咱俩一致。你看这打火机，我刚买了半拉月，就这么糟心。林彪、'四人帮'给咱们造成的祸害，非收拾干净不可！不能再让跟这号打火机一般的产品上市。不管阻力多大，也得坚决推倒假的，来真格的！……晓雷呀，党委决心从实事求是起步，靠全厂职工，汇成一股心劲，扫荡林彪、'四人帮'那套弄虚作假的风气。你怎么办？光是在一旁对'假、假、假'生闷气，还是跟大伙一块参加战斗哇？"说到这儿，卢书记才把烟点燃，关上打火机，徐徐地吸了口烟。

"当然是参加战斗！"见弟弟不吱声，我忍不住替他回答。

可是弟弟嘴角颤动着，沉默了一会儿，却突然转移话题说："卢书记，我十一年前就见过您！"

卢书记眉头一跳："十一年前？那时候你才多大点儿？在哪儿见过我？"

弟弟说："头回是在校会上。那时候您到我们学校来，讲打日本鬼子的故事。"

"我讲的故事，你还记得吗？"

"讲得真冲。听完了，别提我多崇拜您。那时我觉得您很高大，您的形象在我心目里，意味着具体的、生动的概念：革命前辈，艰苦创业，优良传统，学习榜样……可过了两个月，我又看见了您……"

"过了两个月？"

"对。1966 年夏天。我跑到大学操场上去看热闹，斗走资派。押出来一串，里头就有您。戴着高帽子，挂着黑牌子，被撅着……"

"你怎么想呢？"

"我还小，不大会想。我只觉得，好像一个什么美好的东西，突然给打碎了。后来，我爸也给揪了出来，这号场面见多了，也就渐渐习惯起来。……到了上中学时，我就积极起来了。我觉得革命嘛，就是小的反老的，群众反领导，越左越好……林彪摔死以后，我才觉着自己突然长大了，开始有了点成形的想法。我觉得没什么神圣的东西，没什么真格的。后来我又听到一些关于江青他们的事，心就更凉了。原来这么回事儿！江青他们把你和爸爸这样的人说成是鬼，说你们搞'物质刺激'，散布封、资、修毒素；可我有个表姐在'样板团'，那儿搞特殊化，比'十七年'还'十七年'！她跟着江青看过几次'内部电影'，那是连封、资、修国家的正统派也不看的肮脏货……哈哈，一切都是假的、假的、假的！我看破了……"

"呵！……咱们厂里那些看破'红尘'的小伙子，常到你这儿来聚聚吧？"

"可不。有的跟我一样，当过'可以教育好的子女'；有的老子确实有问题，属于'狗崽子'；有的父母是地地道道的工人，可没有后门可走，尽碰钉子……我们不是同一个时候看破的，有的早点，有的晚点……"

我听着，心头微微发颤，忍不住地说："可现在一提起这些，还有人说这就是否定文化大革命呢！"

"是呵！现在有些人，动不动把'否定文化大革命'当成根棍子，抢起来打人。"卢书记把眼光转向我们，声调激愤起来，"可是林彪、'四人帮'那些个伤透了好人心的东西，难道不应当否定吗？难道不应当否定武斗？不应当否定人身侮辱？不应当否定彻底砸烂？不应当否定弄虚作假？不应当否定形而上学？不应当否定'血统论'？不应当否定'株连九族'？不应当否定'走后门'？……不！这些林彪、'四人帮'搞的乌七八糟的玩意儿，必须毫不留情地统统加以否定！晓雷他们本当血气方刚，伤成了这号模样，是林彪、'四人帮'的罪过！……"

我抬起眼睛，我发现，弟弟的脸上，呈现出了一种前所未有的惊愕表情……

卢书记约定以后再找弟弟细谈，便告辞了。

弟弟是从来不送客下楼的，这回却破了例。

卢书记走得很慢，原来他腿脚不大灵便。下了楼，我们发现他不是骑车来的，厂里的小吉普在等着他。

吉普车开走了。弟弟的眼里，闪动着多时不见的、火花般的光芒。忽然，他转脸望着我，从嘴里迸出一句话来："他说真话！"

五

可是，这一晚过去后，弟弟似乎也没多大变化。

过了半个多月，有一天，弟弟下了中班，裤兜里揣着瓶金奖白兰地，面色沮丧地回到家里。他用眼光阻止住我的询问与劝说，一个人待在他那间屋里，一边喝着酒，一边打开电唱机，听着贝多芬的第五交响乐。喝了不到半瓶酒。又关掉电唱机，神色平静地走过来关照我，说他要出去一趟；倘若有人来找，一定要告诉来人：他得很晚才能回来，不必在这里等他。

弟弟走后半小时，朱瑞芹就来了。

"晓雷要很晚才回来。"我告诉她。

"那不一定，"她很有把握地说，一边走进屋来，"我等他到八点半。"

"厂里有新情况吗？"我跟着她走进弟弟屋里。她依然是"宾至如归"，熟练地为自己倒了杯开水，坐到折叠椅上，喝了几口，才抬头回答我说："有。上个月的产值统计出来了，比老卢来之前的月产值低。"

"我不吃惊。原来的产值数字是假造的嘛。"

"不是说比那个数字低。刨去了假造的那部分，也还是低——虽然仅仅低了百分之零点三。"

"那是为什么呢？"

"因为质量上卡得紧了呗。副品按副品的价值算，不是正品、副品混着一块算。"

"啊，明白了。这回要是也把副品当成正品，按原来的办法算，那就比上个月多，对吗？"

"对，那就要多出百分之一点七。"

"嘿，这不就是进步吗？我不明白，为什么晓雷今天又飘到了'红尘'之外？

瞧，他喝了那么多酒！"

朱瑞芹拿起那半瓶酒，对着日光灯，仿佛在欣赏白兰地的颜色。想了想，她就往酒杯里倒了半杯酒，端起来要喝。

"怎么，你也要飘到'红尘'之外去吗？"

"不，外头阴天，我有点冷，喝口酒暖和暖和。"她喝干酒，对我笑着把双眉一扬，"老卢是块吸铁石，他吸着我，让我牢牢地留在了'红尘'里。"

"他要能牢牢地吸住晓雷，该有多好啊！"

正说着，听见门响，竟是老卢和弟弟一块进来了。

我和朱瑞芹都很高兴。朱瑞芹比我还热情，她知道我们的茶叶罐在哪儿，熟练地为老卢沏着茶。

不知道老卢和弟弟是怎么遇上的，反正进了屋，他俩只顾继续着路上的谈话。

"……我不明白，"弟弟固执地问，"你为什么这么卖劲？下头有人斜眼瞧你，给你吃阻力；上头也未必都支持你，指不定哪天，又会有人说你是修正主义回潮！……你戴过高帽子，挂过黑牌子，住过监狱，挨过毒打，人格受过侮辱；老婆跟你离了婚，女儿当年为了跟你划清界限，连名带姓都改掉了！你原来是局级干部，现在到厂里当个一把手，明明是降了级；你头发差不多全白了，你还有多少年头好活？……"

我忍不住喝住弟弟："晓雷！有你这么说话的吗？……"

弟弟偏提高嗓门，睁大眼睛望着老卢，激动得脖子上的筋直蹦："你为什么还干得这么起劲？究竟是什么东西支撑着你？什么？！"

我和朱瑞芹都把目光集注到老卢身上。我的心通通跳着：弟弟真混，老卢可别让他气得心脏病发作……

好一阵，老卢的嘴紧紧地抿着，嘴角下弯，呈现出一种刚毅的神情；他的双眼在滋出的浓眉下，闪着饱蓄锐气的动人光芒。他双手叉腰，在屋中来回踱了几步，这几步中，他脑海里一定掀动着大波巨澜，他心头上一定冲腾着爱和恨交织的烈焰……

当再次走近窗前时，他伸手推开了玻璃窗，让晚风扑进来，掀动着自己头上稀薄的白发。窗外已经笼罩着宝蓝的夜色，天际轮廓线上，璀璨的灯火与闪动的电弧光交相辉映。他默默地望着远方，许久许久，才用并不高亢的声音，深沉地回答说——

"我爱咱们中国。我要她繁荣富强。我相信咱们的党。"

六

蛋青色的天光映进屋里。还很早，伸腕看表，才四点过一刻。

我失眠了。弟弟今夜睡得如何？

我听见了脚步声。是他，穿着拖鞋朝我屋里走来了。

我闭上眼睛，仿佛仍在沉睡。

脚步声在我床前停住了。一秒、两秒、三秒……我在心里计算着。弟弟怎么还没动静？

忽然，弟弟的两只手扶住了我的膀子。他还没推我，我就主动把眼睛睁开了。

"哥，"弟弟坐到我床上，眼睛睁得很大，开门见山地问我，"你说，老卢为什么不说那些个'套话'？我以为他要长篇大套讲一顿，没想到就那么简单的三句……"

"是呀，"我把双手枕到脑后，望着天花板上的第一缕晨光，沉吟地说，"老卢真能对症下药……"想了想，我便一下子坐起来，拉住弟弟的手，诚恳地说："他一语道破了你们这号人的病根——连祖国都不懂得去爱……"

弟弟甩开我的手,好像受到了莫大的侮辱。他气愤得脸颊上的肉直跳,大声驳斥说:"你胡说!……"

我抓回他的手,紧紧地攥着,不容争辩地教训他说:"我知道,你们当然不反对实现四个现代化,可你们丧失了信心!你们满眼是流毒、阻力、困难、挫折、阴暗面……你们自以为'世人皆浊我独清,世人皆醉我独醒',摆出一副看破'红尘'的臭架子。可要叫我说,你们是十足的没皮没脸!说穿了,你们是对党、对马列主义和毛泽东思想失去了信仰!……"

"这能都怪我吗?!"弟弟挣脱了我,激动得身子簌簌发抖。突然,他狂怒地一下子脱去了背心,用指头点着左胸朝我喊:"你看呀!"

在弟弟那黝黑的、结实的、隆起的胸脯上,有着两个并排的、米粒大的伤疤。

啊,回想起来了:那是1970年,弟弟因为爸爸的"假党员"帽子没有摘掉,任凭如何努力也加入不了红卫兵。有一天,他问红卫兵的负责人:"得怎么着,你们才信得过我?"那个中林彪、'四人帮'流毒很深的红卫兵负责人,绝非开玩笑地说:"你要真是'三忠于、四无限',就得天天把毛主席像章别到肉皮上!"弟弟听完,当场便毫不犹豫地把铸有"四个伟大"字样的红像章,狠劲别到了左胸的肉皮上……可是,由于爸爸、妈妈和我坚决阻止他继续这么做,他竟始终未能加入红卫兵!……

"看见吗?"弟弟用拳头擂着胸脯,大声告诉我,"受伤的不光是外头,是里头、里头!——懂吗?"

啊,弟弟的双眼,迸射着令人不忍直视的光……

我扑上去,紧紧地、紧紧地搂住弟弟那热烘烘的身躯。人们啊,记住吧,世界上发生过这样的悲剧!马列主义、毛泽东思想的敌人,不是用公开谩骂、攻击的手段，而是用把马列主义、毛泽东思想奉为宗教圣经的手法，动摇、摧毁了一批人对马列主义、毛泽东思想的信仰！……治愈这部分人受了伤的心灵，恢复他们对真理的信仰，该是多么紧迫、多么崇高的任务！

可是，我并没有原谅弟弟本身。弟弟，我的好弟弟，你若爱我们的祖国，你若要她繁荣富强，你怎能继续这般消极地生活？！

七

妈妈回来了。

妈妈是中午到的。她知道弟弟这个月上早班，得下午两点半才能到家；洗漱完毕，刚落坐到躺椅上，还没接过我递上的热茶，便迫不急待地问道："晓雷如今究竟怎么样？"

"开始步入'红尘'。主要是厂里发生了好多变化。加上爸爸他们单位来人找了我俩，说等您回来就开爸爸的追悼会，彻底平反昭雪。不过他信心仍然不足。厂里搞整顿很费劲，原来顶着大庆式企业的名儿，好多人过惯了弄虚作假的日子，矛盾都披着捂着。如今每迈一步，都少不了遇上'四人帮'的流毒。所以，'没意思'的口头语，有时还挂在他嘴上……"

妈妈捧着保温杯，全神贯注地听我叙述着一切：关于老卢、朱瑞芹，关于那个难忘的清晨……

我忽然想起：妈妈刚走完万里路，便煞住话头，劝她先休息，下午再谈。她同意了。两点半，她睡完午觉，走过来问我："晓雷该回来了吧？"

"可不是。"我走近窗口，朝大街上望去。街上飘着霏霏细雨，两旁的槭树呈现出墨绿色，来往行人穿着雨衣、打着各色雨伞，犹如朵朵移动的、润泽的花。哪有弟弟的身影？

三点半，弟弟还没回来。三点四十五分左右，有人敲门。谁？

我去开门。是朱瑞芹。

妈妈还是头一回看见她。

我给妈妈介绍："这就是朱瑞芹。"

妈妈上下仔细地端详着她："啊，草斤芹，不是钢琴提琴的琴。"

朱瑞芹大方地微笑着，对妈妈说："伯母，您在等晓雷吧？他现在还不能回来，他还得想一想，他还没有下最后的决心……"

"什么？"妈妈吃惊地问，"他还没回家的决心？"

"不是！"朱瑞芹笑出了声来，"他还没有当质量检查员的决心！"

可是妈妈和我还是摸不着头脑。

朱瑞芹这才一五一十，放机关枪地告诉我们："老卢找他谈了，让他当车间的质量检查员。原来的质量检查员不行，根本就没有质量概念。老卢这回可下了最大的决心，他不光撤了那号思想作风不正的质量检查员；有的人的思想、品质没得说，正派人儿，他也给撤了。因为技术上不过硬，把不严关。他上午十点钟找晓雷个别谈话，动员他'还俗'，当个铁面无私、克丁克卯的检查员，晓雷没有立刻答应。他说考虑考虑，明天回答……下了班他就找我，跟我说了这个事儿，问我：'怎么样？'我说：'老卢来真格儿的，咱们应该支持他。大家都来真格儿的，四个现代化准有希望。'我两一块出了厂，边议论边朝前走，忘了朝这边拐弯，一直走到鼓楼那边去了。我提醒他：'你妈妈不是今天中午到家吗？'他犟着脖子说：'我要作出了决定再回家，我要独立思考……'我们恰好走过建筑工地，正盖十二层大楼，那工夫还没飘雨星儿，卡车开来开去，掀起一阵阵的尘土。我拉拉他衣袖说：瞧，'红尘'多美，'红尘'里有大高楼！他笑了笑，没说什么。又往前走了一段，他站住撵我了，他说：'我要真正地独立思考，我不要你陪着。'我说：'瞧你这德性劲儿！'转身就自己走了……我怕你们等他等得着急，所以来告诉你们一声。"

妈妈听完，二话不说，拿起雨伞就要往外走。朱瑞芹挽住她胳膊说："我陪您去，我知道他在哪儿！"

妈妈走了，朱瑞芹也走了，只剩下我一个人。

我走到窗前，出神地望着被细雨润湿了的、闪着蓝光的大街。弟弟正在远处街道上踽踽独行，还是正朝家里走来？他已经决定，当一个热衷于"红尘"中事的质量检查员，还是打算仍旧留在"红尘"之外，当一个愤世嫉俗而又无所作为的人？

远处什么地方，打桩机发出有节奏的声响；几辆十轮大卡车，满载着建筑材料，从大街上驶过；五楼阳台上有人在跟着收音机学法语，反复地念着一个什么句子；二楼下那个十六岁的胖姑娘，照例在弹奏着一首指法复杂的钢琴练习曲……向四个现代化进军的时代步伐橐橐可闻，周围是沸腾的、充满希望的生活。而弟弟，我的亲弟弟，他那受了伤的灵魂，却还没有完全苏醒过来，他还在"红尘"边缘上犹豫着……

是的，我们需要为弟弟这批青年创造更加有利的外在条件：更多的真话，更少的反复，更具体的成效，更丰富多彩的精神食粮，更能施展他们聪明才智的广阔天地……可是，归根结底，却又有赖于弟弟他们自身的醒悟、决心和毅力……

为了我们的祖国，为了我们的民族，我真想把双臂伸出窗外，大声地呼唤——

醒来吧，弟弟！

1978 年

找　他

公元 1976 年 4 月 5 日夜九时三十四分，我站在天安门广场纪念碑的须弥座旁，就着身旁一位姑娘打出的手电筒光，正抄着一张刚用胶布粘上不久的抗议压制悼念周总理活动的七言诗。这时的天安门广场，不但已经没有了雪山银海般的花圈，而且，经历了白天一系列激昂的场面后，笼罩着一种大雷雨前的郁闷气氛。尽管如此，纪念碑附近仍旧不断出现新张贴的诗词，而且，一些包括我这样愿把历史见证人的职责承担到底的革命群众，还在那里积极地坚持着针对"三人十只眼"的抗议活动。我还没抄完那首诗，忽然，身后有个小伙子大声地提醒说："注意，那些披棉大衣的家伙甩掉大衣了！"

我和肩靠肩的几位抄诗者同时回过头去，还没有完全反应过来，陡然，本来故意搞得灰黑一片的广场，每个灯柱上的所有圆灯猛地全亮了。

这时已是九时三十五分。

我本能地随着激昂的人群转身朝广场西南角跑去。正当我被愤怒和惊愕弄得几乎发狂时（我虽然估计到会有比白天更严重的压制，但万没想到从一百米外扑来的黑影竟赤裸裸地举着粗大的棍棒），蓦地，我清清楚楚地看见，一个穿着蓝工作服的小伙子跳上了前面的灯柱，他双脚紧攀，左手紧抱，右臂猛烈地挥舞着；我一辈子忘不了他那朴素的短发下，被真理之光照亮了的那张涨红的脸，特别是那双闪着无畏光芒的眼睛。我和身边一同奔跑的人不由得奔向他所在的那根灯柱，这时虽然灯柱上的广播喇叭中讽刺性地轰响着《三大纪律八项注意》的乐曲，我们却仍能听见他指着纪念碑呼出的声音，那声音即使在我们这一代人死去化为尘土之后，相信也会存留后世的——听："他们这样不行！不行！不行！我们要斗争！斗争！斗争！从1840年以来，从1919年以来，从1921年以来，从1949年以来，中国老百姓争取的是什么？什么？我们争得的不能丢！失去的必须夺！没有的必须创！……"

这时传来了第一批残暴的踢打声和惨叫声。"冲出去啊！"是他在喊？是周围的人在喊？是我在喊？记不清……

也许是残暴的歹徒一时疏忽，更可能的是被集合去的并非全是冷血动物而有意"网开一面"，我和五六个"幸运儿"竟得以冲出了包围圈。

回到家里，我气愤得一阵阵打颤。我恶心，我想吐。爱人一旁安慰我，但我只锐利地射了她一眼，便不再看她。她虽聪明，却太善良。她猜到了压制，却绝对想象不到带血的棍棒。

披着爱人送到肩上的旧呢大衣，我呆坐了整整两个小时。爱人把我抄来的诗文，同前几天我俩已经誊好的诗文合到一起，搁到了装大米的陶罐的底部。我听见她做这件事的声音，却没有跟她说一句话。爱人办完了这件事，便和衣在床上倚着，先是望着我发愁，后来实在熬不过，合眼发出了轻轻的鼾声。

我的思绪从冷冻般的愤怒，逐渐化为针扎般的痛苦，又转为沉重的思考，最后，却只剩下了那灯柱上青年的形象，和他那每个字都有千斤般重的激昂号召。

　　我是个业余雕塑爱好者。我觉得心中已经屹立着一尊无比壮美的塑像，我完全忘记了有被追捕的可能，我不想吃，不想喝，不想睡，只想立刻把心中的这尊塑像再现出来。我忽然产生了一种感觉，就是我负有一项重大的历史使命，我必须完成这尊塑像，不管我需要冒着多么大的风险。

　　当爱人惊醒，走拢我身边时，我手持的画板上已经出现了最初的草图。那攀着灯柱扬臂疾呼的青年形象，一下子就攫住了爱人的全部身心。

　　"谁？"她双手搭在我肩上问。

　　"他！一个英雄！一个大家都应该记住的人！"

　　是奇迹也不是奇迹，我一直没有被捕。被"四人帮"控制的公安局派人去厂里查过我，党委并没有专门商量过如何应付这种事，但他们面对公安局拿来的明明有我侧影的相片，却个个表情自然地否认厂里有这么一个人。合同医院的大夫在这事发生后的第二天，便一反常规地来我家"出诊"，并给我留下了长休的病假条（大家也知道我确实有慢性肾炎）；街道治保主任陈大妈见着我总是慷慨地报之以真诚的微笑，唯一对我不满之处，就是屋里既乱搁着那么多的铅丝、木条、胶泥，为什么不养成拉上窗帘的习惯，以免"有碍观瞻"。

　　在这"病休"的时间里，我废寝忘食地工作着。塑像已具雏型。偶尔有生客来家，问道："你这又塑什么呢？"

　　爱人总是抢着回答："架线工。"

　　熟客来了，我就拿出设计图，请他们看，一边小声地传达着他的召唤。

　　厂里的几个小伙子轮流来当模特儿，搂着我那小平房里的旧木柱子摆姿势。我总是不满意他们，常常说："都不能传神。应该找到他，请他自己来。"

　　"是呀，该找到他！"爱人这么说，同志们这么说，我也这么说。

　　但是，在那阴云四合的岁月里，到哪儿去找他？他在哪儿呢？也许，在监狱的铁窗中；也许，像我一样，在某个隐蔽但并不消沉的角落，也许……不敢往下想了。

我们的估计从方向上看总是正确的，但我们的估计从程度、速度上看却总还是显得保守。我以为起码还得"病休"上一年，才有可能到市公安局门口晒晒太阳，没想到仅仅半年以后便云开雾散。

我恢复了上班，在宣传科里又成了个忙人；我和爱人一块大摇大摆地去逛王府井；我对每一位来家的客人，无论生熟，都乐于揭开盖在未完成的塑像上的白布，请他们代拟除了《架线工》以外的任何恰当题目……"

我开始积极地寻找他。

公元 1977 年 1 月 8 日下午二时许，我徘徊在天安门广场的木板墙边。因为纪念堂正在动工，所以出现了这样一道木板墙。木板墙上贴满了大字报和小字报，还有童怀周编辑、油印的《革命诗抄》。人们的情绪是复杂的：为打倒"四人帮"后能畅快地纪念周总理逝世一周年而感到欣慰，又为天安门事件未得平反和邓小平同志未能恢复工作而感到焦急、充满期待。

我不仅仔细地阅读每一份贴出的文字，而且，还用了很长一段时间由西向东，由东向西，仔细观察着前来这里的每一个小伙子——我想，如果他还健在，他一定会到这里来。啊，这些小伙子们，他们的面容多么严肃，从他们的眼神就能看出，他们那火热的胸膛里，跳动着一颗颗拴系着祖国、民族命运的红心……当然他们里面也有一些平凡的，乃至于有明显弱点和缺点的人。有的脸上长有粉刺；有的曾为很无谓的事情同别人吵过架，脖子上的筋胀起老高；有的至今写一篇千字文还总要出十来个错别字；有的早上爱睡懒觉；有的在电影院里偷偷吸烟；有的总爱不合时宜地对别人开玩笑……但是在这天安门广场，面对着与整个祖国和民族命运息息相关的场面，大家的心弦共鸣了，步伐趋向一致了；青年人自觉地摆脱了庸俗和浅薄，诚挚地思考着历史提到他们面前的艰深而复杂的问题……我望着他们，一个个检验着他们，虽然我没能找到他，但我不应当失望，我发现了一条规律：当一个人为祖国和民族的命运思考的时候，即使他原本其貌不扬，其神态也总能焕发出一种异样的端庄肃穆的光彩，令人产生美感，令人愿意亲近……我要摄取这诸多小伙子的共同神髓，赋予他的塑像以旺盛的生命……

我没有等到他，却得到了一个宝贵的消息。在广场东侧的马克思像下，一位熟人告诉我，因天安门事件而被捕的青年中，已有一些人获得了释放。他告诉了我一位被释放的小伙子的姓名住址，据说，这位小伙子正是因为公开演讲被捕的。

我想，这应该就是他。我气喘吁吁地按地址找到了那条名称古怪的小胡同，这条胡同在 20 世纪 70 年代末仍是硬梆梆的黑土地面；我迈进了一个古老的小院，同北京无数的小院一样，由于十八年来建筑业处于可以理解但不可原谅的状况，人们只好"自力更生"，到处是蘑菇般的自盖小屋；全院起码有七八家人，却仍然只有一个公用自来水龙头。我呼唤着英雄的名字，小西屋的门开了，有声音请我进去。

我一眼就看出那不是他。我面前的小伙子尽管年龄上同他差不多，有二十三四岁，相貌却完全不同：头发蓬松，鬓角留得很长，穿着颇为讲究…但架着一对木拐。

说实话，一开始，我对他的印象并不好。他显得疏懒和慵倦，完全没有我预先臆测中的那种雄姿英态。

作了简单的自我介绍，说明来意之后，我不免问他："你是为什么被捕的呢？"

他淡淡地说："他们说我发表了反动演说。其实，我不过是大声议论了一阵。"

他似乎没有兴趣重述那些议论。我也就暂且不问。我环顾着他家的小屋，只有十二平方米的样子，简朴而整洁。

"你家里还有什么人呢？"

"我妈。她是个会计。她有冠心病，身体不好。"

"你被捕以后，她一个人可怎么生活呢？"我不禁同情地问。

没想到，他反而微笑了，精神一振地说："怎么生活？从某些方面看，她生活得要比以前还好！因为，自从我被捕的第二天起，我们单位就不断有人来，有的留下一捆芹菜，有的撂下两个果子面包，有的来了就抢着洗衣服；还有一天，来了四个小伙子和一个姑娘，姑娘把妈妈拉去逛天坛，等妈妈回到家，屋子整个重新糊了顶棚，喷了墙壁，样样东西都掸过、擦过，炉子上的铁壶也用去污粉擦得锃亮；在北墙上，还挂上了一张新的周总理像，是挺少见的一个镜头：跟陈老总、贺老总在一起参观展览，胳膊抱在胸前，笑着……妈妈望着这一切，先是微笑，然后就坐在床上，哭了……"

我望着那张仍旧挂在北墙上的照片。我也想笑，我也想哭。平凡的人，平凡的事。但平凡的人在推动着历史，平凡的事反映着人心的背向。

看来，我不应当执拗地把眼前这样的青年当做超人的英雄去看待，那样，我反而会求全责备，反而不能发现他们心灵中最美丽、最高尚的东西。

我改变了采访式的态度，同他闲聊起来，像面对着火车上恰好坐在对面的旅伴，像面对着新结识的朋友。

他终于告诉了我，他在天安门广场的演讲的全部内容；那据以定罪的核心部分不过是这样一段话："我们就是要周总理宣布的那四个现代化！大伙想想吧，今天我们的生活不但没有向前发展，还出现了倒退。原来北京有多少个电影院、戏院？现在又有多少？原来能有多个电影、多个戏看，现在能看到几个？原来北海、景山咱们都能进去玩，现在能吗？原来公园有茶座，能坐着喝壶茶，现在呢，退化为站着喝大碗茶了！原来喝啤酒一律给玻璃杯，现在呢？给粗瓷碗！原来汽车、电车上给老人小孩孕妇让座是平常的事儿，现在呢？有的年纪轻轻的小伙子，照样不让！原来吃酸奶撂下两毛钱就能吃，现在得先交五毛钱押金！原来订下牛奶给你送到家门口，装进小木箱，现在得天不亮跑老远去排队领！……同志们，这都是为什么？都是因为《文汇报》的那几个黑后台，批什么'唯生产力论'，不许咱们过好日子！他们真是好话说尽、坏事做绝！……"

就为了这样一段话，他被关押了九个多月，进去就遭到毒打，因为他也姓邓，所以打得格外厉害。最后他脊椎被打坏，造成了现在双腿瘫痪。

我和他畅谈了两个多小时。当我们告别时，几乎已经成了莫逆之交。

他架着双拐把我送到门口，用下巴点着狭窄的胡同和陈旧的灰瓦平房对我说："不能让这一切再这么落后下去！咱们应当有更美好的生活！我为什么想说说心里话，想踏踏实实做点事，为的就是这个……"

他眼里闪着晶莹的光。停了停，他又说："党中央好，咱们有希望了。可喝啤酒暂时还得用粗瓷碗……真要实现四个现代化，也不那么容易，该做的事很多……咱们都好好干吧！"

回到家，我把见到的人形容给爱人听。我并不讳言他的缺点，比如性格不够开朗，哲学知识还不够融会贯通，说话时常常啃手指甲，但他肯定是一个思想高尚、敢于为真理而牺牲的青年。是的，有缺点的战士终究是战士，而完美的苍蝇只不过是苍蝇——小邓这样一位青年，胜过一整打小节无疵，但就是不敢讲真话，不敢对祖国未来负责的庸人，何况小邓他们还会不断成长、前进……

被释放的天安门事件受害者越来越多，我通过小邓帮忙，几乎找遍了每一位志士，但是，我没能找到他；我把他的形象讲给他们听，甚至请他们到我家观看接近完成的塑像，他们都说似乎见到过这位英雄，但又无法落实他究竟是谁、究竟能在哪儿找到他。

我常常半夜、半夜地修改着他的塑像，我觉得我们结识的这些新朋友的身上，都有他的影子，包括外形同他迥异的小邓，也向我提供了他的某些气质。

爱人帮助我分析，既然被捕入狱的人里没有他，那么，那晚他一定也冲出了包围圈，我应当换个角度，再从未被捕的天安门事件参加者中去寻找他。

一个春雨淅沥的星期天，我得到一个重要的线索，据说某出版社有位编辑，在"四五"那天，曾在灯柱边有一桩感人的事迹；告诉我这线索的人语焉不详，因为他也是辗转听说。

星期一上午，我打着雨伞，找到了出版社，果然有这么一位编辑，但那绝不是他，因为站在我面前是位身材苗条、皮肤微黑、足蹬雨靴的年轻姑娘。她正为一篇什么稿件同别的编辑同志冲动地争论着，很忙，听到我发出的"找唐编辑"的声音，这才转过身来，盯了我一眼，大声地问："找我？送稿子来的吗？"

我犹犹豫豫地说："不……我找一位姓唐的男同志……"

"没有。"她干脆利落地说，"全编辑部只有我一个人姓唐。"

说完，她就打算扭回身，继续同刚才的争论对象接着争论。我忍不住叹了口气。也许是我叹得太重了，引起她的好奇，她在欲扭未扭之际，忽然又稳住身子，瞪着我问："你有什么事吗？"

我便把来这儿的原因说了。说到我那未完成的塑像，我不禁激动起来。

她和同屋的编辑们都睁大眼睛听我讲述一切。我刚说完，原来同她争论的一位戴眼镜的男同志便指着她说："你也不算白来。她确实有段灯柱下的事迹！"

她却把手使劲一摆，皱着眉头，甩着嗓门对那位男同志说："算啦！我那算什么事迹！"

我诚恳地表示，为了塑造好他的光辉形象，我要广泛地汲取滋养，所以最好也能听听唐编辑的事迹。

她的两位同事便开口对我讲述起来。她不劝阻了，"乓"地一声搬一把椅子，放到我身旁，我也就坐下了。

她的同事们告诉我，事情是这样的：4月5日清晨，她来到天安门广场，发现在一根灯柱下"执行任务"的便衣，是她的一个表弟，便愤慨地走过去对他说："你听见'还我战友，还我花圈'的呼声，就一点也不动心吗？你看着我的眼睛，你看着！告诉你，要么，你们俩（当时，她表弟身旁还有另外一个便衣）把我逮走；要不，你们俩就下个决心，站在大伙一边，甭干坏事！"后来，他表弟和那个同事果然想方设法把自己调换到广场之外，终于没有作恶；她呢，待他们走后，便在灯柱上贴出了三首悼念周总理、抗议收花圈的《浪淘沙》……

"你知道吗？"戴眼镜的男同志讲完补充说，"前几天我们为了准备编辑《天安门诗抄》，去公安局搜集材料，他们给我们看了不少当时作为'现反'材料的相片，其中就有她贴在灯柱上的那三首《浪淘沙》，边上注着'此案未破'……当然，这本诗抄我们编是编好了，看来眼下还出不成。"

"可是早晚有一天，党中央会批准我们出版的！"唐编辑用拳头一击椅背，充满信心地说，"我们要把字体、版面搞得和谐端庄一点，把题头、尾花搞得带劲一点，要超过群众自己编印的水平！"

我望着她，望着同屋的几位平凡的编辑，心里忽然非常感动……

回到家，我把这位唐编辑的事讲给爱人听，并把她的速写像拿给爱人看，爱人端详着她的像，赞美说："你画得好！画出了神气！把这双眼睛塑上去吧！我不喜欢有眼无珠的洋式塑像法！"

当夜，我修饰着塑像的头部，反复"点睛"，这时，许多双眼睛相继出现在我的眼前，既有她的，也有小邓和小唐，以及那许多志士的……啊，是什么样的思想，什么样的精神力量，是对什么的向往，对什么的追求，使这一双双的眼睛里，闪动着那么撼人心弦的火焰？

我没有灰心。我继续寻找着她。我相信，一定可以找到他！

又过了一年。丁香花谢了，马缨花开过，枫叶开始泛红，槐叶纷纷飘落，啊，终于盼到了这一天，北京市委作出了决定：天安门事件完全是革命行动，应予彻底平反！《人民日报》刊登了《天安门事件真相》的长篇报道……

公元 1978 年 11 月 21 日上午九时许，我站在王府井大街南口报亭外的长队中，等候买到一份载有《天安门事件真相》的《人民日报》。当我终于买到报纸，正待展报一睹为快的刹那，猛地发现了一个小伙子，他在我前面十八米外侧身而站，正在看新买到的报纸。啊，那正是他！我像扑向一个久别重逢的亲人，几步冲到他的身前，拍了他肩膀一下，兴奋地喊出："嘿！"

他扭过身，正对着我，脸上充满惊讶的表情。

"我找到了你！"我不让他插话，一口气解释了起来，从两年前 4 月 5 日晚九点三十四分讲起，一直讲到我那已经修改得臻于完善的塑像。

这时，已经起码有十来个人围住了我们。大家听着我讲述的一切，不时朝他望去，眼里充满了钦佩和欢欣。

谁知那小伙子听完我讲述的一切，认认真真地反驳说："那不是我。我真惭愧，当天晚上七点我就离开了广场了……"

我知道这一定是他在谦逊，许多围在四周的人也帮我劝说他："你就承认下来吧！""你就抽空去他家一次，让他照着你完成那个塑像吧！"……

他却激动得摆手，连连对我说："不是我，真不是我……不过我很愿意向他学习！……"

瞧他那神气，又确实不像是谦逊。我疑惑了。

"那么，他是谁呢？到哪儿去找他呢？"我喃喃地说，过细地观察着眼前的小伙子，我看出来，这位的确显得比他年岁小，而且下巴似乎尖了一点。

眼前的小伙子望着我，爽朗地笑了，他右手敲着左手中的报纸说："到处都有他。他是我，是你，也是大家！"

"对！"旁边一位戴眼镜的干部模样的中年人说，"谁讲真话，谁追求真理，谁就是他！"

另一位短发上别着环形发圈的女青年接口说："谁爱中国，谁要'四化'，谁就是他！"

好几个人都要求我重述一下他说过的那些话，于是我说一句，便有人重复一句："……从 1840 年以后，从 1919 年以来，从 1921 年以来，从 1949 年以来，中国老百姓争取的是什么？什么？我们争得的不能丢！失去的必须夺！没有的必须创！"

"说得真好！"

"发人深省！"

……

我和那既陌生又熟悉的小伙子握别了，其他人也各自走散。我沿着长安街漫步了很久，阵阵微风拂过我发烫的面颊；我在天安门广场的观礼台那儿读毕了《天安门事件真相》，心情非常激动，但对文章里没有写到他，不免多少有些遗憾；我朝纪念碑那儿走去，在"四五"那晚他攀住的那根灯柱面前站住，伫望着……我感到他的形象又栩栩如生地呈现在我的眼前，我耳边又响起了他那山呼海啸般的呼喊……

是啊，我们争得的不能丢！而一度我们却险些全丢了！

是啊，我们失去的必须夺！党中央带领着我们，已经夺回了多少？还剩多少没有夺回？

是啊，没有的必须创！我们现在没有的是什么？或者说，缺少的是什么？我们该不该去迎接那崭新而必需的事物？我们将怎样使中华民族的创造性发扬光大？

回到家里，我再一次修整他那塑像。他显得越来越实在，越来越有光彩；我感到自己的灵魂，也被吸引着，就要溶进他的塑像里去……

公元1978年11月24日下午二时半，我来到首都体育馆，出席天安门事件英雄人物报告大会。他一定也来出席，他在哪儿？在主席台上？在普通听众之中？在我身前，还是就在我的身旁？

我仍然没有找到他。但是我在主席台一侧发现了小邓。趁报告还未正式开始，我走到他座位的侧面，招呼他："小邓！可盼到这一天了，"我指指他胸前别着的大红花说，"多光荣！"

谁知他微皱着眉头，认认真真地对我说："戴着这花我真脸红。我那天在天安门广场讲的那些话，牛奶啦，啤酒啦，境界其实不高。我现在在想，要不要'四化'的问题解决了，可对'四化'不能光有个朦朦胧胧的向往，得把'四化'究竟是什么弄个清楚，得真刀真枪地为'四化'作出贡献啊……我希望，将来有那么一天，我能因为真的为实现'四化'立了功劳，戴上这大红花，那才真叫光荣呢！……"

几句话说得我心里直溅浪花。我一边回座位去，一边品味着他的话。说巧也不巧，在走道上，我迎面又碰见了编辑小唐。

"你也来啦？"我俩同时打招呼说。

"你还在塑他的像吗？"她问我。

我点点头，问她："你还在编《天安门诗抄》吗？"

她下巴一扬："早发稿啦！我现在要搜集新的材料！"

我指指主席台上那一片戴红花的英雄："是搜集他们跟'四人帮'斗争的事迹吧？"

"不。"她容光焕发地说，"搜集他们现在、今后怎么为实现'四化'立新功的事迹和想法！"

我心里的浪花一下子涌起老高。小邓和小唐都在朝前看。他呢？如果我找到他，他会怎么跟我说呢？

我回到了座位上。报告会开始了。我听着发言，我的巴掌同几千个巴掌一样鼓得发红，我望着这群众的海洋，这革命感情的潮水，这真理的大海和历史的巨浪……

陡然，我眼里像添了盏灯，心里像竖了面镜。积蓄已久的意念像透镜聚焦般汇成了灼热的思想……

啊，我找到了他！

我悟出来——

他，就是人民。

他，就是科学。

他，就是民主。

人民要掌握自己的命运，要为实现四个现代化而义无反顾地奋勇前进。

马列主义、毛泽东思想的科学真理，要战胜一切伪革命的谎言。

社会主义民主和随之而来的安定团结、生动活泼的政治局面，要战胜封建法西斯专政，要消灭分裂与混乱、愚昧与僵化。

开完会回到家里，我对塑像进行着最后的加工。塑像的主体是半截灯柱，我缩短了灯盏与他身躯的距离；他的形象是大半个身躯，斜攀在灯柱上，左手抱柱，右臂挥动着；他大睁着双眼，那里面燃烧着真理的火焰，充满了对祖国繁荣富强的渴求；他大张着嘴巴，满脸真诚，激昂地号召着；塑像的底座，我处理成许许多多只伸出的手，在努力托住他的身体：有老人的手，有少年的手，有男人的手，有女人的手；有带老茧的体力劳动者的手，有比较纤细的脑力劳动者的手……

　　我反复修饰着这座塑像。我心中充满了狂涛般的激情。我真想向全中国的好人高呼：没有找到他的要找他！已经找到他的要了解他、热爱他、习惯他！我们要同他相依为命、永远也不能失去他！……

　　塑像已经完成，不日公开展出。

1978 年 11 月 24 日夜匆草

干杯之后

夕阳笼罩着这个如今被叫做"攻关村"的地方。林荫道旁，绿树丛中，一栋栋楼房里，工作、居住着大批科研人员。月有阴晴圆缺，人有悲欢离合。经历了一场"四人帮"造成的浩劫以后，党中央使春风重降，温暖和煦，万物苏生。这是在全国科学大会闭幕以后，各研究所迅速贯彻大会精神，公布了提升研究员、副研究员、助理研究员的名单。当天"攻关村"食品商店的好酒便有点供不应求，洋溢着一种节日的气氛。

林荫道上，行人稀落。正是家家都在吃晚饭的时候。有两位五十多岁的同志，却并肩而行，徐徐迈步，看上去都在沉思。他们是在饭后散步，还是在归家途中？都不是。这两位同志，男的头发尚黑，仅鬓角斑白，他肩宽体壮，浓眉阔唇，颇有气魄；女的短发几乎全白，其貌不扬，个子矮小，但神情沉稳，风度怡然。他们是某研究所的领导，男的名麦其远，党委副书记；女的名贺真，党委书记。

几只喜鹊追逐着横切过林荫道。谁家有人在弹奏钢琴，是《牧童的短笛》的旋律。俱乐部的门还关着，被《冰山上的来客》所吸引的少年观众，有的嘴里还嚼着未咽完的晚饭，已经聚集到门口等待开场。新华书店已经关门，门板上的告示上用大字写着："《英汉辞典》售完无货，请勿在此排队等候。"

贴近林荫道的宿舍楼，家家窗户迎风半开，可以嗅见饭菜的香味，甚至能够听见碰杯的声音，间或还有同时爆发出来的笑声和欢呼声。是的，一度愁云黯淡的地方，如今又充满了欢乐和幸福。

但是，麦其远和贺真的心情却很复杂。他们正同往老科学家潘毕洁家去。潘老刚被任命为有职有权的研究所副所长，他家里此刻一定是宾朋满座、干杯不停。

麦其远轻轻吁出一口气来，仿佛并不是对贺真，而是自言自语地说："会不会又出现翘尾巴的问题呢？"

贺真只是微笑，并不作答。

贺真和麦其远是先后从各自的干校调到这个研究所来的。他们以前并不认识。也许是因为都吃过糠、扛过枪、渡过江，更可能是因为都吃过林彪、"四人帮"打倒一切的苦头，住过"牛棚"、挨过"燕飞"，经历过同样的内心历程——一千遍检查自己对党的忠诚，一万次剔滤灵魂中的杂质；所以，他们一见如故。说起近十多年的事情，他们的爱恨悲喜紧密地交织在一起，有时不用详细交谈，一个眼神，一声叹息，一个手势，一阵牙筋颤动，便心心相印，不言而喻。按逻辑推理，现在既已是柳眼抒青、缃桃绣野的大好形势，他们又共同肩负着落实科学大会的重任，更应心往一处想,话往一处说，但此时此刻，他们虽并肩而行，同往一个目的地，各自的思绪，却不尽相同。

相对而言，贺真这时完全能理解麦其远，麦其远这时却并不能完全理解贺真。回顾一年多的岁月，我们以往的生活，何曾以如此迅猛的步伐，把我们从一个变化引向另一个变化——都是可喜的变化，但欢欣来得太快，反产生了不及消化的问题，科学大会开过了，"两个估计"彻底推翻了，科学技术被确认为生产力了，党委领导的所长负责制开始落实了，第一轮提升研究员、副研究员、助理研究员的工作也结束了……有趣的是，不是当年的"造反派头头"，也不是当年萎缩一角不敢顶撞"四人帮"极左路线的胆小鬼，而恰恰是老麦这样的同志，开始疑惑起来——知识分子的地位是不是提得太高、太快了呢？潘老上任当副所长了，研究所就是搞研究的嘛，潘老这样的科学家把占六分之五的研究工作管起来以后，党委难道只剩下那六分之一的工作了么？……

贺真并无这些疑虑。但她胸中也无现成的答案，可以立即告诉老麦。她认真地思索着。在革命进入新阶段的转换期里，我们多么需要这种善于思索的党的工作者啊。

正当贺真和老麦朝前缓行时，迎面走来一个青年人。其实他也不算太年轻——1963年科技大学的毕业生陈楚声，如今已经三十八岁。他是潘老的高徒，按说潘老应当视之为掌上明珠，谁知实际情况却颇为微妙——若干年以来，除了工作上的交往以外，他们之间简直淡若白水，"狭路相逢"时，除了互相彬彬有礼地点头致意而外，竟无话可说。万勿误会，以为陈楚声参加过"打、砸、抢"，或者中"四人帮"之毒甚深，参加过打击、摧残潘老的活动——恰恰相反，在"四人帮"爪牙设置的地下室"牛棚"里，他们当过"难友"；在"反击右倾翻案风"时，公开为《汇报提纲》辩护，他师生二人又是所中最突出者。那么，这到底是怎么回事呢？……

陈楚声身材颀长，五官清秀，戴着一副宽边眼镜——但他并非近视而是远视；此刻他双手插进裤兜，脸上显出专注的神情，嘴唇翕动着，仿佛在喃喃自语；步伐急速，仿佛要匆匆奔赴某个约会场所——他直到离贺真和麦其远只有二三十步的地方，才猛地发现所领导就在眼前；麦其远叫了声"小陈！"贺真还来不及招呼他，他却赶紧把头一埋，分明是装作既没看见也没听见，斜插到马路对面，更加匆促地背道而去了。

"你看你看……"麦其远摇着头说，"知识分子的老毛病又发作了——个人主义，自由散漫，再加上对面不理人……"

贺真仍旧没有搭腔。陈楚声这几天的表现确实很难得到人们谅解。这回提升没有他。他甚至公然不出席宣布提升名单的大会——也没有请假。所里对他有各式各样的议论，老麦所列举的就是最集中的几种，但是贺真也还听到了另一种议论——虽然仅有一例，那是情报资料组的潘雪竹的议论，她曾对贺真同志简单地说过一句："小陈怕未必是像大伙说的那样，他的苦处是心事无人知……"贺真当即追问："他是什么样的心事呢？"潘雪竹叹了口气，笑着摇了摇头："那只有他自己说得清啰……"

"你看，提升了一批，固然是调动了一批人的积极性，可是像小陈这样的表现，不也说明……"麦其远继续自言自语地议论着，但到了这句话，却戛然而止。

贺真望了老麦一眼，没有追问，却心中有数——症结就在这里。目前的方针、政策，究竟是好还是不好，这样贯彻执行下去，究竟有效还是无效，抑或是利弊互相抵销？看来，老麦这样的同志还缺乏信心。

不知不觉，已到潘老居住的楼前。两位党委书记到了潘老家中，果然宾客盈门，笑语喧哗。所里的年轻人跑过来，缠住贺真和老麦问长问短，因为潘老刚把自己的某些富于浪漫色彩的设想讲完，年青人们要求两位领导证实"有没有可能？""支持不支持？"潘老和老伴忙来解围，不一会儿，由不得两位领导推辞，高脚酒杯已经塞到他们手中，通红泛紫的葡萄酒浆喷溢着芳香的气息，潘老鹤发童颜，眉宇间洋溢着为了祖国和人民不惜拼出老命的昂扬气概，高举手中杯，朗声提议："为早日实现四个现代化，为中华民族蒸蒸日上，为大家永远年轻，干杯！"这样的祝酒焉能不喝？干杯之后，贺真和老麦也都兴奋起来。

贺真和老麦都是有丰富经验的政工干部。他们很善于在这种充满情趣的家庭生活场面里，观察人，了解人，分析人们之间的关系，从而发现他们的优点和缺点，性格和爱好，以及有哪些困难应当帮助，有哪些心事需要排解，有哪些矛盾必须解决、怎样解决。不过贺真的观察和分析还要比老麦深入一层，她更善于判断哪些是肺腑之言，哪些是虚饰之词，哪些是正在显露中的深应重视的矛盾之芽，哪些却是不必为之过分担心的表面冲突。

在潘老的客厅里，不时爆发出为这个为那个干杯的欢呼声。实在也是，值得干杯的人和事太多了。在场就有四名新被提升的副研究员和助理研究员，他们都是潘老的学生，为庆贺他们的提升而干杯时，人们各有各的心情，而且都是一言难尽。麦其远的心情也许更特殊一些，他只举了一次杯，便跑到厨房同潘老的老伴对起话来，询问潘老最近的睡眠情况。说实在的，他总觉得客厅中的干杯之声有点刺耳。前几年，眼见着知识分子们被打成"臭老九"，满面愁容，万马齐喑，他曾为之痛心。然而一旦把"臭老九"们解放以后，面对着这样花团锦簇的场景，他却有点不习惯了——讲不出什么道理来，仅仅是一种"本能"令他担忧：知识分子们的尾巴是不是又翘起来了？是不是"一种倾向掩盖着另一种倾向"？后天的全所大会上要不要"适当地点一点"？请理解我们的老麦同志。长期以来，"四人帮"强制我们习惯于面对"臭老九"的萎缩状态。"四人帮"余毒的惰力就是这样可怕，以至于我们还得学会正常地生活。

当麦其远回到客厅中时，恰巧赶上这样一幕——

一位五官纤小，薄鼻翅的年轻人，名叫康乃均，当年与陈楚声同是潘老的"得意门生"，举杯走到潘老面前，恭敬地说："潘老，为了那我永远不能原谅自己的过错，敬您一杯——我恳求您原谅我！"

麦其远对康乃均这种纯知识分子腔的语言很觉别扭，但他承认康乃均是出于真心诚意。所里的人全都知道，在"四人帮"一伙残害潘老最甚之时，康乃均曾经在批斗会上作过重点发言；这倒也罢，令人惊骇的是，发言完毕，他从口袋里取出当年经潘老修订过的毕业论文，"愤怒地"朝潘老脸上扔去。头半年所里搞"三大讲"时，康乃均详细分析了自己当时的表现：上当受骗的因素有多少，向当权的帮派体系献媚求存的因素有多少；听来真诚、深刻，因此得到大家谅解。不过现在他是直接在请求潘老本人谅解，具备所有高级知识分子必不可免的自尊心的潘老，能否慨然见谅呢？

正当众目睽睽盯视着二位师生，尚在猜测时，只见潘老把自己的酒杯猛地同康乃均的酒杯一碰，豪爽地笑着说："永远原谅！小康，你还可以当我的助手，让我们为了四个现代化，通力合作，早出成绩！"

大家不由得鼓起掌来。麦其远心里也猛地一热。潘老真可爱！为了共同的事业，不计个人恩怨啊……

康乃均热泪晶莹，大家掌声刚住，他又提出新的建议："潘老，我和楚声同是您的弟子。楚声也有得罪您的地方——我代楚声求您一并原谅！"

大家觉得这更不成问题，有的不待师生二人碰杯便鼓起掌来——唯独贺真这时眼睛一亮，紧紧盯住潘老，预感到潘老的反应未必如大家所期待的那样。

果然，听了康乃均这句话，潘老勃然色变，把酒杯往桌上一放，用孩子般纯真的语调说："我不说假话。楚声为人正派，品德上无可挑剔。可是我不能原谅他。治学上，他走的是邪路！"说完，竟解开毛衣扣子，双手叉腰，转向窗外，胸脯明显地一起一伏。

大家一时愕然。哑场几秒钟后，才有两位伶俐的女青年笑着去劝潘老；康乃均也被别人拉到一边，饱餐了一顿埋怨之词。麦其远和贺真交换了一次眼色——未能作到心照不宣。麦其远心里想：唉，知识分子们哟，一个更比一个脾气怪，难伺候！贺真却在琢磨：这说明了什么？潘老与陈楚声之间的矛盾究竟是什么性质？应当怎样因势利导，妥善解决？……

麦其远约贺真一同告辞，贺真却表示还要再"玩一会儿"，麦其远大惑不解——有什么好玩？关怀之意，祝贺之情，不是都表达完了吗？……

贺真确实多玩了好一阵，才只身离开了潘老的家。其时已是暮色苍茫，林荫道上，高大粗壮的白杨树的枝梢在风中抖动，谢落的迎春花的黄色花瓣随风飞过路面。居民楼的扇扇窗户都闪着灯光，欢声笑语依然如小溪流水，随风可闻。

贺真缓步在林荫道上行进着。她在思考，当前党委应当怎样工作，什么是急待重视并加以解决的问题？……潘老和陈楚声的矛盾，以前她也有所闻、有所感，但那时这一矛盾远不属于急待重视和解决之列。生活在前进，不断有新矛盾被推到前列来，今天，是该研究潘、陈矛盾的时候了。

她在潘老家多"玩"的那段时间里，从谈话中进一步得知，潘老和陈楚声的矛盾，关键在于陈楚声虽然受教于潘老，却从 1965 年起，便开始提出了同潘老的"经典理论"相对立的"新理论"；为了探索他那标新立异的"新理论"，他不惜放弃了别人艳羡不已的"潘老接班人"的地位；即使被挂上"白专典型"的牌子赶入了"牛棚"，他也仍然坚持研究；他至今连个对象也没找到，而他又绝非陈景润——他的"新理论"除了他本人以外，尚未得到世界上第二个人的承认。陈景润成了英雄，一切怪癖都成为了美谈。他仍然是个"狗熊"，因此那些并非甚怪的癖好便都成为了笑柄。贺真自问：难道我们党委的职责，仅在于支持已经成了英雄的陈景润式人物？难道创造使未成英雄的陈景润式人物得以成为英雄的条件，不是更加神圣、更加重大的职责？……

猛地，贺真发现林荫道一侧的小树林里，闪过一个身影——陈楚声，是他！没错！他在那儿干什么？

贺真来到陈楚声侧面时，陈楚声正扶着一棵小枫树发愣，猛瞧上去，仿佛是不会喝酒而又偏要喝酒的人那种常有的半醉不醉的神态。但贺真深呼吸了几下，却并未嗅到一丝酒气。

"小陈！"贺真亲热地招呼着。陈楚声发现贺真已经置身己侧，再也不好回避，便挺直腰身，扶扶眼镜框，有礼貌地点了点头。

"小陈，你这样会感冒的。走，我陪你回宿舍去。"

"不必。"陈楚声满脸泛红，腼腆地解释说，"我不过是在思考一种新的计算程序……刚才宿舍里很乱……"

"现在大概不乱了。"贺真和蔼地对他说，"看来，应当为你创造更好的思考条件。过去我们对你缺乏足够的关怀。首先是我，对你关心得太少了。"

陈楚声仍然如痴如醉地沉浸在刚才的思路里，因此并没有注意贺真说的每一句话，他木然地随贺真回到了林荫道上，朝前走去。夜幕初降，星星在空中闪烁。扇扇楼窗的灯光都显得更加明亮。

贺真没有再说什么。她只是陪着陈楚声——或者不如说是引着陈楚声——朝他的宿舍走去。倘若不是贺真这样做，陈楚声很可能还会或者双手插进裤兜，亢奋地在林荫道上无目的地奔走，或者便在小树林中一直待到露水打湿衣衫……

晚风吹乱了陈楚声的头发，他用修长的手指梳理着头发，逐渐从冥思中回到了现实中来。他开始觉得情形似乎不妙。身边走着党委书记，耳边只有自己和她那沙沙的脚步声。陈楚声想：自己的怪脾气一向难以被人理解，书记肯定会给自己一顿教训的。她会谈些什么呢？会不会把自己的表现误解为嫉妒别人的提升？要知道，我内心里真是一丝嫉妒也没有——他们都属理所应得。也许，她会批评自己没有出席宣布名单的大会、无组织无纪律？怎么解释得清楚呢——当时分明是恰好形成了一个思路，非得立即用笔记下来不可。或者，会批评自己不尊敬前辈、惹怒了潘老？需知尊敬并不等于盲从，自己实在是有不同的见解……

眼看单身汉的宿舍大楼就在前面。贺真和陈楚声不由得同时停住了脚步。书记就要开口了，陈楚声低着头，惶恐地等待着。然而，万万没有想到，贺真同志一开口，不仅语气极为恳挚，而且竟是这样出乎意料的话——

"小陈，你能不能尽量用我听得懂的话，概括一下，你和潘老在学术观点上，究竟有什么主要的不同？"

陈楚声身心为之一震。多少年来，这是头一个用这样的语气向他求教，愿意倾听他那反"经典理论"的"怪论"的人。陈楚声精神抖擞，他捡起一根树枝，弯腰在沙土上画了起来："潘老的'经典理论'，简言之可以用这样一个公式表达……我却认为，不仅这个常数值并不准确，而且，当遇到某种特异的情况时……"说实话，贺真并没有听懂他的讲述，但是陈楚声并没有白讲，因为党委书记从细致的观察和分析中得出了这样的印象：这是个有抱负、肯钻研、有见解、求真理的人。他坚持这样的"怪异"见解，既不是由于嫉妒别人，也不是由于追求名利，而是忠于科学事业本身。联系到他政治上的表现，更令人感到他的固执和乖癖中有着可尊敬、可宝贵之处。

陈楚声讲着讲着，忽然感觉到有点"对牛弹琴"，他抬起身子，扔掉树枝，红着脸说："您一定没明白……没有明白我的为人！但是，潘老的理论是有缺陷的，而我的理论虽然也不可能穷尽真理，却恰恰可以消弥他那理论中的主要缺陷！……"

贺真再注视陈楚声时，感到更能理解他了。她单刀直入地问："最近，你好像有点心事；就是说，你好像挺苦恼。你苦恼什么呢？是苦恼人们没能承认你的观点吗？"

陈楚声激动地摆手："不不不，不是这个！我的理论在推导上还不完善，再说也还没有通过实验证实——我苦恼的是，"陈楚声掏心亮肺地说，"潘老当副所长了，他在安排选题上有充分的决定权，他会不会取消我的选题？"

贺真微笑了。她轻轻地点着头，把陈楚声送到了楼门口，告别时，她只简单地告诉他："你要相信党……"

夜幕像黑丝绒般浓重了，星星也更像钻石。人们干完了酒杯，却并没有熄灯。看那一扇扇闪光的窗户，多少科研人员在刻苦攻读、奋力攻关。有些窗户，也许要亮到深夜，乃至于亮到天明。干杯以后，党委应当做些什么？是不是像有些同志想的那样，党委无事可干了，或者仅仅只剩下后勤保证工作？是不是像另外一些同志想的那样，党委的事情仅仅是"睁大警惕的眼睛"，随时准备"纠偏"？不。党委的担子不是轻了而是更重。新时期对政治思想工作的要求不是可以降低而是必须更高。党委需要立即更深入地学习领会、更坚决积极地贯彻执行党中央所制定的新时期的总路线，以及由这总路线所决定的各项方针和政策。比如说，在潘老当副所长、主管大部分研究业务的情况下，党委怎样保证"百花齐放、百家争鸣"的方针得以认真贯彻；既充分发挥潘老的作用，发展他那"经典公式"在理论和实践上的深度和广度，又保护包括陈楚声在内的不同意见，使别树一帜的学术观点能与之长期竞争，直至其中劣讹者被自然淘汰？……

在回自己家的路上，贺真又路过了潘老的家。仰望二楼上潘老书房的窗户，蓝蒙台灯的弧形光影仿佛是一首无声的乐曲，传达出一种辛勤攻关的深沉旋律。贺真猛地想起，上午秘书送来的、还来不及细阅的、潘老拟定的七年选题计划草案里，并未排除陈楚声早已进行的那个项目。她释然地微笑了。她理解潘老，甚至仿佛听见了潘老那孩子气的声音："我决不会用手中权力来扼杀、限制学术上的对手。但是我忠于自己的学术观点，我亲自调理出来的学生，从学术观点上背叛了我，我不能无动于衷。楚声那个所谓'新观点'，无论如何我不敢苟同……"是啊,科学家如果能够随意舍弃自己的研究成果,如果没有为捍卫自己认定的真理而斗争到底的勇气,那就很难想象,他是一位严肃认真的科学家。有许多科学家,对学术上的对手能够心平气和地礼貌相待,那当然很好;但像潘老这样孩子般烂漫地对待学术上的挑战,憋着气要在公平合理的竞争条件下一决雌雄,也并无损于他的威望。想到这儿,贺真便感到潘老愈加可爱,而陈楚声也愈加可疼。让他们各显其能、敞开争鸣吧!然而党委不是裁判,党委应当为他们创造最充分、最舒畅的竞赛条件,在目前的情况下,尤其应当保护陈楚声的争鸣权利,使潘老和他,以及别的学术流派,能在尽情争鸣中,共同推动科学事业的发展……归根结底,这对整个中华民族有利,对早日实现四个现代化有利啊……

　　贺真进入了自己住的那栋楼。路过二楼麦其远家的门口时,她几乎就要伸手敲响那门了,却歪头微微一笑——也太着急了,还是先上楼回家吃完饭,再用保温杯沏上一杯浓茶,然后下楼来同老麦长谈吧。她舒展了一下腰肢,款步拾级而上……

1979 年

等待决定

潘雪竹坐在藤椅上打毛线。尽管她一再停下来数针数，可是仍旧不断出错。她索性停了下来，毛线团从膝上滚到了地下，也无心去捡。

通向外屋的门虽然关拢了，却还能听到丈夫司徒文川那不时扬起来的声音。可以想见此刻他的身姿面容：激动地站起来，往烟碟里捻着烟蒂；眉心的"川"字抖动着，去汇聚灵魂中的全部耐性，好继续那万分吃力的"突击教学"工作……

潘雪竹瞥了一眼小衣柜上的帆形闹钟，九点一刻。啊，那么说，已经快整整三个钟头了！

窗外是静美的秋夜。林荫道上，殷红的枫叶在悄悄飘落；蓝绡般的天空中，闪着十字光芒的寒星真像瑰丽的钻石。楼下是哪一家，正在放唱片，是莫扎特的弦乐小夜曲，优雅柔美的旋律从那家窗隙飘出，又从潘雪竹家的窗缝渗入。按说，这是个多么幸福的夜晚。打倒"四人帮"两年了，和暖的政治春风，吹去了人们心头多少阴霾，在这样的时刻，难道还有人痛苦而忧郁?

是的，此刻的潘雪竹，心上仿佛压着一块无形的石头，她长长地叹出一口气来，修长的眉毛郁闷地耸动着。

她和丈夫司徒文川，同在某个科研单位工作。司徒文川从事着一项国际上兴起不久的边缘科学。她在情报组负责译摘法文资料。上个月，根据国家有关部门的决定，要派出一个去欧美的科学技术考察团，根据需要，有关部门请他们单位派一位熟悉某种边缘科学的科研人员参加。司徒文川恰好是所内对这门边缘科学最有研究的人。他从 1961 年大学毕业以来，就在老前辈夏教授支持下苦攻这个新兴的学科。1968 年初春，夏教授在林彪、"四人帮"迫害下，惨死于"牛棚"中，临终时，以"资产阶级的孝子贤孙、修正主义黑苗"的罪名也被打入"牛棚"的司徒文川，单膝跪在夏教授弥留的木板床前，含泪聆听了夏教授最后的教诲："你要……坚持搞下去！因为……中国需要这门……科学！……"司徒文川泪如泉涌，把嘴唇贴到夏教授耳朵上，发誓说："只要我活着，我就搞到底……"他说到做到，从 1968 年夏天军管会进驻，到 1976 年 10 月以前，尽管形势起伏不定，道路坎坷不平，他硬是含辛茹苦，咬着牙把研究工作持续了下来。现在科学的春天已经来到，春意正浓，但檐下、墙角也难免还有未消的冰碴、残雪……到此刻为止，所里的决定仍旧是：派并不熟悉该门边缘科学的孟成杰参加出国考察；司徒文川从业务上说虽是最为适宜的人选，却只领受"帮助孟成杰熟悉有关业务"的"紧急任务"……

这是为什么呢？人人心照不宣，却并没有一个人站出来说破。三天前，所里的党委副书记麦其远来潘雪竹家，向司徒文川交代任务时，也绝口不提那个众所周知的因素。

老麦是个令人尊重的老干部。他身躯魁梧，花白发丝犹如铜线般坚硬，长方脸上的额纹和颊纹深陷而不细碎，说话带着浓重的河南口音。他出身贫农，解放战争时参加革命，抗美援朝时到过朝鲜，解放后先在物资部门工作，后来才调到科研系统。近十年来，林彪、"四人帮"把他整得很苦，他肩窝那儿本有朝鲜战场上留下的枪痕，"四人帮"煽起的妖风中，他被残酷批斗，脖子上又增添了新的伤疤。

老麦来到司徒文川和潘雪竹的家，态度和蔼，大方随和。他落坐到外屋的沙发上，端起潘雪竹为他沏的珍眉茶，呷了一大口，且不忙交代关于给孟成杰补课的事，先询问司徒文川和潘雪竹生活上有无困难？他们的独生女儿小盈是不是已经上到了初二？这当然绝不是客套，更不是虚伪。老麦为人的诚恳，在所里是有口皆碑的。

但是，当老麦说到："这回小孟出国，任务不轻；司徒你辛苦点，看能不能用几天时间，实在不行搭上晚上，让小孟把你掌握的那套玩艺儿，学个八九不离十……"司徒文川和潘雪竹对望了一眼，内心里同时涌出了难言的苦水儿……

孟成杰比司徒文川小八岁，他大学没有念完，就赶上了文化大革命，1972年才从劳动锻炼的地点来到这个所；诚然，他是个事业心很强的青年，特别是这两年来，为了追回被林彪、"四人帮"夺去的青春，他如醉如痴地扑在自己的研究项目上，好几个姑娘看上了他，给他写情书，他却无动于衷地塞到兜里几天忘记拆封，终于掏出来时，却又当成草稿纸演算起来……司徒文川和潘雪竹对他印象都很好，司徒文川多次公开表示要向小孟同志学习，潘雪竹为向小孟提供新的法文资料开过好几回夜车。

但是，小孟却并不熟悉司徒文川所攻的这门边缘科学。现在派他出国考察有关这方面的项目，他同司徒文川一样感到苦闷。这不仅打断了他自己正当兴味盎然的研究，而且，行期在即，虽然司徒文川连续三天用了早、中、晚三个单元，竭力地向他进行了灌输，他还是没有把握，不能自信到欧美后能获得准确而深刻的考察成绩，特别是有关专业知识的英文语汇，离达到听、说运用自如的程度，差得实在太远。

潘雪竹持着毛线针的双手动了几下，却终于打不下去。她听见外屋先是"咚"

的一声，有人以拳击桌，接着便是拉椅子的声音，然后传来小孟那歌喉般润亮的嗓音："算了！我反正掌握不好！司徒啊，我看今晚上肯定能改变原有的错误决定——这回该去考察的，是你，而不是我！"

丈夫没有立即回答。也许是在皱眉抽烟。

"我真想冲进他们的会场，向他们大声疾呼：不要再形而上学了！你们为什么不信任司徒？应当让他去、他去、他去！"

小孟说完这话以后，一定走拢了窗前，因为听到了他"刷啦"地拉开窗帘的声音。

潘雪竹知道小孟此刻望着窗外什么地方。司徒文川此刻也一定望着那儿。潘雪竹抬起眼睛，她前面的窗户始终就没拉上窗帘，说实在的，她坐在那儿，眺望窗外那引动她感情潮汐的目标，已经不知有多少次了。

那是大约两里地以外的，所里办公大楼四楼会议室的四扇灯光莹然的窗户。已经九点半了，党委扩大会仍在进行。所里大多数的成员，在这个静谧的秋夜，也都关心着这次会议的结果，但是，他们大概都不会像这套单元里的三个人一样，那么迫不及待地想知道，在这次会议上，究竟是麦其远为代表的那种意见取胜，还是以党委书记贺真为代表的另一种意见获得更多的拥护？

潘雪竹回忆起昨天中午，她同贺真同志的那场谈话。这回事她直到此刻还瞒着司徒文川没有说。

昨天一早，潘雪竹刚走进情报组，大伙就争先恐后地告诉她："贺大姐回所了！"倒好像她请求过组内同志，希望他们一知道贺真同志从院里开会回来，就得及时向她报信似的。潘雪竹矜持地朝大家微微一笑，尽可能用无动于衷的语调"唔"了一声，便坐到自己的桌前，开始翻译一篇法文资料。一上午，她装作外出取一样什么东西，到贺真同志办公室门口徘徊了好几次，但光是看看贺真同志的秘书小姚抿紧嘴唇的表情，就可想而知贺真同志该有多忙了，她终于没能鼓起勇气走过去，要求同贺真同志谈谈。最后一次回到情报组，偏又遇上老麦去检查工作，而且恰站在自己空着的桌前，拿起自己仅仅译出了六行的稿纸，在那里皱眉。

潘雪竹紧张而惶惑地回到桌前，老麦不满地望望她，相当耐心地说："怎么一上午，才搞了这么几行呀？要珍惜党中央给我们带来的科学春天啊，可不兴翘尾巴呀！"

潘雪竹脸涨得通红，紧抿着嘴唇，低头不语……

中午下了班，她刚走出楼门，一眼就看见贺真同志一个人正匆匆地沿着松墙走向食堂。再莫失去这个机会！她紧紧纱巾，小跑过去，还离着一二十米就招手呼唤："贺大姐！"

贺真同志停步转身，等着她跑近。贺真同志身材矮小，虽然只有五十四岁，却已经满头银丝。她长得很不好看，眼皮有些下垂，下巴显得有点短。但是不知为什么，人们只要同她接触到三个月以上，便会感到她具有一种不平常的魅力，包括她的身姿、面容，都洋溢着一种不好形容的特殊气质。她当年是西南联大物理系的学生，地下党的支部委员。解放前一直在白区做地下工作，解放后直到 1966 年在一所大学任党委副书记。她 1976 年年底才到这个科研单位来任党委书记。从 1966 年夏天到 1976 年秋天，她是怎么过来的，所里流传着许多种"口头文学"，比如说当她被江青亲自点名为"黑帮"揪出来时，人们都以为她会惊惶失措，没想到她镇静得能够细心地从袖口上拈走一根线头，从容地说："她一人说了是不算数的。我只接受党组织的审查。"又比如说 1976 年清明节以后，有人勒令他们干校的"老学员"刷"欢呼"的标语，她带头在墙上刷出了把"保留党籍"四个字放大半倍的关于邓小平同志的标语，"四人帮"的爪牙来兴师问罪，她叉腰以待，厉声质问说："决议里有这一条，我们拥护，何罪之有？你们恨决议里的这四个字，居心何在？"……来到潘雪竹他们这个所以后，她很快就获得了所内广大知识分子的难得评价：公正、懂行。所以，当潘雪竹在那个秋天的中午追到她身边时，内心里充满了信任和期望，她决心把自己的痛苦和困惑，向这位可信赖的党委书记和盘托出。

贺真同志一望潘雪竹的神态，就知道她有要紧的话要对自己说。于是，她便主动把潘雪竹引到一条通向僻静去处的小径上，小径两旁是圆叶泛红的黄栌树，秋阳透过叶隙射到小径上，四周弥漫着秋叶的特有芳香。

潘雪竹有一肚子话想说，可临到头来又不知从何说起，憋了几分钟，她才脱口而出："贺大姐，我请求你们批准我——跟司徒文川离婚！"

贺真同志并不惊愕，只是稍稍有些怪讶："怎么？你都想到这儿去了？"

尽管拼命克制，泪水还是涌出了潘雪竹的眼眶。她冲动地说："我不能再连累他了！都是因为我那该死的姨妈，他一直不能出国。这回是个多么难得的机会，他要是能参加出国考察，回来研究工作一定能有个突破……都是我，毁了他的事业、他的前程……贺大姐，我不是在说气话，我是认真的——我要跟司徒离婚，离了婚，他就只剩下个剥削阶级家庭出身的问题了……"

贺真同志既没有泛泛地给她以安慰，也没有草草地给她以劝说，而是搓着双手，眼睛仿佛在盯着地上的几片红叶，皱眉思考了一会儿，才慢慢地说："我觉得，小潘呀，你考虑问题的角度是不是狭隘了一点？派谁出国更合适，难道只是为了让谁的个人事业更有发展前途吗？应当着眼于，怎么更有利于我们党和国家，更有利于早日实现四个现代化……这回从院里开会回来，一上午我已经听到三起反映了，你的反映算第四起——对党委决定派小孟出国而不派司徒出国有意见。你知道，小孟出身好，社会关系也简单，本人政治上不用说更没有问题，这样的同志出国，一般说来当然是合适的。不过，司徒这样的同志，本人政治上表现不坏，业务上又非常对口，为什么就不能出国呢？这里的确有一个政策问题……有一个肃清林彪、'四人帮'的流毒，克服形而上学和片面性的问题……"

此刻，当潘雪竹坐在藤椅上，透过窗外的夜色，凝望着远处会议室的四扇灯光明亮的窗户时，贺真同志头天中午说过的这些话又撞击着她的心头。贺真同志一定在会上发表了这样的意见吧？老麦同志他们，能够接受吗？

"妈妈！"一声呼唤，把潘雪竹从凝思中唤醒过来。是女儿小盈，她从床上翻身下来，走到妈妈身边，拾起妈妈掉在地上的毛线团，递到妈妈手中，半蹲在藤椅旁，仰着脸，两只蓬松的小抓髻上翘，大眼睛扑闪着，充满了说不出的疑惑和苦恼。

"你没睡着？快，去披上衣服！傻瓜……"潘雪竹小声责备着。小盈去披上了衣服，仍旧回到原来的位置上，用执拗的语气问："妈妈！姨姥姥，她到底是个什么样的人？"

潘雪竹不忍再注视女儿的眼睛。她心口突突突地猛跳着。是的，那个该死的姨妈，她不但妨碍着司徒出国，而且也妨碍着小盈的入团，小盈早已过了十四岁生日，她已经五次递交了入团申请书，却总是得不到批准；为了得到批准，她连团支部的每一个微小号召都竭尽全力地去响应，有一个星期日，她因为没完成支部规定的消灭十五只苍蝇的指标，晚上说什么也不上床睡觉，对着只有十二只苍蝇尸体的火柴盒呜呜地直哭……但是，直到前几天她才知道，原来她之所以未获批准，竟是因为她有一个反动的姨姥姥！无论这个姨姥姥现在是死是活，这个反动的社会关系构成的污点，是一辈子也洗刷不掉了，小盈原来不仅想入团，还想将来像刘胡兰一样，小小年纪就加入党组织呢，这下可好，反动的姨姥姥！她在小盈出生好多好多年前就存在了，既然有她存在，又何必生下我小盈呢？！……

潘雪竹费了好大力气，才把小盈劝到床上重新睡觉。她许下愿：明天一定详详细细地把那个姨姥姥的事告诉给她。但是，当她重新坐回到藤椅上时，她自己也困惑了。说实在的，关于自己妈妈的这个姐姐，她潘雪竹所知道的，也极其有限啊！

她费力地回忆，也只能勾勒出一个模糊的形象。她七岁以前，当中学教员的妈妈，带她去过姨妈家几次，只记得姨妈家比自己家阔气，姨父是个门牙挺大、牙上有烟垢的瘦高个，姨妈是个烫发描眉、嘴唇腥红、爱发脾气的胖女人。姨妈从来不喜欢她，有一回她不小心碰掉了茶几上的烟碟，姨妈扯红了她的耳朵，妈妈还和姨妈口角了几句……那都是解放以前的事了；解放前夕，姨妈跟着姨父跑到香港去了，据妈妈说，只来过一封信，姨妈说姨父在车祸中死去了，她正同一个英国人在一起生活。解放后，潘雪竹有好几年把姨妈忘得一干二净，只是在填写入团申请书的时候，看到社会关系那一栏，才问起妈妈，妈妈才向她说明："你那个死鬼姨父，原来是个国民党特务；我原来一直以为他就是个商人，头几年审干的时候，组织上才告诉我真相，你那连国都不爱的姨妈是不是也参加了特务组织，搞不清楚；她现在是还在香港，还是跟着那个英国人到了别的什么地方，谁也说不清……"潘雪竹很认真地把妈妈提供的情况全写上了，并且怀着真诚的义愤，批判了姨父和姨妈的反动立场，还反复想了很久：他们对自己有哪些坏影响？应当怎样划清界限？在发展会上，她把自己的认识讲了出来，获得了几乎是一致的肯定，不久，她被批准为正式团员。

当她大学毕业，分到这个所里工作以后，姨妈的存在已经成了近乎被遗忘的事。所以，在那个难忘的仲夏之夜里，她没有向司徒文川提起这个人。现在她痛苦地想：这难道构成了一种欺骗？早知道这位早已不知漂零到世界哪个角落，甚至是否已经死掉也无从考察的姨妈，会如此严重地影响司徒文川的前程，她当时真该拒绝他那双伸向她的手啊……

那个月圆之夜的情景，犹如一套永不褪色的拷贝，如今仍可清晰、生动地在眼前放映：所里的大食堂里传来舞会的音乐，记得演奏的是一支新疆曲调的轻歌曲：《给我一朵玫瑰花》，司徒文川把自己邀到了外面，恰好也走到了前天同贺大姐谈话的地方，不过黄栌树的树叶还是浓绿的，傍晚阵雨留下的水珠儿，在叶片上似坠欲滴，反映着晶莹的月光，如粒粒神妙的珍珠……司徒文川仿佛变成了另外一个人，宣读学术论文时的那种沉稳派头消失殆尽，低着头、一只脚尖捻着小径上的湿土，笨拙地说："我觉得，应该把我家里的情况，也跟你说说……"他告诉潘雪竹，他爸爸是个资本家，当时还在工商业联合会里有个什么头衔，是市政协委员；妈妈原来当过职员，后来就当家庭妇女……潘雪竹听完，也便主动地说："我爸爸、妈妈都是中学教师；不过，爸爸五年前就得肠绞痧去世了；妈妈现在还在教物理……"记得司徒文川当时还惭愧地说："你的爸爸、妈妈多好，人类灵魂的工程师；可我的爸爸，剥削者！我一直在努力同他划清界限……你不会嫌我吗？"潘雪竹使劲地摇头，于是，司徒文川抬起头，胸脯急剧地起伏着，伸出一双手来说："如果你愿意，我们就握手吧！"潘雪竹只觉得那轮金色的月亮像一张旋转的唱片，发出了无法形容的美好旋律，她一把抓住了那十根修长的手指……唉，当时她为什么就没想起来，提一下姨妈的事呢？

1966 年夏天，在运动中，所里有人贴出了占一堵墙的大字报，标题是："看！走资派麦其远招降纳叛的累累罪行！"那大字报实际上是一份表格，前面是姓名，然后是头衔，最后是指出"如何重用"。潘雪竹占据了第二十三行，那一行的全文是："潘雪竹，间谍、特务的贤侄女，被麦其远安插到情报组充任情报员。"十二年过去了，后来发生了许许多多的事，写这份大字报的人现在同大家在一起声讨"四人帮"，没有必要也无从去追究当年他干的这件蠢事，那第二十三行在潘雪竹心上剜出的伤口，也似乎早就平复了；但对于麦其远来说，那心上所剜出伤口是平复了呢，还是在往外渗血呢？回忆起来，1966 年以前，在他到所的两年里，他实在没有任何一件事算得是"招降纳叛"，只不过在知人善用方面，显得大胆果断一些罢了；到了这 1978 年，他本应更加坚决地贯彻重在表现的政策，可是，他却显得瞻前顾后、优柔寡断，这难道是因为他吸取了"有益的教训"，变得"聪明"一些了吗？！

潘雪竹从藤椅上站起来，忍不住走拢窗前，呵，远处那四扇窗户还亮着灯，周围楼房上残存的亮窗已经不多，那四扇窗户犹如两双瞪大的眼睛，在夜空衬托下显得格外有神。党委会怎么还没有散？当然，要决定的事情很多，出国人选仅是议题之一，还有许多其他的问题，比如说，关于保证六分之五科研时间的问题。

是上个月吧，星期六，"法定政治学习时间"，潘雪竹他们偏接到一个电话，得知某大学自己搞了个国外科技资料分析展览，已是最后一天，星期日就要收摊，腾出展览室另作他用。潘雪竹兴冲冲地和组长一同去请示麦其远，谁知老麦听后浓眉一皱："现在是一种倾向掩盖另一种倾向，我看，当前在我们所，首先应当保证六分之一雷打不动！"组长同他争辩："今天规定宣读的学习材料，大家都已经看过，何必走形式？不如允许我们去看展览……"老麦平平气，用推心置腹的口气说："希望你们冷静。1956 年也有过科研热，'向科学进军'的口号是那个时候提出来的嘛，后来怎么样？再来一次文化大革命，又会怎么说呢？……还是保证六分之一，'雷打不动'吧！"潘雪竹想不通，当时冒出一句：

"六分之五为什么不打雷就能动呢？星期二下午增加过半天讨论，其实那样的文件听过就行了，用不着非走讨论的形式……"

麦其远还是不肯通融，于是他们去找贺真，问来问去，终于在司徒文川所在的研究室里找到了她，她正像个小学生似的坐在桌旁，打开小本子做着笔记，听司徒文川跟她讲解几种边缘科学的基本常识。听完潘雪竹他们的诉苦，她取下老花眼镜，笑着说："你们就去吧！老麦那儿，我去说服……"

贺真怎么去说服老麦的、说服了没有，后来不得而知，但是有一天傍晚，潘雪竹因为急着要译出一篇资料，自动加班到七点多，当她正准备离开资料组时，听见走廊上传来了渐近又渐远的谈话声，那是贺真正在同麦其远继续着可能已经进行了好久的长谈，贺真那热切的语调从门缝飞进，击中了潘雪竹的心坎："……我们不能总是当外行，更不能'余悸'在心，不敢大胆地去调动积极因素；不调动积极因素，实际上就是调动消极因素……你在所里十四年了，为什么就不多少学一点科技外语呢？我是从关进'牛棚'开始，向一位'权威'学科技英语的，来所后又拜了好几位同志为师，眼下能大体上看懂英文资料，这对抓好工作很有用处啊……"

潘雪竹站在窗前,伸腕看看手表,十点十分！那四扇窗户仍旧亮着,亮着……党委会啊,你将作出怎样的决定呢？彻底调动一切积极因素的决定？调动一些积极因素而束缚另一些积极因素的决定？有限度地调动积极因素的决定？……

潘雪竹忍不住走到外屋，司徒文川和小孟都站在窗前，她正想向他们发问，小孟突然拳头一击窗台，大声地说："散了！"

潘雪竹几步走拢窗前，同他们并肩朝开会的地方望去，是啊，一盏、两盏、三盏、四盏……日光灯相继灭去，那四扇窗户消失在紫色的楼影中，秋风把一片红中带黄斑的枫叶吹到窗外，紧贴着玻璃，好一阵才又飘然而去……

"你们等着！"小孟转身提起挂在椅背的粗呢外套，激动地朝门口走去，走拢门口扭过头来，双眼闪着希望的光芒说："我去问清楚，最后怎么决定的，然后赶紧来告诉你们！"说完他就冲了出去，楼梯上传来他急促下楼的脚步声。

潘雪竹和司徒文川默默地对视着。他们那两颗渴望着为祖国繁荣富强无束无缚地贡献全部力量的平凡心脏，在剧烈地抖动……他们所能等到的，将是什么样的决定呢？

1979 年

去做一个公民

一

当程京桃伸手拉门的时候，她才猛地意识到，这时已是午夜，整个小院早已沉睡，奶奶肯定也终于就寝。

程京桃轻轻拉开门，蹑手蹑脚地进了屋，拉亮了灯——啊，奶奶端坐在饭桌旁的藤椅上，膝上放着个笸箩，里头是带皮的花生，桌边搁着个盛花生仁的碗，藤椅下有些花生皮。奶奶一定是在用剥花生的机械动作，去平息等待孙女归来的焦虑。

在灯亮后的头几秒钟里，祖孙一言不发地对望着。程京桃只见奶奶表皮起皱的双手捏住一个肥大的花生，停住不动；那遮住额头的蓝毛线睡帽下，被细碎的皱纹围住的双眼里，闪着关切与质询交叠的光芒。奶奶眼里的程京桃，则是一个短辫垂肩、亭亭玉立的十八岁姑娘，她那草绿色的翻领外套和藏青色的长裤上，不知为什么有大片的水渍；她那只拉灯绳的手，拉开了灯却仍旧捏住灯绳，弯曲着胳膊不动；她那红扑扑的鹅蛋脸上，分明闪着泪光，而那双眸子像通了电似的圆眼睛里，迸射出前所未有的惊诧与愤怒交织的光波。

奶奶刚要开口询问，可是只叫了一声："京桃——"语音未落，便只见程京桃猛地跑进里屋，先听见她拉抽屉的声音，随着是翻东西的声音，然后就见她手里拿着个红塑料皮本，回到了外屋；那红塑料皮本，是前些年某一个"造反"组织私印的《江青论文艺》；程奶奶来不及发话，京桃已经狠命地撕了起来，刹那间只见纸片横飞。程奶奶虽吃惊，却镇静地端坐在藤椅上，睁大双眼，盯着性格陡变的孙女。孙女所撕的那本书，早被她们搁到了书桌最底层的抽屉里，弃若敝屣；但祖孙二人以前毕竟并没有萌生过撕烧之念；此刻，是一种什么样的狂怒的感情，使得京桃连已弃的"敝屣"也"不共同屋"？

一片碎纸飞到了程奶奶身上，程奶奶拾起一看，是江青的一块破脸。程奶奶禁不住说：

"心里有数就是了，撕它干什么？……"

程京桃把撕得只剩下塑料皮的《江青论文艺》狠命往地上一摔，然后猛踩几脚，像是无限后悔似的说："于学瑞他们明白得早，我，晚了！"

于学瑞！程奶奶望着孙女，默默地想：看来，京桃已经选定了生活道路，要跟着于学瑞他们那样的青年人走了……做长辈的，是应该劝阻，还是应该鼓励呢？

这时，壁上的挂钟悠悠地敲响了两下，正是公元 1976 年 4 月 5 日凌晨二时。

二

程奶奶作过四十年的小学教师，早在"文化大革命"前就已退休。退休后，她除了作为区一级的人大代表，参加一些社会活动外，主要的精力，全放在了抚养、教育程京桃上。京桃的爸爸和妈妈同在离城一百多里的远郊保密工厂当技术员，一个月只回城休息四天，因此，程奶奶把京桃留在膝边，实际上是第二回挑起做母亲的担子。

程京桃生于 1958 年 4 月 5 日。"文化大革命"前一年，进小学上了一年级。在学校不能给程京桃足够滋养的情况下，程奶奶便像一只辛勤叼食的老燕，一口一口地哺喂着京桃，使她的身心能够比较健康地成长。1974 年夏天，程京桃分配到工厂当铣工以后，厂里的老师傅们经常赞叹备至地议论说：京桃为人处事懂得用"请"，"谢谢您"，"对不起"七个字，光这一条就不简单，眼下社会风气被搞坏了，学校里出来的学生真有不少"什么都不论"的主儿，对比之下，京桃很有点出于污泥而不染的味道——可他们哪里知道，在京桃这枝含苞待放的、粉嫩的荷花下面，有着程奶奶这根粗壮的大藕哩。

1975 年深秋的一个傍晚，程京桃从厂里回来，一见着奶奶便郑重其事地问："奶奶，我想让一个人到咱们家来看书，您说成吗？"

奶奶正坐在藤椅上缝补衣服，不由得停住针线，从老花镜上斜抬起眼睛，询问道："是谁呀？干吗要到咱们家来看书！"

"他叫于学瑞！"程京桃坐到奶奶对面，一边取过奶奶手里的针线活，一边兴奋地讲起了于学瑞的情况，"他比我大三岁，他爸是个扫马路的清洁工，他妈是个家庭妇女，他是老大，下头还有一个妹妹两个弟弟，家里住得可挤了。……奶奶，因为家里头乱，他下了早班净到筒子河边去看书，下了中班就坐到路灯底下去看，现在天越来越冷，哪能老在外头看书呀……咱们家清静，就让他到咱们家来看书吧！"

程奶奶答应了："那好，明天就让他来吧。"

可是第二天于学瑞并没有来。过了十来天，也不见这个小伙子的踪影。

有天吃晚饭的时候，程奶奶想起这个事来，问京桃："你说的那个于学瑞，怎么不来呀？"

京桃甩甩小辫说："他说但凡能有个地方，也不来麻烦咱们。他呀，可有点性格呢！"

于学瑞不来，程奶奶也就把这事淡忘了。

没想到，有一天，程京桃上中班去了，事先并没有预告他来，他却自己跑来了。

站在程奶奶面前的，是个乍看不起眼的小伙子，一头短发乱蓬蓬的，穿一身沾有油渍、肘头开线的工作服，背着个装电工器材的大帆布包。

程奶奶主动问他："你是于学瑞吧？"

他绷着个脸，一点笑容也没有，点了下头。

程奶奶心里有点犯嘀咕。看小伙子的表情，像是刚跟谁吵了架，气呼呼的。他怎么这模样跑了来？

程奶奶一边让他坐，一边直率地问："小伙子，你这是跟谁生着气啦？"

于学瑞坐到椅子上，嘎崩脆地回答说："跟我爸。"

程奶奶纳闷了："你爸？我听京桃说过，你爸是个老劳模，从小教你往好道走。他给你取这么个名字，不就是让你学习董存瑞吗？"

于学瑞便把他和父亲的冲突一五一十讲给程奶奶听。父亲对他净读些个"封、资、修"的书看不惯，这天早上，父亲也正好在家休息，见他又掏出书页发黄的大厚本来看，忍不住数落了他一顿，还说要剁点白菜根，找点米糠，给他做顿"忆苦饭";他便直截了当地对父亲说:"要解决我这号年轻人的问题,再靠忆苦思甜可玩不转了。拿咱家的生活来说吧,是比解放前强多了,从破棚子搬进了新平房。可咱们搬进这屋子二十好几年了,从两口人变成三口,又变成六口,瞧,还是这么十八平方米!每天晚上瞅着小四爬到箱子上睡,您不觉着心里堵得慌吗?怎么才能解决问题?得发展生产、盖房子!我看这些个书,就是为了弄明白真理;眼下真理让一帮子混蛋给搅和乱了,这不,又批上了什么'唯生产力论'。报上又来这话了——不批'唯生产力论',劳动人员又得吃二茬苦、受二遍罪……告诉您吧,这话我听腻了!究竟谁在让人吃二茬苦,受二遍罪,我可得过脑子好好想想!"结果,父亲操起擀面杖要揍他,他便跑开,到这里来了……

原来是这么回事。程奶奶一边琢磨着,一边把他引到里屋书桌旁,对他说:"好,你在这儿看吧!"他也不说什么客气的话,把大帆布书包搁到地上,从里头抽出本寸把厚的书来,便坐下贪婪地读了起来;他读时双手捧书,不靠椅背,那姿式就像有谁站在他的背后,要抢夺他获得的空间和时间似的。这以后,他经常来,来的次数多了,程奶奶同这个中等个儿、黑红苗实的小伙子熟悉起来,经常无拘无束地谈谈话。乍看,他眉毛不大整齐,眼睛也不算大,高鼻梁有点过长,嘴唇有点厚,总之五官拆开了看都不漂亮,但处长了,便会觉得他那五官合在一起显得很顺眼,甚至可以说有股子英俊气。

渐渐地,于学瑞不但能在程奶奶面前畅所欲言,更爽性在程奶奶面前"畅所欲行"——到了前几天,他把一个俊俏得活像电影演员的小伙子,名叫尤跃辉的,带到了程奶奶面前,开诚布公地请求说:"程奶奶,我们想在您里屋后头的储藏室里布置个暗室,好冲洗从天安门广场拍来的照片。"

程奶奶只略微考虑了两秒钟,便搁下正在削的土豆,抻起围裙擦擦湿漉漉的手,把他们从厨房带到了里屋,并且立刻从立柜中找出一块黑布,供他们遮挡储藏室高处的小窗。

第一批照片冲洗出来以后，来不及整理，他们便赶去上夜班，不一会儿上中班的程京桃回来了，当她看到用夹子夹住、晾在铁丝上的照片时，眼里闪着喜悦的光芒，连忙拿出一直珍藏着未用的缎面新相簿（那是她十七岁生日时得到的礼物），考虑起怎么安排照片位置来——程奶奶望着孙女，拿她同于学瑞相比，不禁微微摇头；她看出来，京桃对周总理的热爱和思念，还不包含深刻的思考；京桃对"红都女皇"之流的厌恶和不满，也还没发展到铭心刻骨的仇恨；于学瑞已经成了一条奔向大海的河流，而京桃仍是一线清澈而细浅的小溪……

可是，此刻京桃却狂怒地撕毁江青的"语录"。究竟是经历了什么样的风雨，使得这条小溪水涨波涌，也在变成一条奔腾的河流呢？

三

过了好一阵，程京桃才从亢奋状态中恢复过来，她向奶奶报告了在天安门广场上发生的事：接近午夜的时候，开来了几十辆大卡车，把所有的花圈连拆带扔全装上了车，运走了！还出动了救火车，打开高压水龙头，抽疯似的朝着纪念碑底座上的诗词和松墙上的小白花，冲！冲！冲……程京桃坐在奶奶身旁的小板凳上，双手紧紧搂住膝盖，嗓音颤抖着，仿佛赌咒似的说："干吗不让我们悼念周总理？干吗不许我们讲心里话？哼，我们约好了，天一亮还要去广场，去抗议！去救被逮走的人！我们要做新的花圈，写新的悼词，我们就是要悼念周总理，谁也拦不住！"

程奶奶听着孙女的叙述，不由得吃惊。清明节白天，程奶奶由京桃搀扶着，去过天安门广场。他们那个小院的人几乎都去了……此刻，听着程京桃愤怒的叙述，程奶奶眼前又呈现出清明节白天去天安门的情景：

那高悬在广场两侧灯柱上、飘向灰蒙蒙天宇的两簇黄色气球，以及气球下面有着"怀念总理"、"革命到底"字样的白色飘带；还有那层层叠叠、仿佛不是用手而是用心血和肝胆扎制的无数花圈，乃至于灯柱上的一篮鲜花、碑座上的一杯清水和一抔黄土，当然都使她眼湿心热；但是最令她激动不已的，还是广场那千万个普普通通的热血同胞。《国际歌》响起处，她看见了昔日自己教过的学生张俊石，如今也是教师，带领着班上的学生，胸前佩带着精心制作的白花，正举拳宣誓；散文诗朗诵声，吸住了她的全部身心。趁泪水没有蒙住眸子，定眼望去，啊，那高声朗诵的姑娘，不就是经常来到院门，高声喊着："程家的信！丁家的挂号！……"的邮递员刘丽云吗？看，故去的老朋友的孙子彭晓风和彭晓雷来了，常到院门口来收废品的小伙子赵海涛也来了，就连平日程京桃提起来不大佩服的，她们厂那个爱买"时髦货"打扮自己的姑娘章亚梅，不也脸儿红红的，眼睛湿湿的，在往松墙上别小白花吗？……是的，几辈人，各行各业的人，平时互相可能还有意见的人，都汇拢到这天安门广场来了，大伙儿像点点滴滴浓淡甜咸不同的水汇成了大海，像棵棵粗细高低不同的树木聚成了森林，看你鬼火怎么对抗汹涌澎湃的波涛，看你魔牙怎能啃倒万千坚硬纠结的枝干……然而，听完孙女叙述，程奶奶震惊了。

"那么多，那么多的花圈，真的一个不剩，全收走了？！"程奶奶忍不住站起来问。

"真的！"程京桃眼里溢出大颗的泪珠，哽咽地说："我们撤出广场以后，站在南长街街口上，眼看着装满花圈的大卡车一辆接一辆朝西边开……"

程京桃说不下去了。程奶奶嘴角边的皱纹抽动着。几秒钟以后，程奶奶忽然变得异常冷静，她吩咐说："京桃，你去睡觉。我先在这儿再坐一会儿，过一阵也要睡。"

这时天上的乌云缓缓散开、寒星在冷峻的墨蓝色的天宇中，静静地眨着眼，仿佛在俯瞰着我们这块饱经忧患却又仍旧年轻的中华大地，等着什么，盼着什么……

四

程京桃上床后失眠了好久，但连续十多个小时的激烈活动，终于使她沉沉入睡。当她睁开双眼，满屋已是白亮的天光。啊，怎么一睡就忘记了时间！她跳下床，几下穿好衣服，一边习惯性地唤着"奶奶！"一边快步走到厨房。奇怪，奶奶不在。

奶奶到哪儿去了呢？程京桃在厨房的桌上发现了两只大碗，一只里头泡着木耳，一只里头泡着黄花，啊，要吃打卤面——她这才想起来，四月五日到了，这是她满十八岁的生日，奶奶头天就准备好要给她下面条吃；一瞥厨房里平时挂菜篮的地方，菜篮没有了，啊！奶奶肯定是买肉去了——奶奶啊奶奶，经历过一个如此惊心动魄的夜晚以后，您的孙女儿难道还有心思过生日、吃"寿面"？

当程京桃俯身洗脸时，夜里的种种情景活生生地扑回了她的心头。她面对着墙上的大方镜，用热毛巾擦着脸，把濡湿的鬓发拂到耳后。她望着自己的面影，一颗心怦怦地撞击着胸膛。

她想起了大前天，她的入团联系人洪莉茹跟她讲过的话。洪莉茹比程京桃大五岁，是厂团总支的宣传委员，瘦瘦黑黑的，一到秋冬总爱把棉外套披在肩膀上走来走去。4月2号以前，洪莉茹对做花圈，悼念周总理本来是很积极的；可是，当上级传下指示，说清明节是"鬼节"，提出来要"劝阻群众去天安门广场"以后，她便又成了积极贯彻这指示的人物，3号早晨为了"劝阻"三车间的邹宇平他们去天安门，她还同邹宇平吵了一架。为此，程京桃郑重其事地问她："你干吗一阵一阵的？"她也郑重其事地教育程京桃说："干革命嘛，就要有个组织纪律性，领导让咱们悼念，咱们就得积极悼念；领导不让咱们悼念，咱们就得积极劝阻那些个愣要悼念的人！"程京桃不同意了："哟，就不兴分分正确和错误啦？"洪莉茹惊讶得声音都尖了："不听领导的，你还想入团啦？"说完上下打量程京桃，仿佛在透视对方的"阶级烙印"。程京桃当时并不知洪莉茹心里是怎么想的，她只觉得难过！为什么自己总是不能让洪莉茹满意呢？那回洪莉菇让自己同她一起布置"评法批儒"的专栏，要自己绘制"法家"吕后和武则天的像，自己不过笑着说了几句："奶奶告诉我，吕后和武则天才算不上什么法家呢。再说她们的模样也闹不清，可怎么画呀！"嗐，没想到洪莉菇气得鼻翅上黑痣一起一落："你奶奶可会教你画嫦娥！……"回想到这儿，程京桃不禁把目光投向厨房墙上墨线勾出的嫦娥奔月图，眉尖抖动着。的确，那是有一回，程京桃望着墙上的水渍，惊喜地说："奶奶，奶奶，多像个飞天的人形呀！"奶奶就启发她继续想象，支持她用墨笔勾出了这么个奔月图。十多年的岁月里，奶奶给她讲赵一曼的故事，讲卓娅和舒拉的故事，讲安徒生的《海的女儿》，讲叶圣陶的《古代英雄的石像》，讲《聊斋》里的《劳山道士》……没有书，看不到插图，奶奶就用墨笔给孙女勾出个大概意思，让她张开想象的翅膀，去丰富，去发挥……可是没有想到，丰富的想象力和细致的判断力，却使得她的入团联系人对她连连失望，因此她那入团的道路上充满了巨大的困难。不过，这个只关系着个人命运的困难，此刻程京桃是能够承受的。她所难以承受的，是昨晚所发生的事……

程京桃想着想着闭上了眼，啊，面前仿佛又出现了从空旷的长安街上隆隆开过的卡车队，车上乱堆着被毁坏的花圈，那车轮仿佛是从自己的心灵上无情地碾过……为什么？怎么办？正当她终于成为一个"大人"时，她究竟应当向哪个方向迈出生活的门槛？……

程京桃刚洗完脸，就听见自行车推近、支座子的声音，忙迎出去，原来是于学瑞和邹宇平一块儿来了。于学瑞激动得满脸通红，邹宇平却激动得脸色煞白。程京桃请他们进了屋。于学瑞被汗水打湿的发尖下，双眼闪着刀刃般锋利的光芒，简单地报道说："他们把纪念碑封锁起来了。花圈送不进去。"身材颀长、穿着米黄色大衣、足登样式别致的咖啡色皮鞋的小伙子邹宇平，原是厂里有名的消沉分子，除了上班干活就只顾"张罗张罗自个儿"，可此刻他那精心缝制的米黄色大衣上布满了水渍，无缝青年式的发型也在激昂的活动中走了样，一绺乱发披到了额头，细眉下一双长眼睛里似乎冒出了火花，他喘着气补充说："我们眼见着一百七十二中的同学去送花圈，让那些个便衣们给截住了！咱们的花圈，尤跃辉他们正在孟小羽家赶着做呢；他们楼上的好多人都跑去帮忙，来不及做那么多小白花，二楼的冯阿姨就把四盆水仙花喊里喀喳几下全剪了，送去亲手往花圈上别……花圈这就快做得了，可咱们怎么着才能把它搁到纪念碑上去呢？"

三个年轻人正激动地商量着，屋门响，同时扭头望去，程奶奶回来了。程奶奶见于学瑞和邹宇平站在眼前，似乎微微有点吃惊。她神色严肃，看去似乎很疲惫。

程京桃忙过去取下奶奶臂弯上的菜篮，扶奶奶坐到藤椅上。把菜篮搁到饭桌上时，她才发现菜篮是空的——奶奶哪回去买菜也不可能一无所获啊，今天是怎么啦？

程奶奶见三个年轻人都愣着望定自己，便站起来，微微一笑说："我不过是累得慌，没什么，进去歪一歪就能好，你们说你们的吧。"

程京桃把奶奶扶进了屋。于学瑞和邹宇平正要商量下一步怎么办，外屋的门被陡然拉开，一位五十岁的高个子男同志，风尘仆仆地出现在他们眼前，他那鸭舌帽旁露出的鬓角已经斑白，额上两道很深的皱纹抖动着，两眼里充满了焦虑与担忧。

"爸爸！"程京桃恰巧从里屋走出来，难说是惊喜还是诧异，迎了上去。

五

二十年前的春节之夜，某保密工厂宽敞的食堂里，桌椅被推到了两侧，屋顶上交叉着缀有各色纸灯笼的彩练。一个业余管弦乐队在演奏《蓝色的多瑙河》，对对盛装的舞伴在缤纷的灯影下轻盈地旋转，坐在两侧不跳舞的人们剥食着瓜子和花生，笑语喧哗的声浪甚至时时压过了小小管弦乐队所奏出的旋律……那时候，在乐队里演奏双簧管的技术员程寻光，外号"真快活"，谁不称赞他的才华？谁不艳羡他的幸福？

是的，程寻光的出身说起来没有什么不光彩之处，早逝的父亲曾在邹韬奋手下当过《生活》杂志编辑，母亲是受人尊敬的小学老教师；程寻光自己的历史也清白如绢，他虽在解放前就考上了大学，但直到解放后才毕业，毕业后又留校当了两年研究生；他加入了青年团，一直在积极争取入党；来厂当技术员以后，不但本职工作精通胜任，业余爱好也丰富多彩，画一手好水彩风景，下一手好围棋，还能演奏双簧管和手风琴……在那个春节晚会上，已没有姑娘再偷偷递给他情书，因为他已同图书室的俞丽娟在头年"十一"结了婚，俞丽娟小他四岁，是个大学专科的毕业生。这天俞丽娟没有出现在舞会上，她静静地坐在宿舍里用嫩绿的绒线织一件婴儿衣，不时停下来用手轻轻按一下微隆的腹部——那里面是程京桃还未成型的哥哥；后来这个哥哥夭折了，难怪程寻光夫妇和程奶奶对程京桃的顺利落生和健康成长，充满着双份的挚爱……

但是，到了二十年前的秋天，当保密厂附近的山峰上那些橡子树的扇形叶片变黄变干的时节，"真快活"程寻光却几乎陡然变成了另一个人，渐渐地，人们不再看见他大声地笑、大声地唱，舞会上再难听见他那支双簧管的圆熟演奏，厂外小溪边也绝难逢上他在那里面水彩写生，唯有一项业余活动保持下来了，就是下围棋，但棋风已由活泼谐谑变为了沉默冷漠，下棋中按在烟缸里的烟蒂，更渐渐增多起来。

怎么回事呢？说起来也简单。程寻光同厂里的苏联专家在技术问题上有分歧，他冲动地把意见提到了党委会，党委会的黄副书记认为他狂妄自大，竟敢怀疑苏联的先进经验，粗暴地把他训斥了一顿，他想不通，适逢整风运动开始，在鸣放会上，他便感情冲动地当众给黄副书记提了一通意见，用了一些诸如"不懂装懂"、"官僚架子"的尖锐词语……于是，当反右斗争开始以后，黄副书记便执意要把他定为右派，后来由于党委其他成员不大同意，总算没戴上帽子；不过，黄副书记亲自主持了两次他的批判会，终于内定为"中右分子"。

这以后，在我们国家又发生了许许多多的事情。后来的二十来年来，程寻光这样的人怎样度过他的每一天、每一月、每一年，除了他的妻子以外，并没有多少人注意过他，而他的心灵，受过多少次痛苦的熬煎啊！那是1960年的春天，正是党内"反右倾机会主义"的斗争结束不久，厂里笼罩着一种浓郁的"宁左勿右"的气氛。有人在那位黄副书记支持下，提出来一种明明不符合科学精神的"新工艺流程"，可是上至总工程师，下至级别最低的技术员，虽然私下里啧有异议，但在正式会议上，竟然没有一个人站出来公开反对！程寻光几次鼓起勇气，要找分工负责这件事的黄副书记反映自己的意见——这种"新工艺流程"如果实行起来，将使代号G的设备超过负荷量而损毁！当时苏联专家已经撤走，一时又变成了苏联的技术全部糟糕透顶的那么一种气氛。这种"新工艺流程"正是打着"反修"的旗号提出的，因为原流程是参考苏联的办法设计的。可是，程寻光在这一点上比其他任何技术人员都更清楚：尽管苏联的确在许多方面都不如欧美的技术水平高，但在这一工艺流程设计方面，却也还有它可取之处，现在的"改革"只能说是一种冒险的蛮干！可是，有谁会相信他这个"中右分子"的话呢？他是因"反对苏联先进经验"而划作"中右"的，现在他站出来呼吁保留苏联某项技术的长处，那黄副书记岂不会觉得他很滑稽吗？他失眠了几夜，眼睛塌陷在黑圈中，终于没有去反映……"新工艺流程"实行的那一天下午，代号G的设备便报销了，三个车间只好停产，黄副书记立即布置保卫科从"阶级敌人破坏"方面去找原因……那一天程寻光很晚才回到家里，俞丽娟发现他胡子滋出很长，眼睛里布满血丝，双手指甲里嵌满了黑泥——原来他跑到厂外山坡上，趴在橡树下，双手抠地，痛苦得恨不能撕毁自己：为什么不敢反映正确的意见？为什么失去了反映正确意见的资格？……

这件事发生以后，程寻光心上最后的火花也熄灭了，他变得更加阴郁。他性格上的变化，不但在程奶奶和俞丽娟的心灵上划出了伤痕，更在厂里的技术人员心灵中投下了阴影……

此刻，匆匆赶回家中，面对十八岁的女儿站定的程寻光，就是这样的一个人。他积自己二十年来的生活教训，认定应当一切服从"顶头上司"，永远不要向"顶头上司"提出什么不同的意见。即使确实身受着邪恶势力的压挤，也绝不能贸然提出什么打倒谁的口号；固然有"凡是反动的东西，你不打，它就不倒"的领袖教导；但是，他从本身的实践得出了这样的结论：还是按"凡是反动的东西，它不倒，我就不打"的路数说话、办事保险。他当然反对造谣说谎，鄙弃溜须拍马，但是他认定坦率直言是有害的。他二十年前已经"一失足成千古恨"，他不能让自己那犹如一朵带露的粉荷般的女儿，在十八岁这个关键的时刻，迈上人生的歧路！这些天来，他们厂里多次传达了关于禁止去天安门"过鬼节"的指示，他接到前几天京桃写去的信，信上细细描绘了天安门前群众悼念周总理的场面，还抄来了好几首惹人落泪的诗词……他对上级的指示一万个反感；他为厂里的"勇敢分子"们捏一把汗；他把京桃的来信读了三遍，然后烧掉，十指插进长发，埋头痛苦了很久；他从书架上拿出珍藏的周总理关于知识分子问题报告的单行本，刚读了几段就心痛如绞……他也是一个有血肉、有良知的活人，但是他仍然压抑住从心灵里往外冒的那么一种渴求与期望，他认定生活的路标只能是"谨慎，谨慎，再谨慎"……十八岁的女儿啊，从最近几个月回家看到的情况分析，从你奶奶和你自己的信里、话里分析，目前对你最有左右力量的人物，就是那个叫于学瑞的小伙子，我特意赶回来，就是为了马上见到他，我要诚恳地同他长谈，我要他别把我心爱的女儿引入迷途……

当程寻光得知眼前那个貌不出众、衣着简朴的小伙子就是于学瑞时，他先松了口气，紧接着却又倒吸了一口气。松了口气，是因为不必再去寻找这位"关键人物"，省去许多麻烦；倒吸了一口气，是因为形势是多么危险——倘若他晚到一步，京桃已随于学瑞迈错了生活的门槛，那岂不要酿成无法补救的家庭悲剧？

几分钟以后，邹宇平去孟小羽家看花圈完成与否，京桃被命令先进里屋照看奶奶，于学瑞应邀坐下与归家的父亲"严肃地谈谈"。

这时壁上的挂钟朗朗地连敲了八下，已是公元 1976 年 4 月 5 日早晨八时整。

六

此刻，天安门广场上弥漫着一种不寻常的气氛。在人民大会堂东门外，同后来的某些传说相反，聚集在那里的上万名群众虽然情绪激昂，却并没有什么冲击性的动作，人们怨懑地议论着："为什么要收花圈？为什么要抓人？"许多人都以为花圈被收入人民大会堂了；习惯于往善良处想的群众，还以为被抓走的人也不过是暂时拘留在大会堂里……有人呼出了"还我花圈，还我战友"的口号，许多人响应着，开始呼声比较杂乱，后来变得比较整齐，节奏也逐渐加强；不知是谁领头唱起了《国际歌》，歌声参差不齐、调门不一，但由一个无形扩大器变得格外悲壮——许多人不知不觉地陆续参加了合唱；一种崇高的历史感使得不少人涌出了热泪。一个围着花头巾的少女把头巾角塞到嘴里，用牙咬着，泪水淌进了她的嘴角……当人们在大会堂东门外高唱《国际歌》时，当那围着花头巾的少女把自己颤抖的声音掺入进去时，他们并没有意识到，他们这就是在书写历史……

在离天安门十多里的胡同小院里，两个有着完全不同的生活经验和思想性格的男子汉，继续着他们的谈话。

程寻光："你太年轻，好多事不懂，遇事不冷静。我是有过教训的……"

于学瑞："我研究过您的教训。"

程寻光："啊？！"

于学瑞："您别奇怪。京桃申请入团，我们函调过您的情况。我是党员，又是团总支组织委员，我看过您的材料，还跟您厂里的人谈过。谈完，我爬到你们厂外的山坡上，在橡树林子里转悠了好久，想来想去，我判定当时您并没有错。"

程寻光："你怎么能这么说！"

于学瑞："我不是随便乱说。我找好多人聊过那时候的事，我到图书馆翻过那几年的旧报纸，我想过。我发现，有的人仅仅是对个别的干部、党员有意见，有的意见并不错，也给划成了右派。这以后，谁也不敢给干部、党员提意见了，都怕说错一句话、提错一条意见，就给扣上顶右派帽子。这种怕当'右派'的心理，耽误了好多的事……"

程寻光："我的天！你才多大？你哪来的这些个想法？"

于学瑞："我二十一。我们是一群，一大群。原来人家告诉我们什么我们信什么。现在我们不那么傻了。我们调查研究，我们动脑筋思考……"

程寻光："悼念周总理，我们的心情是一样的。可是有的诗词攻击到什么'女皇'，这太……"

于学瑞："难道你喜欢她？难道她真的当了'女皇'你会高兴？我们要保卫党，保卫社会主义祖国，保卫我们中华民族……不是光明的四个现代化，就是黑暗的四大家族封建统治，中华民族又一次到了最危机的时刻……我们不怕她，不怕她的同伙！可惜你头几天没去天安门看看，我们有千千万万，好几亿，他们才'三人十只眼'，怕什么？再不能窝窝囊囊活着了，为了实现周总理宣布的四个现代化，我们，包括京桃，要朝着太阳升起的地方，踢开障碍，迈出脚去！您重头开始生活，跟着我们一块往前走吧！"

与此同时，是一种什么样的历史力量，使那辆广播车翻倒在天安门广场？围在那四轮朝天、喇叭瘪掉的广播车旁的人们，除了领有"特殊任务"的便衣而外，脸上为什么全都充满了一种无法形容的肃穆神情？那围着花头巾的少女，当她意识到便衣在对着她拍照时，为什么反而昂起了头，扯平了衣襟，双眼里闪烁着那般无畏的光芒？

天空的薄云冉冉浮动，经历了一个细雨霏霏的清明节以后，这个不平凡的星期一变得晴朗起来；高高的华灯默默地挺身广场，那乳白的圆灯犹如只只不寻常的眼睛，惊异地俯瞰着这历史的画面……

于学瑞："看，我们的战友来了。让京桃跟我们一起去吧。我们要去保卫应当保卫的、争取应当获得的。"

程寻光："不……"

可是，拿来花圈的姑娘孟小羽和小伙子尤跃辉、邹宇平，已经进了门。而里屋的门在程寻光、于学瑞谈话刚开始时已经半开，这时更被程奶奶一只手推至极限，她，程奶奶，旁边由程京桃扶着，迈出了里屋。

出乎大家的意料，程奶奶腰直腿健，容光焕发，她朗声招呼说："都坐下来，我有话说！"

七

"京桃，你把那张相片给大伙看看！"

散坐屋中的其他人，这才发现随奶奶走出时程京桃手上，拿着本老式封面的照相簿。京桃默默地翻开一页，先递给于学瑞，孟小羽、尤跃辉和邹宇平忙凑上去，四颗头挤拢一处，好奇地端详。

程奶奶平静地对程寻光说："就是那张从你手上抢回来的相片。刚才学瑞跟你讲的话，我和京桃在里屋都听见了。他把我的心也说年轻了。我一下子想起了五十七年前的事，那一年，我也十八……"

程寻光惊讶地望着多日不见的母亲。从我手上抢回去的相片？……啊，他想起来了——那是 1966 年 8 月，他从厂里回到家里，急匆匆地把书柜里除了马恩列斯毛以外的几乎全部书籍，抱出去论斤约，当"废品"处理，母亲不满地问他："这是为什么？并没有人到咱们家里来下过'勒令'，这些书起码可以留作参考嘛！"他满头油汗，生怕还来不及处理完就有一群"破四旧"的中学生冲进门来，喃喃地说："得这样，妈，得这样……"处理掉书，他又开始处理父亲和母亲留下的旧相片，遇上有穿长衫、西服、旗袍的，他都要揭下来烧掉，当时程奶奶恰好出去买菜，回来时他已经毁掉了许多珍贵的纪念相，包括父亲与邹韬奋、陶行知等人的合影，以及母亲四十年教学生涯中的许多珍贵剪影；程奶奶气得浑身哆嗦，连喝斥带抢夺，才抢下了一点未及烧掉的相片……此时此刻，程寻光瞠目以视：是何气候，母家竟还翻出这么一张老相片，让这些年轻人看……

呈现在几个青年人面前的八寸相片上，在画得很不高明的中西合璧式厅堂的布景前，是五十七年前的两个女青年，稍高一点的可以猜出来是当年的程奶奶，另一个脸比较圆、嘴比较小；她俩手拉手，表情严肃得有点令人惊奇。她俩都穿着月白偏襟短衫，领子高高地抵着脖子，短衫的下摆呈椭圆形，袖子肥而短，呈喇叭筒状；下身都穿着过膝的黑绸裙、长筒白袜子，脚上是带襻的黑布鞋。开始，他们没有注意到发型，是程京桃提醒了他们："原本两边各梳一个蟠桃髻，照这张相的时候，刚剪了头发，所以头发还有点弯儿……"于是，几双眼睛便集中到了人物的头部：啊，才剪出的短发，看那额前的刘海，看那鬓边的发绺……

程奶奶缓缓地发话了："那是 1919 年 5 月 4 号，参加完到天安门广场的示威游行以后，剪了头发照的……"

几颗青年人的头蓦地全抬了起来，几颗青年人的心陡地全加速了跳动，什么？ 1919 年 5 月 4 号？示威游行？原来眼前这位老奶奶，竟是"五四"运动时亲身参加者？原来"五四"运动不但载在历史书上，而且还活生生地分储于身旁老人的记忆之中？

"程奶奶，您怎么不早跟我说啊！"于学瑞双眼发亮了，他急迫地询问，"当时是怎么个情况？你们是怎么个心情？您是怎么参加的？……"

"讲讲吧，给我们讲讲吧！"孟小羽、尤跃辉、邹宇平跟上去大声地请求。

"书本上已经告诉你们的，我就不说了。"程奶奶娓娓地讲述起来，"那一年，我也是该满十八岁，考上高等女子师范学校不久，在同学们里头，比起来我算是很幼稚的一个。'巴黎和会'上，中国代表丧权辱国，这事儿传到了北京，传到了学校，有的同学气得哭，有的同学直跺脚。是怎么着就酝酿起游行示威的，我也不清楚，反正5月4号那天早晨，我记得学校旁边那家人养的鸽子，照例在校园上空转着圈飞，鸽哨照例悠悠地忽远忽近地响着，可是再也引不起我往常的诗意，我见着学生会的干事们在那儿紧张地糊纸旗，就走过去帮忙；我们那时候糊的纸旗是竖长条形的，糊好就往上写口号；记得我反复负责书写的是这么一条：'天下兴亡，匹夫有责！'游行开始了，起初，怎么说呢？我只能算是爱国洪流中一朵浪花，我完全没有想到，有许许多多像我这样的最平凡的浪花卷入游行的洪流，后来成为史书上金光闪闪的'五四运动'。我们的队伍沿街喊口号，时时停下来，由学生会宣传股的干事发表简短的演说；我直到现在还记得，街上那些聆听演说的市民们，原来尽把下巴颏掉着，张开嘴像是看西洋景，我最恨那副不争气的模样——可听着听着，掉下巴颏的大都合拢了嘴巴，脸上显出感动的神色，眼里原有的那股子雾气消了，像点燃了两团小火……后来我们游行到了天安门广场，当时我们那一队的宣传干事嗓子全喊哑了，可是等着听演说的民众比哪一块都多，这时候，学生会的副主席曾大姐正巧站在我身边，她就对我说：'王君，你讲讲吧！'我的学名叫王雅芝，所以她叫我王君，我有点慌：'我不会讲啊……'曾大姐用亮闪闪的眼睛望着我说：'你不爱中华吗？你就讲心里话嘛！'于是，我被伙伴们一拥，就登上了当年三座门旁的狮子座，我学着曾大姐她们演说的姿式，双手手背贴着后腰，挺起胸脯，开始了我的演讲，我记不清自己都说了些什么，只记得当我谈到'天下兴亡，匹夫有责！当此危难之际，凡我国民，挚爱中华者，必倡科学，必争民主，万众一心，振我轩辕……'不但我热泪迸流，听的人也泣不成声……当晚回到学校，我觉得忽然长大成人了，对镜顾影，我才意识到，保留两个蟠桃髻是多么保守，我应当像曾大姐她们一样，势与封建与愚昧一刀两断！于是，我约上跟我有同样心情的李君，互剪长发后，一同到真光照相馆，拍下了这张永志纪念的相片……"

啊，原来是这样的一张相片！几颗头不由得又凑过去凝视，凝视……程寻光亦惊亦惑，程京桃紧抿着嘴，仿佛已经打定主意……

正在这时，一个身躯魁梧的汉子拉开了门。

八

身躯魁梧的汉子穿着制服，戴着硬壳帽，脸庞宽宽的，从鼻翅根到下巴上，有两条深深的开口纹，这是派出所负责这一管片的民警樊大叔。派出所接到了上面的电话，让"注意阶级斗争的新动向"，所以樊大叔也奉命到管片各院转转。他一进这个小院，就看到程家屋门外的窗台上靠着个虽然不大却很精致的花圈，上头扎着些鲜水仙花，还有两条写着隶书的白绢带，绢带上的两行字是：

理直气壮悼总理，横扫妖雾争四化

人民慧眼识黑白，高举红旗永向前

他见了这花圈就一拍大腿，不住地摇头，他不敲门就拉门进了屋，一见满屋净是外来的年轻人，而且迎面竟是早已让他看不惯的于学瑞，便扯开嗓门先冲着于学瑞来了一顿训："你们都聚到这儿来干什么？想给我添乱呀？小于子，你要再不改改邪乎劲儿，早晚有你的亏吃！清明节是'鬼节'，不让满世界送花圈，这指示你们没听见过呀？清明节过完了，你们还扎个花圈往这院里带，想必是要拉上人家京桃往天安门去，人家程奶奶可就这么一个宝贝疙瘩，能由着你们拉上惹祸去！你带头给我散了。该上班的上班，该家蹲着的家蹲着去，外头那花圈你们舍不得拆，拿屋里搁到隐蔽处，我眼不见为净！——干吗那么瞪着我，谁不知道我樊大叔人缘好，你们别给我惹事，我也就不给你们找麻烦，去去去去……"

另外几个年轻人争先恐后地要开口反驳，却让于学瑞摆手止住了。他一点也不生樊大叔的气，而是笑吟吟地问："樊大叔，我想请教您一个问题，您必定能答一百分——咱们中华人民共和国的宪法上，关于公民权利的条款，是第几条？那一条是怎么说的？"

"这——"樊大叔把手里握住的公文包一挥，"我记那玩意儿干什么？你甭跟我耍贫嘴，快走吧，别在我这片里惹事……"

于学瑞立即扭头对孟小羽等人说："你们看！身为民警，执法机关的工作人员，却根本记不住宪法条文！请问他如何执法？为谁执法？……"

孟小羽、尤跃辉和邹宇平都忍不住笑了起来，程京桃也忍不住嘴角往上弯。

樊大叔万没想到会闹出这么个结果，他窘得满脸通红，结结巴巴地警告说："你们笑吧，笑吧！再胡闹，胡闹下去，你们想哭都来不及哩！"

年轻人还要笑，让程奶奶站起来制止住了。她对几个年轻人说："你们不要怪老樊。老樊是个好人。这些年有人砸烂公检法，老樊也被折腾得够戗。不怨他记不住宪法，上头有人就不让他们有那个宪法观念嘛。"接着又对樊大叔说，

"老樊你放心。孩子们交给我调理，我准不让他们给你惹事。我当了几十年老师，一辈子教孩子们走正道，你该信得过我。你快忙活别的去吧，我也不耽搁你的事。"

一席话说得樊大叔哑口无言。他冲程奶奶点点头，说了句下台阶的话："那就拜托您这个老人民代表啦！"便开门走了。

程寻光紧张而惊异地目睹着这突如其来的一幕。他摸不透母亲是怎么个心情，他本想追出去向樊大叔解释几句，程奶奶用眼色把他止住了，他只好坐在那里，心里像撒上了一把热沙子，好不是滋味。

程奶奶清清嗓子，招手叫程京桃站到她身边，她拉过程京桃一只手，用双手抚摸着，开始讲出了以下的话。

九

我打十八岁剪掉头发起，才算是真正奔上了人生的正路。

"五四运动"让我认识了姓"德"和姓"赛"的两位先生。"德"先生就是民主，"赛"先生就是科学。那时候，我们进步青年的理想，就是要实现世界大同。怎么着就叫世界大同？大伙谁也解释不清，我读过康有为的那本《大同书》，对书里写的，我有的点头，有的摇头。虽说对"大同世界"的认识模模糊糊吧，可我相信，科学和民主就好比是两个火把，能照亮人类，引着我们朝大同世界走。

20 年代，30 年代，我就仿佛生活在一个巨大的染坊里，染缸可多了，什么"三民主义"、"国家主义"、"无政府主义"、"实用主义"、"基马尔主义"、"托洛茨基主义"，还有好多奇奇怪怪的主义，大多数的主义，都说科学和民主这两个火把，在他们手里。我迷惑过，苦恼过，上过当，吃过亏，我的生活道路弯弯曲曲。

可是，后来我终于看清楚了，只有中国共产党，才最讲科学，最讲民主。真正的世界大同，不是别的，就是共产主义理想。40年代以后，我自觉地追随党，尽管我一直没有加入党的组织，但是，我认定党一定会胜利，我要跟着这高举火把的党，过完我的一辈子。

党把中国解放了。在最初的几年里，党的文件，党的报纸，听着看着，打心眼里服气、高兴。总觉得真有道理。就是偶尔发现点不合理的地方，也想得通。探求真理的过程中总免不了有点偏差嘛，只要及时纠正就好。党的确是不断地在纠正着偏差……后来，出了一些让人想不大通的事儿，可大体上来说，局面还是不错。所以，多少年来，我总是告诉孩子们，可得听党的话，去做一个好的少先队员，一个好的青年团员，将来去做一个好的共产党员……

这些年来，怪事越来越多。又是炮轰朱德，又是揪斗陈毅，好人戴高帽子游街，坏人坐在台上哇啦哇啦乱嚷，"走资派"帽子满天飞，"臭老九"棍子遍地扫，说假话升官发财，说真话惹祸遭殃，《宪法》公布了实行不了，像樊大叔那样的民警，竟至于不知道公民的权利是什么，认定凡是自发的行动，全得加以禁止……

昨晚上京桃回到家里，告诉我悼念周总理的花圈居然全被没收，我还半信半疑，心想那几个国贼尽管放肆，怕也不至于冒天下之大不韪，办出这号伤天害理的事来，所以天不亮，我就装作买菜，亲自去天安门广场转了一圈，一看，果然如此！花圈全给没收了，纪念碑也被所谓"民兵"封锁起来！这时候，我看到大会堂东边有青年人演讲，走去一听，再仔细一望，原来就是学瑞。学瑞站在高处，激动得满脸通红，扬着胳膊，一句比一句带劲地演讲着。他的话句句撞在我的心头。

我原来就觉得，今年这清明节的事儿，有点像当年我们闹"五四"运动；学瑞的演说把这事点得更透了。他说：当年"五四"运动那阵，各种主义亮出牌子闹腾，青年人追随什么主义，你就比较着挑么！那时候喊出要民主、要科学的口号，当然了不起，可反动派一下子也不好把你怎么样。如今，陈伯达也好，林彪也好，还有那"三人十只眼"也好，挂的也全是共产党的牌子；他们搞的是封建专制、愚民政策，亮出的幌子可是"群众专政"、"马列主义真理"。你要反对他们，嘿，他们可就说你是反对共产党，是要"资产阶级民主"，是要搞"卫星上天，红旗落地"，动不动就要对你"专政"！……这就要求我们70年代的中国青年，能从清一色的共产党牌子里，把那真的和假的分出来！这几天我们来天安门广场悼念周总理，干的就是这件事儿，瞧，假的沉不住气，他们害怕了！他们一怕，就说明咱们是对的了；咱们要发扬"五四"运动的精神，让中国的历史，螺旋式地往上飞跃！……

学瑞讲得多好！听完他的演讲，我一路往家走，一路上消化着他的话，心里头就像开了锅……回到家，我见学瑞在屋里跟京桃说话，开头吃了一惊，后来仔细一想，我走回来多慢，他骑车来多快，难怪他演讲完了反比我先到这儿……

寻光到家以后，跟学瑞的那场谈话，我在里屋全听见了。我让京桃找出我的相簿，看着当年的照片，我想得好深好远。我想起"五四"那阵，我们提出来不当亡国奴，要争公民权。可解放后这些年里，我对孩子们进行教育，却始终没有启发过他们的公民意识。因为我觉得公民的权利，党和国家已经给了我们，只要满了十八岁，就可以自由行使。万没有想到，如今京桃十八岁了，她却连悼念周总理的权利也没有！孩子们，这还了得！照这么下去，奸贼们要再进一步篡权窃国，我们老百姓岂不成了案板上的鱼肉，由着他们一伙任意宰割了吗？！

所以，我想着，得让京桃和千千万万人民一起，把失掉的公民权利夺回来！京桃今后要想做一个好的共青团员，一个好的共产党员，就应当先从做一个好的公民开始！

京桃啊，你迈出这个门去吧！风不要怕，雨不要怕，雷不要怕，闪不要怕，去，挺起你的胸脯！跟着学瑞他们，去汇同天安门广场上的千万个老百姓，去做一个社会主义中国的理直气壮的公民！

十

天上浮动着灰色的云缕。

晶明的日光，努力穿透灰云厚雾，把光辉洒向这充溢着悲壮气氛的古城。

远处的天安门广场上，群众斗争的浪涛，正在召唤着每一个有良心的公民。那原本围着花头巾的少女，此刻已不知去向，唯有那浸有泪水、带着体温的花头巾，落在了广场的青灰砖上。广场上少了一个少女，却有许多个少女正出发前去补充……

程京桃，这个十八岁的姑娘，这开始绽启青春花瓣的粉荷，这充满着斗争激情和美好憧憬的姑娘，把那伙伴们亲手制成的花圈捧在胸前，也要出发了。孟小羽和尤跃辉陪伴着她，步行到天安门广场去。于学瑞和邹宇平骑车先走，要为这花圈寻找一处最好的位置，要为安放这花圈排除一切阻拦。

程京桃庄重地迈出了院门。五天以前，她去天安门广场，单纯是为了痛悼周总理；三天以前，她逐渐被同伴们感染，被广场上的诗词、演说和总的气氛熏陶，意识到，这是一场同国贼党害的殊死斗争，心弦开始随着先进战士的呐喊共振；昨天晚上，她上了难忘的一课，一下子仿佛懂得了许多许多；此刻，她从奶奶那里得到了"五四"运动的甘露滋养，壮志满怀，豪情进溢，她已不是一根随音共振的弱弦，她已变成了一根能主动奏出时代之音的韧弦，要去带动更多的心灵共鸣！

程京桃走了。她把童年和少年时代留在了身后。身后那温暖的小家庭里，五斗橱里有她玩过的布娃娃、跳过的猴皮筋；书桌抽屉里有她用工整纤秀的字体写下的三本半日记；在她的日记本里，夹着有香山拾来的红叶，长城砖缝里采来的紫罗兰和一张用一整套纪念邮票换来的、画着小兔子请客场面的、1964 年的旧贺年片；在她的书架上有读了又读、画上了重点线的、奶奶好不容易为她保留下来的《盖达尔选集》；在她的枕头底下，还压着一朵头晚从遭到浩劫的广场上拾回来的小白花……姑娘啊，等待着你的，将是怎样的命运？你这含苞欲放的粉荷，将在怎样的风雨中倔强开放？

满头白发的程奶奶把孙女送出了院门。迎面来风，梳开了她那开始变得稀薄的白发，她脸上呈现出一种刚毅、镇静的神情。她觉得，她自己的灵魂，溶进了孙女儿的一腔热血，也在朝着天安门广场迈进。……程寻光跟在母亲后面，这灵魂受了伤的人，谁来慰藉他那颤抖的心灵？他只觉得心口突突突地跳，他在痛苦地思考：我的公民意识何在？我将怎样重新开始，去做一个公民？……

从公元 1919 年 5 月 4 日，到公元 1976 年 4 月 5 日，多少中国青年迈入了那被科学真理和人民民主火炬所照亮的生活门槛！不怕还有人反对，不管还有人犹豫，不灰心于还有人蒙昧，向前走，向前走，为了社会主义祖国的繁荣富强，去说想说的话，去做该做的事，去呵，去做一个公民！

1979 年

快　乐

　　果玉芳轻手轻脚地推开门，走到院子里。

　　晨光迷蒙。她伸出手去，试试有没有细碎的雨星。没有。那么说，只不过是稍许有点阴。等学校包租的大轿子车开抵颐和园的时候，很可能灰云已经散去，呈现出一派明媚的春光。今天的春游可以顺利地进行了！果玉芳双臂轻快地作了几下扩胸动作，深呼吸着润泽的、含有海棠花味道的新鲜空气。

　　果玉芳又轻手轻脚地回到屋里。那是一间整洁的小屋。窗帘没有拉开，屋子里很暗。爱人还在大床上侧身面墙熟睡，发出轻轻的鼾声；儿子小凯在床当中摊手摊脚地睡着，被子又给掀到了一边。果玉芳走到床前，细心地把被子给小凯盖严。她凝视了小凯一阵，心里稍微有点烦乱；但是她很快克制住了自己，开始轻手轻脚地梳洗起来。

　　屋子毕竟太小，她的声响很快便把爱人惊醒了。爱人坐了起来。揉了几下眼睛，望望她，又望望身边的小凯，神色不悦地问："怎么，还是不打算带小凯去？"

　　果玉芳嘴里咬着发卡，梳理着短发，镜子里映出了她略显消瘦的面容。听了爱人的话,她没吱声,只是侧过脸,温柔而歉然地朝爱人微笑了一下。

爱人却并不谅解。他故意重手重脚地下床,赌气似的穿着衣服,两道浓眉拧在一起。

果玉芳是小学教师,这学期教二年级;爱人是中学里的物理教师,他们两人还都当着班主任。

儿子小凯快六岁了,还没上学;果玉芳夫妇恰巧都没了母亲,小凯没有老人照顾,成为他们最大的生活负担。小学教师福利尤差,果玉芳他们学校,并不附设为教师托儿的场所;果玉芳爱人他们中学,近几年总算抽调了几位即将退体的女教师,办起了一间简陋的托儿室,于是,每天果玉芳爱人上下班便都带着小凯,实行了日托。日复一日,月复一月,他们夫妻恩爱,孩子听话,虽然住房狭窄,粗茶淡饭,倒也融融洽洽,快快活活。不想这两天里,起了波澜,原因何在?就因为果玉芳今天要带班上的同学,去颐和园春游。

果玉芳夫妇上一次带着小凯游颐和园,屈指算来已经是两年前的事了。那时候小凯才三岁多,实际上并没留下多少关于颐和园的印象。后来屡次提起、计划过星期天去颐和园的事,但是总未成行。一到星期天,果玉芳夫妇总觉似乎比上班更忙。且不说洗衣服、晒被褥、缝缝连连这类事总显得没完没了,好容易有个整块时间,搞点进修,进行个重点家访,摊开学生作业本研究点问题……星期天不知不觉地就那么过去了。一百多个星期日里,倒是去过几次北海公园、中山公园,却再没能去颐和园一游。

前天晚上,果玉芳刚说出来,这个星期三他们学校将组织学生去颐和园春游,小凯便蹦起来嚷:"我也去!我要去颐和园!"

爱人支持说:"我们学校,我们那个年级的春游是步行到八一湖军事游戏,小凯太小,没法带去。你就带小凯去颐和园吧!"

当时，果玉芳没有细加考虑，就点头应允说："成，反正有大轿子车接送，就带去吧！"

小凯高兴得摇头晃脑，拉开抽屉就翻《北京儿童》，他记得有一本封皮上就画着颐和园，他要妈妈先照着图儿，给他讲一遍颐和园的景物……

可是，当第二天果玉芳在班上向同学们布置完这个活动以后，出现了许多预想不到的情况。

平时就腼腆的何莉，羞得满脸绯红地蹭到她跟前，细声细气地说："果老师，我不去……"

果玉芳吃惊地问她："为什么呀？"

何莉眼泪汪汪地说："我妈妈说，怕我在里头迷了路……"

果玉芳安慰她说："迷不了路的。你跟着我别离开好了，我带你们去看石舫。再说，万一迷了路，咱们不是还定了个集合地点吗？你就问遇见的解放军叔叔，让他告诉你怎么走到集合的地方去……"

何莉抹抹眼泪，走了。

可是两个调皮的男孩，孟哲和赵金昌又跑来，兴冲冲地问："果老师，去颐和园，许带剑吗？"

"带什么？"果玉芳一时没听明白。

"剑呀！"孟哲比画着宝剑的形状，赵金昌挥动着胳膊，表示在斗剑。

"啊，那可不能带。春游时人很多，你们会碰着别人的。再说，自己也不安全。"

"果老师，王俊松他说要带炮仗去！"孟哲告上了状。

"果老师，您不是说了不许钻山洞吗？刘立昕他们说偏钻！"赵金昌也抢着告状。

果玉芳的心怦怦跳得紧了。

回到家，她首先对爱人说："我不能带小凯去。我不能分神，得仔细地照顾、招呼班上的同学，要不，会出事的。"

小凯一听急了，把刚搭成高楼的积木"咣唧"推倒，叫喊起来："妈妈说话不算话！我要去！我要去颐和园！"

果玉芳抚摸着小凯圆脑袋上黑油油的头发，许愿说："乖，别闹。下星期天，妈妈爸爸一准带你去颐和园！"

"小凯不看牙啦？"爱人闷声闷气地问。

对了。好容易预约上的。一看，来去就得耗上半天。

"那就下下个星期天去。"

"三床被子都成了灰被头了，还不该拆洗吗？"

"反正早晚一定带你去，成了吧？"果玉芳话冲着小凯说，眼睛却望着爱人，真希望他笑一笑，附和一声。可是爱人脸板得铁硬，使得屋里的空气仿佛也变得冰凉苦涩。

"妈妈，你就带我去吧！我多乐意去颐和园呀，啊，妈妈！"小凯哀求着。

爱人把手里的书往桌上一摔，恨声恨气地冲小凯吼道："你妈哪管你乐意不乐意！她要让学生们乐意，不要你乐意！"

小凯吓了一跳，"哇"的一声哭了起来。

果玉芳把小凯搂到怀里，哄劝着："来，别哭，妈给你讲《熊猫百货商店的故事》……"

小凯睫毛上挂着泪珠儿，虽说听的过程中几次被故事情节逗得咯咯地乐，听完了却仍旧扭动着身子，没完没了地央告妈妈带他去颐和园……

小凯终于上床睡了以后，果玉芳这才心平气和地对爱人说："干咱们这一行的，可不就得这么样——学生们春游，快乐得不行，老师们跟着学生们春游，紧张得不行……"

　　爱人发牢骚说："学生们的快乐，建筑在咱们的辛苦和紧张上，咱们的快乐呢？建筑在什么上，总不能用逆定理来解答吧？！"

　　爱人也睡去以后，果玉芳坐在书桌前，双手托腮，久久地思索着。静静的春夜里，薄云在夜空中轻柔地飘荡，稀疏的星辰，闪动着神秘的光晕；院中的海棠树，枝干里缓缓流动着浓稠的汁液，几簇海棠花，在无人观赏的夜色里颤悠悠地绽开了花蕾，慷慨地喷溢出清淡的馨香。果玉芳想到小凯的失望，想到爱人的不悦，心上仿佛缠绕着发黏的游丝；但是，当她想到第二天在颐和园里，由于她们老师细心而周到的照料，朵朵鲜花般的学生们，笑语喧哗地嬉戏在万寿山麓、昆明湖畔，她的脸上便渐渐浮出了微笑。窗隙泻进的星光，门缝渗入的花香，都仿佛在对她默诵着赞美的诗篇……

　　当爱人一觉醒来，发现她正坐在桌边，用水彩颜料，聚精会神地往裁成同样大小的纸块上画着箭头。这是她想出的一个办法，在为学生们安排的游览路线上贴上统一的标志，这样一旦他们走散了看不见老师，不是可以循着箭头所指的方向，回归到集合的地点吗？

　　现在已是早晨。拉开窗帘，天上的灰云随风四散，春光活泼泼地泄入了屋里。小凯醒来了，他一骨碌站立在床上，立时就冲着果玉芳嚷："妈！带我去！"

　　果玉芳心软了。

　　她咬着嘴唇，默默地收拾着书包，往里搁着发面饼、茶缸、路标、装咸菜丝的小饭盒……也许，带着小凯，同样可以照料好班上的同学？

　　小凯跳下床，趿着鞋奔到果玉芳身边，搂着她的大腿，脑袋在她腰上一个劲地蹭，哼叽着。

　　可是，小凯本身就是个几乎需要拿出全部精力照料的顽童……倘若顾了小凯，而王俊松真的放起炮仗来怎么办？刘立昕他们真的钻起山洞、摔伤碰坏怎么办？……

果玉芳思想里激烈地斗争着。不知怎么搞的，泪水涌到了她的眼眶。不带自己的孩子去颐和园，在别人看来，这简直算不得是什么牺牲，可是果玉芳的胸膛里，也跳动着一颗母亲的心！而这颗心，同时又是一颗既平凡又伟大的、人民教师的心！

目睹着这个场面，特别是果玉芳眼角那在晨光中闪动的泪光，爱人的心弦颤动了，一种惭愧的感情喷涌而出，使原有的一切牢骚、怨懑和不快都烟消云散了，他走上前去，一把拉过小凯，抱起他来，亲着他脸蛋说："今天就让妈妈自己去吧！小凯，咱们下个月一定、一定跟妈妈去趟颐和园；来，快洗脸……去托儿室的路上，爸爸给你讲个特棒特棒的故事——《阿里巴巴和四十大盗》，好吗？"

小凯眨眨眼，笑了；果玉芳双眼望定爱人，笑了；爱人侧过脸，眼光投向院中鲜亮的绿荫，也现出一个微笑……

春阳无私地照耀着这间朴素的小屋。小屋里的一家人，他们是多么快乐啊！

1979 年 5 月

清晨，窗外飞过一队白鹤……

柔曼的春风迎面拂来，道边碧绿的柳枝有韵律地摆动着。我骑着自行车，朝二哥家所在的楼区驶去。

我和二哥虽然同住一城，但难得会上一面。就手足之情而言，二哥自然在我心目中固有他一席之位；但我是个醉心写作的人，以二哥之平淡无奇，他就始终未进入过我的构思范畴。但是，昨天我得知一条消息，二哥在上星期当众打了他们单位宁野光一记耳光。这真令我惊愕不已，犹如有人告诉我，八达岭突然变成了火山，或昆明湖中出现了鲸鱼一般。于是，我再也不能心平气和地写完尚未完稿的一篇小说，而急于想找到二哥，当面问个究竟；骑车前往二哥家的一路上，二哥竟头一回闯入了我的创作构思范畴，是的，我为什么不可以研究研究二哥，描绘描绘二哥呢？……

二哥自来就是一个温和的人。他是解放前入学，解放后毕业的大学生，专业是造纸技术。

有一件事，足以说明二哥的气质和风度。那是在上大学的时候，有一天晚上，乌云掩住了月亮，学生宿舍里，鼾声交错，整个校园似乎都已坠入了梦乡。有一个大学生，人穷志短，蹑手蹑脚地潜入了二哥他们那间宿舍。显然，他白天注意到二哥刚收到家中汇来一笔款子，取出后放在了上衣胸兜中，所以这晚进屋后，便直朝二哥的铺位走去；谁知，当他伸手从搭在二哥被上的衣服里偷出钱包后，二哥突然坐起身来，一下子紧紧抓住了小偷的双手，一刹那间，二人四目对视着，小偷的双眼里充满了恐惧与绝望，因为如果要搏斗，二哥是学校里有名的"三铁"（铁饼、铅球、标枪）选手，他既已双手被扼，当然没有获胜的可能；二哥的双眼里，先是闪着气愤与鄙夷的光芒，几秒钟以后，竟逐渐变得温和起来。小偷绝对没有想到，二哥不但并没有高呼："抓贼啊！"而且，不声不响地下了床，牵住他的手，一直把他带到了宿舍楼后的小杨树林中，蔼然地对他说："但愿这是你头一回堕落。你悔改了吧！我知道你手头紧，可你为什么不光明正大地来向我借钱呢？来，这几张钞票你收下。我希望你一辈子不再偷人——当然，我没有法子约束你，你的生活道路，要由你自己来走，可是，愿你时常想到这个晚上，有一颗友好的心，总在盼你成为一个正直的人……"

那个晚上，当乌云缓缓飘散，月亮把银辉洒向大地，小树林把月光筛成闪动的光斑时，有一个人靠在杨树上，双手捂住脸颊，泪水从指缝不断地溢出。这个人后来成为了二哥的挚友，并成为我们家的常客。他现在是一位受人尊敬的工程师，有关那个夜晚的故事，是他不顾二哥涨红了脸、口吃着厉声制止，而在一个瑞雪飘飞的冬夜，对围坐在炉边的我们全家，饱含感情地讲述出来的。

我因此更敬重二哥，但要不是发生了最近的事，这一切也不会被我书写到稿纸上，描写这样的故事，岂不是有宣扬"人性论"之嫌么？即使免扣帽子，起码也会被认为"意义不大"吧。

可是，就是这样脾气的一个二哥，况且早已从一个"三铁"健将变成了一个五十岁出头、两鬓斑白、气喘吁吁的胖子，竟然会当众打人耳光，岂不怪哉！

被打的宁野光，那可是个人物。宁野光是1971年分到二哥他们设计院的，先是在附属工厂当工人，后来在"七二一大学"学了一阵机械制图，毕业后调到院里的设计室当制图员。我对他们那一套专业一窍不通，所以无从评价宁野光的工作优劣；单知道他有几则"轶闻"，颇令人喷饭捧腹。话说有一次他忽然从信托商行买回了一个黑羊皮筒子；时值盛夏，他何以急着置备冬装？这倒还好说，生活上各人有各人的安排。这件事没过多久，人们渐渐发现，宁野光留起了大鬓角。大鬓角就大鬓角吧，只要他不把图纸上的线条随意放大变形，什么鬓角也都没有关系。但是，人们又渐渐发现，他鬓角的头发呈现着涡状小卷的形态，据他自己说，那是一种"天然卷"，这就颇令人狐疑了。——后来，谜底被人揭穿，他那卷毛鬓角，是费时整整半个星期天，先从黑羊皮筒上剪下一角羊皮，再用保险刀片细心地把打卷的黑羊毛片下来，毛下只剩薄纸般的内皮层，然后，再对着镜子，用胶水把这"人造鬓角"粘到相应位置上去的！

二哥当然不会为这类事打他耳光。而且，据我所知，设计院里的舆论对宁野光可谓厌恶之极，倒是二哥有时还为他说几句好话："年轻嘛，允许他一时糊涂！我们与其在一旁对他啧啧摇头，不如切切实实地帮助他提高修养……"二哥常把他请到家里，帮助他提高制图技术，还至少有一次跟他谈起美学，发表关于什么是美的见解——去年夏天有一回我到二哥家去，正碰见这个场面，我不禁有对牛弹琴之叹，而二哥却是极恳挚，极认真的。谈完了，二哥还从书架上取出好不容易保存下来的《米开朗琪罗》大画册，递给宁野光翻看；宁野光提出来借回去看，二哥搓着胖手，咂着嘴唇，明显舍不得，然而，最后还是答应了……

真没想到，别人并未伸出手去掴宁野光的耳光，反倒是二哥，竟作出这么一件事来。

　　究竟是为什么呢？

　　正所谓"无巧不成书"，我刚骑车拐进通向二哥他们那排宿舍楼的岔道，一眼便看见宁野光站在道口旁的柳树下，而他偏偏也瞧见了我，我本想敷衍地一笑便弃他而去，没想到他大声地、明确地招呼我说："嘿！你下来！咱俩谈谈！"

　　怎么办呢？再不理他未免无礼，可是，倘若他是要将二哥给他的一记耳光，加倍地施报复于我，则何以对付？

　　我尴尬地下了车，刚站定，他已大步走到我的跟前。这位二十五岁的青年比我高半个头，鬓角虽长，看得出不再是羊毛所粘，头发蓬乱而干燥；白眼球上看得出血丝，黑眼仁却像刚从海中捞出的黑蚌，饱蓄着精力，他上身是极邋遢的工作服，下身却是一条料子极佳的淡蓝色喇叭口裤。我了望他那肌肉饱满的脖颈和宽宽的肩膀，心想他如果真的伸出拳头，我恐怕也只好先逃之夭夭再说了——我紧张得有点失态，以至于竟说不出一句寒暄的话来。

　　宁野光似乎并不想打我，他现出疲惫不堪的神色，甚至在我面前极松弛地打了一个长长的呵欠，这使我放下心来。

　　"你瞧，我正想找个知底的人问问，偏就碰上了你……"他这么开口一说，我心上倒也浮起了同样的想法，二哥为何打他，不也可以从他先了解起么？

　　"你甭跟我来虚的——当年，你二哥是不是差一点就出国去了？"

　　他问这个干什么？我斟酌了一下，决心向他说实话，我相信，真话总是能换来谅解的。

　　"那是 1966 年 5 月，眼看运动就要起来，二哥确实差一点随一个考察团出国，后来没去成，因为考察团取消了……"

　　"取消了，没走成，他怎么说来着？"宁野光撇着嘴角说，"文化大革命一起来，给他糊的那些个大字报，你当我都不知道哩！人家说他是'洋奴点心'！"

这事我清楚，所以立即为二哥辩护说："二哥是主张派人到芬兰去学习造纸技术，还主张跟加拿大直接交换造纸工作技术情报……考察团取消了，他说过表示遗憾的话，因为他觉得出国考察一圈，对改进设计工作有好处……"

"哼……"宁野光鼻子里出来这么一声，表情复杂得令人无法窥透他的心思。

"我二哥跟你……怎么啦？"我小心翼翼地试探着问。

"只许州官放火，不许百姓点灯！"宁野光悻悻然地冒出这么一句来，我更纳闷了，二哥并不是干部，何谓"州官"？宁野光两眼望着远处，显然他有他的思路，忽然，他仿佛是自言自语地说："……他跟弗洛里斯，那个亲密劲儿，还在一块儿臭聊惠特曼的什么《草叶集》哩！"

弗洛里斯是个墨西哥族的美国人，是美国一家公司派驻到我国，在我国进口的合成氨成套设备工地工作的工程师。二哥曾被有关单位借去当过现场口译，那弗洛里斯比二哥还小几岁，可是我们国家由于找不到能拿下这种口译工作的年轻译员，只好把二哥这样的已经发了胖的中年技术人员抽出来干这项工作。宁野光也曾被借到该工程管理图纸，难怪他知道有关的事。不过，他此时提起这个干吗？弗洛里斯早已回国，那座合成氨厂已经开工投产。

"要说洋味儿，你二哥可真盖了帽了！"宁野光收回眼光，直视着我，发泄地说："瞧他，书架上还有什么……什么'肚子'的《电影史》；听那唱片，贝多芬第六交响乐——命运颂，还有什么李斯特、肖邦……"

"乔治·萨杜尔的《电影通史》；贝多芬的第五交响乐才叫命运交响乐，第六叫田园交响乐……"我纠正着他，但对他的思路却无从寻踪探迹，看来他也并不是神经失常，像他这种类型的青年人，往往是这样——他们的思绪犹如天上的浮云，没有一忽儿是凝固的，随时飘荡变幻，因此，即使转瞬之间便白云苍狗，也不足为奇。

"嘿，你坦白，你写的那些小说里的好干部，是不是瞎编的？"他忽然转移话题，不待我回答他的提问，便愤愤然地议论说："反正我没见着过！我倒见着过我妈他们院的'十五级'，小病大养，白天背着手在花盆前头转悠，正经人似的；一到天黑——你们写小说的得说是'暮色苍茫'，对不？——嘿，瞧吧，就有人往他们家整箱整箱地抬啤酒，还有那么大块的木料，据说都是'处理品'，怎么他妈的就不处理点给我？他用些个出口转内销的俏货，买通房管所的管理员，一家三个户口，倒扩大成了四间北房！我们家可是三代五口住他妈一间小东屋！……"

我相信他不是造谣。这类的事也经常令我痛苦。可是我也的确看见过、感受过好干部的好作风，只是，感人事例确确实实不那么容易随手拈来，我该怎样向宁野光说明我的看法？

"算了算了！"宁野光叹了口气，作鉴定似的说，"你二哥，还有你，都算好人。我想'出去'，倒不是你们给气的！……你好久没来看你二哥了吧？他在家，你快去吧！好容易又有这么个星期天，我也还得再遛遛弯儿……"宁野光终于对我实行了"大赦"，摆摆手走了。

我更觉得二哥与他之间的事充满了神秘感，跳上自行车，我迫不及待地朝二哥家所在的那栋楼驶去。

走在通往四楼二哥家那套单元的楼梯上时，我朦朦胧胧地意识到，二哥和宁野光的冲突，大概同出国一类的事有关。可是二哥年龄已大、身体又欠佳（他查出来有冠心病），出国任务派不到他身上，宁野光更不可能与此沾边，他们之间又岂会为这类事冲突起来？

走到四楼，二哥家的单元门露着一条缝，我尚未进门，便听见二哥那略显嘶哑的声音，在絮絮地讲着什么。二嫂不是带着小侄子钢林出差去上海了吗？

她是研究抗菌素的，参加编写大药典的工作，起码要一年后才回得来呢，因为她父母都在上海，所以把他们"晚年得子"的宝贝也带去了。二哥此刻既然不会是在对二嫂和钢林讲话，那么，是来了什么客人呢？

进了外屋，我看清坐在沙发上的原来是二哥同楼的邻居孟忆雄。那是个上海人，同济大学毕业的老技术员，今年四十二三岁，清秀的面庞，颀长的身材，浑身焕发出一种聪慧之气。他见我进了屋，立即热情地点头招呼，并显露出劝二哥停止对他讲话、先同我叙谈的神情。二哥随随便便地穿着件毛衣，衬衫领子一边翻了出来，另一边还压在毛衣里边；脚上穿着拖鞋，走来走去地继续着他的谈话，只对我丢了个眼色，意思是让我先到里屋自便，等他一阵。

进了里屋，倚靠在铺着毛毯的竹躺椅上，我这才听出，二哥是正在给孟忆雄讲课，讲的是有关科技英语的知识。我回忆起来，前些时听二哥讲过，国家要选拔一批四十五岁以下的科技人员，到美国科研机构中去深造，考试科目仅英语一项。这位孟忆雄应过考，得了四十四分，据说只要得五十分便及格。所以，孟忆雄为仅差的六分耿耿于怀，常自叹是"偶然失误"……此刻，二哥显然是在"对症下药"，我从里屋可以看到二哥踱步的身姿和表情；他那略显浮肿的脸庞上，两眼下已凸现了泪囊；他今天的声音似乎格外嘶哑，然而也格外温存："你啊，主要吃亏在知识狭窄，一出造纸这一行，立刻就不通了。比如那考题里，'直升飞机'你竟译不出来，这算不得生僻词汇啰，搞造纸的难道就不该懂直升飞机吗？更遗憾的是你全然不知 SOS 是什么意思，这是国际通用的海上呼救符号嘛……唉，我早几年就劝你读读英汉对照的《爱丽丝漫游奇境记》和《老人与海》，开阔一下视野，你却只顾弄些小玩意儿……"

听二哥说到这儿，我脑海中不由得回忆起 1974 年的一幕。一个游丝乱飘的星期天，我骑车来到二哥他们居民楼前，啊，二哥家的阳台显得多么冷寂——

上下左右几家的阳台，或者已经用木料和玻璃精心地装成了培养花草的温室，或者正在动工，打算用拣来的砖头砌成一间小屋；唯独二哥家的阳台依旧是原样的阳台，晾着一绳衣服……进得二哥家，他正光脚坐在破藤椅上，手里捧着本英文造纸技术书，双脚互搓着，嘴唇翕动着，读得忘记了周围的一切。记得我同他议论到楼里的邻居，颇有批评那些人庸俗的微词，二哥却合上书本，缓缓地摇着头，正色对我说："别那么说人家。心里苦闷啊！你哪知道我们设计院如今是个什么局面……"

就在那一年，为替二哥借一样什么东西，我去过孟忆雄家，他正坐在自己打制的沙发椅上，望着天花板吐着烟圈……那天花板上恍若正放映着宽银幕彩色影片：放大数倍的大尾巴金鱼，正在水草间缓缓游动；原来，孟忆雄自制了一只巨大的玻璃鱼缸，把金鱼和缸中水草的影子投射到天花板上，造成了那么一种仙境般的效果……

当年，二哥曾谅解过孟忆雄；如今，二哥的批评也是温和的。二哥继续说着，可是接下去，我却听不懂了，因为二哥开始用英语提问，让孟忆雄用英语回答。我从躺椅上站起来，在里屋中走动着。我走到五斗橱前，凝望着橱上挂着的一幅图画，画面上是一队白鹤，在云中舞成一条优美的曲线；蓦地，一个诗句回响在我的心头：

清晨，窗外飞过一队白鹤……

那是 1961 年，二哥在造纸厂当技术员时，写成的一首长诗中的头一句，他曾把这首长诗寄到当时的《长春》杂志，被附上铅印退稿信打了回来，据我们所知，那是二哥仅有的一次文学尝试。我当时还是个师范学生，是暑假期间去二哥厂里看望他时，从他枕头底下发现的；因为我偷看了他这首长诗，二哥还久久地不好意思过；这头一个诗句，可以概指出整首诗的情调，二哥真挚地抒发着他热爱社会主义祖国，热爱自己的专业，渴望着为人民贡献力量的情怀。当时正是国家困难的时候，我去看二哥的一路上，就遇上了好几档子讨饭的事；二哥的定量不大够吃，他当时瘦得颧骨高高耸起，皮带上一再增添新孔；当我在他宿舍中，把路上遇见的阴暗面讲给他听以后，他沉思了一会儿，便引我站到面江的窗前，把窗扇推至极限，让我纵览江上景色。其时正是傍晚，天边飘着蜂蜜色与玫瑰紫色杂错的霞云；作为国界的江面上，漾着霞云的倒影；夕阳的余晖透过霞云，洒在江心，形成一线闪烁的金斑。我国这边的江岸上，薄苇在晚风中摇摆着，浅水里还耸峙着不少高高的灯芯草；景色静谧幽美，令人联想起浑厚宛转的交响诗。忽然，二哥拍拍我的肩膀，提醒着"看！看！"我这才发现，国界那边的空中，飞来一队白鹤，阔翅轻拍，长腿舒伸，欢快地长鸣着，飞近以后，稍事盘旋，便先后降落在我国江岸的浅水中，或引颈朝天，或双翅轻舞，或长喙探水……我正惊喜地观看着，二哥的声音响在了耳畔："你知道吗？我天天注意观察，这些白鹤不管飞出多远，一到傍晚，它们总要回来，栖息在我们祖国江岸的苇丛里……"我的心像被接通了电源的灯泡，蓦地亮了！难怪后来我读着二哥那首艺术上还欠推敲的长诗，竟被感染得热泪盈眶，是的，二哥不但抒发的是真情，而且描述的也是真景。在他那间濒江的宿舍中，我多次亲眼见到过：

清晨，窗外飞过一队白鹤……

啊，想起来了，紧接着这一句，是写了一遍又描了一遍的——

你好！我亲爱的社会主义祖国……

两年后，二哥从那工厂调到了这个设计院，成了家，他找来这样一幅图画布置他的居室，显示出他始终在心头保持着那样一股子葱茏的诗意……

我头脑里正萦回着这些个思绪，听见二哥的一大段英语戛然而止，孟忆雄正在选词酌句地口译："你说的是……我一点也不反对出国，为了学习外国的先进技术，我们应当，应当力争到国外去留学、考察、观摩、交流……就是到国外去做工……为国家……（二哥提醒他一个英语词汇的含意：赚取）赚取外币，不，外汇，那也是好的。但是，如果有人想不当中国人了，到外国去寻找个人的幸福（二哥插话：这里要译成——所谓的幸福）……那我是气愤的、看不起的！……"孟忆雄译到这里，变换个口气说："刘工，你还在生宁野光的气吧？不值得，他算个什么！"

我立即耸起耳朵，细心倾听他们谈话，因为这正是我所急于要知道的。

"他算个中国青年，"二哥的语气严峻起来，"这样的青年不止他一个。他们是体系性怀疑，精神危机，他们爽性不想当中国人了，一心一意要要找条路子'出去'！老实说，他们苦闷，他们彷徨，他们发牢骚……我不赞成，可是我还可以理解、体谅；但是他们去向外国总统要人权，丧失尊严和人格地去乞讨一张出国的签证……甚至于公然说出那样的话来，这，我绝对、绝对不能够容忍！我们是中国人，不错，我们现在困难、贫穷！我们生活里有阴暗面，街上有讨饭的，有许多不公平、不合理的事情，有的干部气人！国家这么为难，他们还贪赃枉法，走后门，对人民疾苦不闻不问，甚而至于欺压老实人，没有一点良心！可是，我还是爱中国，爱这片生我养我的大地，爱生存在这片大地上的中华民族！我们要立足在这片大地上，铲除污秽，同不合理的事情抗争，拆掉旧的，盖起新的！去掉丑的，创造美的！……我们当然也可以出去，去学习，去取经，去参观游览，乃至于去卖力气！可是我们无论走到世界上什么地方，也不能忘了自己是中国人！我们的一切一切，都应该是为了祖国！祖国！祖国！……"

我从来没听见二哥这么激动地说过话，我也从来没有因为二哥而这么激动过。我一下子冲到门旁，扶住门框站住了——我看见二哥昂着头，眼里闪着晶莹的泪光，我的心一下子重重地抖动了。啊，二哥呀二哥，多少年来，我并没有真正懂得你，我私下里曾以为你政治思想水平不高，过于宽容而斗争性不强；然而，贯串着你生活道路的一条红线——如同火一般炽烈地热爱我们社会主义祖国，这样一种最质朴的感情，今天震动着我的灵魂，使我不能平静了！……

春风从窗外吹来，窗台上摆着一瓶白丁香，那攒聚的花蕾颤动着，缕缕甜香沁入我的心肺，仿佛令我的灵魂也芬芳起来。

我躺在靠窗的折叠床上，怎么也睡不着。二哥却在大床上有节奏地打着鼾。睡他的午觉。

关于他打宁野光耳光的具体情况，我终于打听清楚了。那天晚饭后，要在设计院饭厅里用皮包机演两部外国广告资料片；在等待放映的当口，人们照例三五成群地聚在一起闲聊。宁野光和二哥等人恰好坐在一处；宁野光先是根据一知半解，用夸张的语调谈论着外国如何如何了不起，接着便用刻薄的语调，历数中国的贫穷、落后、愚昧、野蛮……二哥开始只是和气地纠正着谈论中的不准确及偏激之处。例如指出美国的摩天楼也有并不美妙的一面；中国农业的落后有其历史的根源，不好同美国作简单的平行式对比……后来，宁野光便大谈某人贴于街头的致外国总统的公开信，言语间大有赞同之意，二哥和旁边的几位同志都很不以为然，二哥刚谈了一句："我们是中国人……"宁野光便把脖子一伸，一张脸直逼到二哥眼前，挑衅似的打断他的话说："当他妈中国人有什么劲！只要能出去，在美国大街上要饭我也认了——"他这句话没完，饭厅里的人们就都听见了一声脆响，声音起处，只见二哥气得浑身乱颤地站在那里，宁野光身子耸动着，似乎要扑上去打二哥，但被身旁的人拉住了……

想象着当时的情景，我为宁野光感到羞耻和痛惜。我在床上辗转侧身，心里在一阵阵发堵……

过了一阵，二哥翻身起床了，他一边往厨房水池走去，一边对我说："你明天早晨再走吧，我新买到了《二泉映月》的唱片，你下午自己在这听听吧，还可以翻翻我新买到的全套《聊斋志异》……"

我跳起来问他："你下午有什么事吗？我们好久没见，多聊聊不好吗？"

二哥沉吟地说："我要去找宁野光，我要去训他……"

我追到厨房，阻拦说："算了吧，他那样的思想问题，谁能给他解决？"

二哥一边洗脸，一边心平气和地说："这两天我想了想，不是他不可理喻，是我们还没有把道理讲透。昨天党委书记老余找他谈了，他不服气，他问：'刘工自己英文练得那么棒，他自己还想出国呢，为什么我就不能有个想法？'你看，他分不清为祖国的利益出国学习，和为个人的利益出国瞎混的区别。老余跟我说了这个情况，我想我该诚恳地跟他长谈一次……"

二哥洗漱穿戴好了，取出钥匙，走到五斗橱前，费力地弯腰蹲下，从最下面的抽斗里，取出了一样东西；我一眼便看分明了，那正是装在《长春》月刊退稿封套里的长诗。是的，那长诗艺术上也许的确尚未达到发表水平，但那里所洋溢、包孕的感情和思想，难道不是有着一种永恒的价值吗？二哥打算这样彻底地向宁野光敞开心扉，以至诚的态度教训他，被邪念所蛊惑的青年人啊，你难道还不能被感化？……

我同二哥一齐下了楼。二哥要去宁野光住的单身宿舍找他，我决定骑车返回自己的家。在楼门口，临分手的时候，二哥严肃地对我说："想想吧，到2000年，老一辈还能有几个在世？我七十多岁，你五十多岁，那时候正当年的，是宁野光他们啊……"二哥转身走了，我望着他那宽厚的背影，回味着他那慈祥的面容，忽然对他生出前所未有的爱来……

骑车回家的路上，把二哥描绘出来的创作冲动撞击着我的胸膛，我心头久久回旋着二哥那饱蘸感情的诗句：

清晨，窗外飞过一队白鹤……

1979 年 10 月

这里有黄金

1

有人敲门。

谁呢?

2

我盼有的人敲门,同时又怕另一种人敲门。

这次的敲法,是用中指和食指的指甲,交替地敲击我那独间小屋门上的玻璃,而且频率急剧地加强着。

这一定是田欢,那二十五岁的大学生。我真不该在家,我怕他来。

3

这怕，不是惧怕之怕，而是怕麻烦之怕。或者，干脆地说，就是一种厌恶的情绪。

我们这个胡同杂院里的人们，对于各种各样的人物，特别是青年人来敲我这间小东屋的门，已经习以为常。大家都知道我是个写小说的，又多以青年人为描写对象，因此都认为有各色各样的青年人来访我，正是我的福气：不待去深入生活，生活本身已经找上门来了。

田欢的初次来访，在我们小院引起了小小的轰动：他是坐着丰田牌小轿车来的。我以"一视同仁"的善意接待了他，但他还没有离去，我便已经在心里说：但愿他今后不要再来。不为别的，就为他深深地刺痛了我的自尊心。

别的青年来，或带着稿子求教，或促膝谈今论古，或倾吐满腹牢骚，或者仅仅是出于好奇……田欢却"别具一格"，半小时过去，我就明白，他是来占有我的。不是占有我的财物，也不是占有我的作品，而是来占有那令我当之有愧的东西。

进得门来，他用一双转动得灵活而迅速的眼珠打量着我问："你就是苑直文？"

我点点头。他又上下左右打量着我那小小的房间，踱了几步，依然是很大的口气："这么小！你那《交叉路口》就是在这间屋写的吗？"

我又点点头。他低头仔细端详了一番，选中了我唯一的那架藤椅，坐了下来，一边随手翻动着我书桌上的书，一边问："你是哪个大学毕业的？"

我告诉他："师范学院。"

他撇撇嘴："你为什么不上北大呢？南开、复旦也成啊。"

我告诉他："我没考上那些学校，我考上的就是师范学院。"

他扔下手中的书，把头偏过去，找准角度，从对面小柜上的镜子里观赏着自己的面影，夸奖我说："那你不错啊，你写的小说算是震了。原来我还当你是北大毕业的呢。"

我没吱声，我发现他的瘦长脸和大嘴巴很不谐和，不知他为什么要那么顾影自怜。

"你爱人她是写什么的？"他注视着镜子，用手抚着长长的鬓角，接着提问。

"她什么也不写，她是工人。"

"工人？"他那正在抚鬓角的手停止了动作，抬眼瞥了我一眼，然后又把眼光收拢到镜面上，继续抚鬓角，穷追不舍地问："干什么的工人？搞工艺美术的？"

我说出了工厂名称，他咧嘴一个冷笑："集体所有制的吧？你怎么找这么个爱人！"

我勃然了："依你说我该找个什么样的？"

他这才觉察出我的不快，停止了照镜子，也停止了"查户口"，眼珠恢复了活泼的转动，笑嘻嘻地说："我爱好文艺，我常访问你们文艺界的人……"接着他就列举了最近的活动：在哪个作家家里遇见了哪个画家，又在哪个电影演员家里遇见了哪个京剧演员，等等，并且一口气说出了一大串文艺界的"秘闻"：谁的长篇并非自己写成却即将出版，谁和谁离了婚，谁排斥了谁而终于主演了什么电影，谁其实就是谁和谁的私生女……听来倒也新奇有趣，不过我估计起码有百分之九十纯系谣言。

待他滔滔不绝的炫耀使我的耐性已达于极限，我便问他所来为何。他跷着的二郎腿点着拍子，爽快地说："你给我张照片吧，签上你的名儿。"说着便从衣兜中摸出了若干张照片，有的是颇为有名的演员，有的是颇为有名的画家，也有颇为有名的作家；不过我注意到，其中只有一张签上了名字，所以这些照片是否全是人家亲自送给他的，也还难以断定。

我托词说手头没有照片，难以奉赠，总算把他打发走了。

这以后，就有知情的青年朋友告诉我，田欢的父亲是一个什么部的负责与外商谈判的副司长，他坐的那辆小轿车，就是人家部里的，只不过他和司机混得很熟，所以常常坐来坐去地摆阔。据说，他是所谓"合法后门"的得益者。何谓"合法后门"？比如他上这所名牌大学，如果他高考得分根本不够录取线，硬来上，那就是"非法后门"，风险很大；而他得分刚好骑着录取线，因此他父亲托关系同大学管录取的人一打招呼，就把他收到这所大学了，尽管他的分数比别的同学低一截，而且因为他来就要挤掉一名分数高的，但这事好遮掩，不是要"全面衡量"吗？别人发现了来闹，也还可以用一通冠冕堂皇的理由挡回去。再比如他手头总有一两台录音机，什么双频道、立体声、附有邓丽君原声带的，他都玩过。这都是外国客商送给他父亲的礼品，按规定一律要上交，他总是先截下来玩一阵，玩腻了再上交，而这一台上交了，下一台又到手了，所以他总有得玩，比买下一台更富乐趣。你要是对这种情形有意见，他会辩解说："没违反规定呀，最后不是都上交了吗？"也有的时候，上级允许不上交，而作折价处理，于是他就大做其录音机生意，自己先买下，再加价卖给求之不得的人们，据说最多能从中赚个一百多元——这也很难抓住他的把柄，因为双方是"周瑜打黄盖"，而且可以解释成他买了一台送给对方，而对方因为别的事赠了他几百元钱。给我透露这些情况的青年朋友预告说，田欢再来的时候，很可能会动员我买台录音机，并且会表示他可以给我"打听"、帮忙。

果不其然。田欢第二回来，除了传播些新的文坛谣言外，便由我的半导体收音机太旧，谈及电唱机之不必购置，而终于落到录音机之不可不有上，据说我如果能经常听听外国流行音乐的录音带，比如美国电影《午夜狂热》的全套音乐，那我的小说便能写得更具现代化风格。

我便故意说早想买一台，只是买不到。

他便单刀直入地说："我卖你一台好了，值五百块钱，你给我五百五吧——只收你五十块'手续费'，哈哈，我知道你捞了不少稿费，不过比起那些发了中、长篇的，你算个小户，我不向你多要！"

他竟如此之坦率，坦率得我不得不对他虚伪，因为倘若我也坦率，我冒出的那些话便会使他顿生报复之心——我何必招惹麻烦呢？

我冷淡地表示这事恐怕不恰当，况且我一时也拿不出那么多钱，总算又把他敷衍过去了。

然而，不久社会上就传出一种说法，讲田欢是我最好的朋友之一，我写的那篇引起轰动的《交叉路口》，其中的素材就是他提供的云云。我并不感到惊奇。是的，他田欢享尽了"合法后门"的乐趣，他家住房本来就很宽裕，他却推动父亲为他在新住宅区争得了一个单元；本来某某宾馆的"自助餐"是专供应外宾华侨的，但是由于餐厅某服务员是托他父亲人情才分到这个工作的，因此他常在那个服务员值班时跑去白吃……不过这些也还不足以使他的灵魂充实。他父亲有权，他可以仗势，而且有钱，但是他还缺少那么一种东西，所以他希望能附庸风雅，把我这样的人也算作一个，可以通过接触和宣扬，使自己同那么一种东西沾边。

他上次来找我是在十来天以前，显得格外地踌躇满志，他宣布已决定去电影厂搞剧本，正在向学校请创作假，剧本将由某电影厂导演接，他前些时帮那导演从广州朋友那儿弄来台七百元的录音机，"他妈的让那班浑蛋敲了一家伙，不过质量实在他妈的好！"这么说，他不满足与文艺界的人沾边，而要使自己成为电影剧作家了；我不反对任何人尝试创作，但是我知道他其实是一篇作品也写不成的。有一次他在同我谈话时竟反问我："金水桥在什么地方？"又有一次他主动给我留下个"临时通讯处",把"秦皇岛"写成了"奏皇岛",由此可见其水平之一斑。对于他这种人钻进某宾馆白吃"自助餐",白白享用"过路"的录音机,我的愤慨还很有限;对于他这种人利用特权钻营到我视为最神圣的艺术领域里来,我气愤得灵魂发抖了——我们难道真的将会看到所谓的"合法后门片"吗?

他微笑着,他是有信心的。他父亲有权,他可以仗势,而且有钱,并且将因此而获得那向往已久的东西了。他真是一个幸运儿!

可是,我的屋门虽然号称向每一个来访的青年敞开,我却希望他一生一世不要再来。据说搞写作的人应当冷静地接触一切人和一切事,我却做不到。

然而,此刻的敲门方式,不是宣布着不受欢迎的人又跑来了么?

4

我拉开了门。啊,不是他!我忽然格外地高兴,我迎接客人的热情一定出乎对方的预料,而我也在一种出乎预料的兴奋中,晕晕乎乎了好一阵,才仔细端详起来这位新的来访者。

来者当然也是个青年人,中等个,皮肤黧黑,五官端正,眼睛闪闪发亮,唇上留着黑油油的胡子;衣着虽不能用"褴褛"二字形容,但起码可以说是寒伧:土布衣裤,敞着怀,露出掉了色、尽是小窟窿的黑色粗毛线衣;一双沾满烂泥的自制布鞋(我这才想起外面在下雨,我们这条仍旧是土路面的胡同一片泥泞)。如果田欢看见了他,一定会用"土鳖相"三个字来嘲笑的,田欢自己总打扮成华侨或外籍华人的模样,说句公道话,那倒的确模仿得颇为高明,足以乱真的。

我请来人坐到藤椅上,沏了杯热茶请他喝,问他从哪儿来,找我有什么事。

"我从新疆来的。"他不顾水烫，贪婪地啜着热茶，坦然地说。

我吃了一惊："从新疆来？出差？"

"不！"他搁下茶杯，两眼直勾勾地望定我。

"那你……是来上访的？"

"也是为了来找你！"他那两颗黑眼珠黑得不能再黑，油亮油亮的。

"找我？"

"对。我的女朋友帮助我，凑了二百块钱，就这么来了。"

我盘算了一下以后，这样问他："他现在住在哪儿？"心里一边怦怦跳。

"住在东郊一个旅店——说穿了，那是个大车店，一个炕睡十个人，一个铺位收五角钱，哈哈，倒不贵。"

我松了一口气。倘若他没有地方住，我是无法可想的。

"北京城里的旅馆是不让我这种'自流分子'住的，我只好住在东郊，坐几十站汽车来找你。"这时我才注意到，随着说话，他嘴里喷出阵阵酒气，而且他的脖子，特别是喉骨下面的那块地方，布满酒后的红晕。

"找我干什么呢？"

"我也写小说。找你谈谈。"

"你上当了。"我诚恳地说，"不少青年朋友都上了这个当，老远地跑来找我，以为我有什么秘诀，起码有点经验，其实我也是刚开始学着写点东西，我是不值得你们花这么大代价来找的……"

"啊，"他用黑得出奇的眼仁盯住我，忽然一笑，"你这么说，我倒不想骂你了！"

"你是来骂我的？"

"你以为是来干什么的？当然是骂你。鬼才来向你打听什么秘诀，什么经验。我来找你，是为了当面痛痛快快地骂你一顿。"

我没有这种思想准备,我很狼狈。我拎过小小的糖罐,请他吃糖,以掩饰不自在的心情。但是糖罐里的糖都吃光了,只剩下半截果丹皮卷,那是我儿子吃剩的。我更加狼狈。他却捡起那半截果丹皮卷,放进嘴里吃了,然后从衣兜里掏出香烟来,点燃抽着,把嘴唇撅得尖尖地喷着烟。

"你骂吧。我欢迎最苛刻的批评意见。"我终于鼓起勇气说。

"好,我就来骂。你发表的小说,凡能找到的,我和她都看了……"

"他?"

"我刚才讲过路芳的事,你不要故意追问。我和她都看了,我们仔细讨论过。我们恨你,恨你真话假话一块说。你说了真话,惹得我们看,找不着到处找,就为了看看你那些真话。可是你除了一两篇以外,全都有假话。把假话糅到真话里去,比全是假话的东西更气人。你为什么不坚持讲真话,句句讲真话?!"

"难。"我老老实实地告诉他,"就这样,已经有人要打棍子、扣帽子了。为了说出一句真话,有时候只好用一句假话来铺垫啊。"

"这样不行。你们把人从梦里唤醒,却又用假话给他催眠,折磨人!我写,就不这么干,我要全写真话!"

"你写了吗?"

"这就是!"他从地上提起鼓鼓囊囊的帆布挎包,那是我原来所忽略的,只见帆布已经旧得挂丝,布满油渍泥点;他费力地从挎包中掏出了一叠很不整齐的稿纸,递到了我的手中。

"你这真话,我说假话的配看吗?"我望着他,微笑着,心里其实很不服气。

"你配看。"他命令式地说,"因为你说的不全是假话。"

正在这时,我爱人领着孩子回来了。爱人一眼看见来客的一双布满污泥的鞋,蹭到了床单上,但是她忍住了心中的不快,对来客客气地点了下头,又趁来客不注意，对我狠狠地瞪了一眼，便开始在屋角洗起脸来。孩子照例不听我的指挥，绝对不叫"叔叔"，而是把书包像掷手榴弹般地往大床深处一扔，便翻小人书去了。我看看书架上的闹钟，问来客："吃过饭了吗？在我们这儿吃吧？"

"吃过了。"

"怎么吃得那么早？没吃过吧？在我们这儿随便吃点吧！"

我听见爱人把梳子重重地往桌上一搁。

"确实吃过了。我在东单一个人买了一只鸡，喝了半斤酒。我把剩下的半只鸡送给一个上访的妇女了，她牵着个丫头。"

"再在我们这儿吃点吧，"也许是他那后半句话的效果，爱人走拢来，确是诚心诚意地说，"喝点大米粥，我这就去煮。"

爱人去小厨房了，我跟了进去。

"赶明儿你留人你做饭。我干了一天活，我伺候不来。"

每逢这种情况我只得忍气吞声。我赶紧端锅要淘米。

"回屋去吧，人家找你就为了跟你臭聊。"

我回屋了。不一会儿，饭菜都端进来了。爱人特意炸了虾片和花生米。我知道，她的心是美的，只是我们的生活条件太差了，一颗美丽的心是无法在这样的条件里充分放射出它的光辉的。

5

饭后，爱人带着孩子到邻居家看电视去了，这当然并非是因为她喜欢当天的电视节目，或者不懂得过多地看电视对儿子的学业是一大促退，这实在是因为我们的屋子太小，不足以同时容下四个人分三摊活动。

我这才问起来客的姓名、经历。

他叫佟岳，令我大吃一惊的，是他自称是四川籍人。

"你怎么跑到新疆去的？"

他没有正面回答，而是用那黑得令我心痒的眼睛狠狠地盯着我，幽幽地说："我杀过人，你知道吗？我杀过人的……"

我愕然了。

他平静地叙述着自己的身世："1958 年，我十二岁，我的爸爸，一个小镇上的小学教员，被划成了右派。都说 1957 年是反右年，可是我记得清清楚楚，他是 1958 年划的右派，据说那一年补划了不少人，他就是我们镇上的一个。我周围的人，包括跟我们家斗过嘴的邻居，都说他是个本分人，可是他竟因为对乡里定的征粮高指标不赞成，说了几句真话，被划成了右派。还被开除了公职，背着铺盖卷回来了，妈妈跟他哭闹，他只是坐在床板上发呆，我记得清清楚楚，发呆，眼睛直勾勾地望着对面墙上，一块掉下泥灰露出竹篾的地方。从此全家就靠妈妈一个人在纸盒厂当工人挣钱养活，爸爸天天背上鱼篓去钓鱼，有时我也跟着他去，钓了鱼我们就跑到集上去卖，可是往往买主都把鱼绳挂到手指头上了，旁边有个小孩嚷一声：'他是右派。'买主就又把鱼退还给了爸爸。后来他钓鱼就单为给家里吃了，可连家里人也看不起爸爸，六岁的四妹有一回竟用手指羞着说他：老右派，不做事，光吃饭！他就搁下碗，没有再吃下去。我那时比较同情他，可是年岁太小，也不大懂他心里的愁苦。有一天他钓来好几条大鱼，趁我们都不在家，一个人煎了，下酒吃了，吐了一桌鱼刺，然后就上吊了。妈妈受刺激，大病一场，我们简直没饭吃了。我就恨起把爸爸划成右派的人来。一天夜里，我把菜刀藏在怀里，跑了十几里路，跑到爸爸教过书的学校，我知道校长是谁，见过，一个女的，才三十多岁，我想就是她把爸爸划成右派，害得我们家这么凄惨的，我要杀了她！"

"你……杀了她？"

"我溜进她的屋子，她正睡着。月亮光照进屋，我见她搂着三岁的女儿，睡得正香。我忽然想到，我把她杀了，她的女儿可怎么办？我看见了床边桌上，有个用碎布头缝的小球，里头塞的是棉絮线头什么的，还没有缝完，一根带线的针插在上头，月光下亮闪闪的；那是她缝给女儿玩的，我把她杀了，她的女儿就玩不成这个球了……原来她也是人，也有女儿，也想让女儿玩球，买不起就自己缝；她确实把我爸爸划成了右派，开除了公职，害得我们家闹到这个地步，她是我的仇人，可是望见那只没缝完的布球，特别是那根在月光下亮闪闪的带线的针，我下不了手……我就又把菜刀揣进怀里，跑回家了……"

"啊……"我吁出一口气来。

"过了几个月，妈妈病好了，大姐从高小退了学，当了临时工，我们家又能勉强过下去了，我就把这件事，向班上的老师坦白了。他当时就汇报了上去，第二天公安局就把我抓起来了，我被带到了爸爸原来教过书的学校，开了批判会，说我是搞阶级报复。那个女校长恨我恨得脸上的肉直跳，公安局说我不够法定年龄，批判完了就放了，她不答应，于是我被送去劳动教养……教养了两年，我出来了，谁都瞧不起我，谁都不需要我，学校不收我，当临时工的机会也没有，我就偷起东西来，我被抓住，铐起来——经常是同别的犯人铐在一起——挨打，被人啐唾沫，关在臭烘烘的、生满虱子的牢房里……可是一放出来，我就又偷！……"他的黑眼球闪着倔强的光，嘴唇抿成了一条线，粗壮的脖子上，一道原来我没注意到的刀疤，鼓得高高的，随着筋脉一高一低地起伏着。

"后来呢？"

"后来我决心重新做人，我就卷起铺盖卷，一个人搭火车、坐汽车、走路，到新疆去了。"

"户口呢？"

"要什么户口。那里非常偏僻，地多人少，只要去干活，就能挣工分。你不要一听新疆就满耳朵冬不拉响，满脑子小绣花帽子和花布拉吉。我们那个村子百分之八十五是地地道道的汉人，不是放牧牛羊而是种庄稼。你要相信我，我到了那儿就成了个诚实的人，凭力气吃饭，你看我现在的身体，你看我这一双手。"我这才看出他肩膀的厚实敦壮，我注意到他一双粗大的手不但布满了老茧，而且右手大拇指缺了小半截。

"你是怎么转念的？怎么一下子就决心远走高飞重新做人？"

"批判和大道理对我这个人都不起作用，起作用的反而是另外的事。我最后一次从牢里出来是 1964 年夏天，我从儿时上过的学校走过，听见里面传出打乒乓球的声音，我的乒乓球曾经是打得很好的，在我爸爸自杀以前，我得过一次亚军，所以我不由自主地走了进去，迈进了赛乒乓球的屋子——我一进去，正在打的两个同学突然都不打了，他俩不约而同地离开球台，去把搁在一边的外套抓在手中，用那样的眼神望着我——他们是怕我掏走他们的钱包。你说怪不，这个镜头忽然使我良心发现，我跑出了学校，跑到了河边，我把所有衣服全都脱光了，跳进了河里，使劲地游泳，我拼命地用手脚往下按水，使自己浮起来，我脑子里轰轰地响，只有一个声音：我不了、不了、不了！紧接着第二天又发生了一件事，我靠在墙上晒太阳，心里头像梗着根竹竿，忽然有人叫我：'佟岳！佟岳！'我抬头一看，是公社副书记老李，这个老李以前我只是认得他，从来没注意过他，他为什么那么惊讶地叫我？难道我又犯了什么罪过？'佟岳！佟岳！蜈蚣爬上你脖子了！'我本能地一拍，把一条半尺长的蜈蚣拍下了地。我很奇怪，我这么一个人，就是被蜈蚣咬肿了、咬死了，又有什么可惜？这个老李怎么这么可惜我？我抬起眼睛，只见老李走到我的眼前，他那时顶多三十多岁，瘦格格的，用瘦巴掌拍了我肩膀一下，其实是很平淡地说了几句："佟岳呀，你年纪轻轻，为啥就这么半死不活的呢？我看着你可惜哩！你要是好好作活路，我看你出息大哩！'他说完也就走了。他一定不知道他这几句话的力量，这几句话就把我一生给决定了，没几天我就跑到天山脚下，隐姓埋名，一下子就这么多年！"

"家乡的人，你的妈妈，一直不知道你的下落吗？"

"我妈妈知道，我给她寄过钱，所以家乡的人也知道。文化大革命当中，一纸外调信函，使大家知道了我是右派的儿子，所以，一直抬不起头来。白天我闷头干活，晚上我就看书——也真是巧事，文化大革命当中，我们公社中学的图书馆所有的文艺书几乎都被宣布为毒草，这些'毒草'被扔到了一个大坑里，原来说要烧掉，后来不知怎么的又没烧，用沙埋了，我就常常去挖一点带回我那屋里，看呀看……结果，我爱上了文学，我手痒了，我就写小说……"

"你一直没有成家吗？"

"谁说的？七年前我就有老婆了，我们有两个孩子……"

"那，你说的女朋友……"

"女朋友就是女朋友，当然不是老婆。我老婆也是个出身不好的'黑五类'，我们就凭都让人瞧不起这一点，互相可怜，结婚了。可我并不爱她，她其实也不爱我。我们就这么过，我看中国人里有不少是这么过，没有爱情，也不一定厌恶……女朋友是这两年从县里分来的师范学校毕生生，在我们村学校教书，比我小很多，爱文学爱得不要命，为了你一篇该死的小说，我们俩能吵上两三个钟头。我爱她，她也爱我。可我不能跟老婆离婚，她没地方去，还有两个孩子。我那女朋友说她一辈子不结婚，一辈子当我的朋友……"

"你不应当自私，你应当劝她结婚……"

"和谁结婚？和心爱的人？她心爱的人就是我。"

我望见他那黑亮得让人没法形容的眼睛，知道改变他的意念是不可能的了，便沉默下来。

6

这天晚上我赶写一篇稿子，睡得很晚。夜里，我迷迷糊糊做了好多梦，我仿佛看见佟岳手里拿着一把菜刀，就站在我的床前，忽而他把菜刀扔掉，脱光衣服跳进了一条大河，高溅的白浪花里，跳动着他黝黑健壮的身躯……

第二天清早我睁开眼睛的时候，天光已经透过半开的窗帘，亮晃晃地照到我的被子上。爱人和孩子都走了，桌上撂着两只喝空的粥碗，无言地指示着我起床后应尽的义务。

这时，又响起了敲门声。还是那种用中指和食指的指甲，交替地敲击门玻璃的哒哒声，而且频率急剧地加强着。

一定是佟岳又来了。他好不容易从新疆来一趟，我应允同他多谈几次。我答应留下他的小说稿，抽空就看，然后陆续给他寄回去，当然要提些意见——我估计那都是难以公开发表的东西，我没有说"如果好，向刊物推荐"的话，以前我曾轻率地同一些文学青年讲过，结果弄得很被动，编辑部和文学青年双方对我都很有意见。

我一边答应着："就来！"一边匆匆地下床穿衣。穿好衣服后我先把唯一的两扇活窗打开，屋里憋了一夜的蚊香气，掺和着我一家三口呼出的废气，实在难闻。从窗缝中飞出几只血肚黑蚊，举手拍去没有拍中。于是我走到门边打开了门。

门外站着的是田欢。

我非常失望，而且压不住厌烦："你？"

"我。"田欢大摇大摆地进了屋，径直走向藤椅，先把上头的坐垫拿起来抖了抖土，然后再搁回去，轻轻地坐下。

"又写什么啦？"他偏头向桌上望去，毫不客气地拿起桌上的稿纸，翻动着。

这是最让我难受的事。我没有成篇的东西，最怕别人看，就连爱人偶尔从我肩后探一下头，我也要不自在，常常引起口角。

我从他手中抽出稿纸，搁回桌上，明确地给他个钉子碰："你不要管。"

他无所谓，从随身带来的手提包里，取出一只厚厚的稿袋，"啪"的一声摔到我的桌上，笑嘻嘻地说："你给看看！我们的本子。"

仿佛他用不着知道我有没有时间、有没有兴致来读他们那个本子，仿佛他让我读，是对我的一种赏脸和恩赐。

我没有做声，只瞥了一下稿袋上写着的题目：《漓江诗女》，下面并列着三个署名，头一个是他。我怀疑这个本子的阅读价值，因为我可以肯定田欢其人虽然对漓江和姑娘都不陌生，却基本上与诗无缘；但是我又相信这个本子八成能拍成片子，因为我知道署第二个名字的正是那位从田欢手中买到录音机的导演，而第三个名字则是一位只热衷开家庭舞会而从不读书的干部子弟，他的唯一长处就是他爹的职务相当不低。我注意到导演的名字后面有个括弧，写着"执笔"字样。我真该为这位中年导演一哭。

"我们想先在刊物上发表一下。你得帮我们把这事办成。"他厚颜无耻地搬动着指关节说，"你以后也有用得着我们的时候。发出来领了稿费，咱们先去全聚德，你把老婆、孩子全带去，咱们不喝中国酒，我有从友谊商店买的三十三块钱一瓶的苏格兰威士忌，喝完了瓶子给你儿子当凉水瓶用。"

幸好这时又有人敲门，不然也许我喉咙里的一团火就喷出来了。

这回来的是佟岳，我觉得他对我是那么宝贵，我一把握住他肌肉结实的胳膊，把他拉到床边坐下；于是他一双沾满污泥的鞋又蹭到了床单下摆上，在我爱人曾唠叨过几句的污迹下，又添上了新的污迹。

我没有给他们双方介绍，他们两个对望着，两个人眼里都毫不掩饰地流露着鄙夷的神情。我望着这个场面，心里涌出一股复杂的滋味。他们两个各自有着完全不同的父亲，这就决定了他们两个有着完全不同的生活境遇；过去是这样，现在仍未彻底改变这种状况，将来呢？

我尽可能平和地对田欢说："好，本子就留下吧，我下星期一就给你回音。"

他站起来，分明不仅是说给我，而是首先说给穿土布衣服的佟岳听："我跟学校请了创作假，明天我们就去承德烟雨楼，在那儿写第二个本子；如果那儿的小灶败胃口，我们下星期可能就转移到无锡太湖边上去，你先等我的信吧，信上我会把信箱号码告诉你的。"

我忍耐住，把他送出了门，他不怕屋里的佟岳听见，在门外对我说："那小子是上访的吧？你少理他们，省得给你惹事。"

我回到屋里。佟岳一句也不问关于田欢的事，显然，不是不感兴趣，而是已经看透。我想到佟岳虽然比我小五岁，但他的阅历却分明比我丰富。

我坐到藤椅上，诚心诚意地报他以微笑："我们再敞开谈谈吧！"

"不谈了。"他直截了当地对我说，"我打算今天下午就回去。"

"为什么？你不是第一回来北京吗？不是还有事上访吗？……钱和粮票不够我可以给你点……"说到"钱"字，我意识到自己脸红了。其实这又何必？

"我到长安街上走了走，是漂亮。可是我钻进街上的胡同往里走，心里就难受。为什么三十年了，光是把街面弄得漂亮了一点，稍微向里深入一点，马上就经不起推敲？这几天下雨，那些胡同里多少房子漏雨，我从破旧的大门望进去，蘑菇似的小房子，自己盖的，高高低低地挤在一起，院子里汪着水，小孩子用树枝打水玩……这不该是离长安街几十米应该有的景象……"

"那么，你认为造成这种景象的原因是什么呢？我们应该怎么去解决这些问题呢？"我认真地问。

他沉默了大约半分钟，忽然眉毛一扬，用低沉的嗓音说："我本来不想告诉你……你知道我那女朋友是什么人吗？"

他是怎么回事？为什么忽然扯到这上头来？我没吱声，只听他慢悠悠地说："她是从内地下到新疆兵团的知青，后来上了师范，毕业以后分到我们那儿小学校的……"

我提醒他："你已经告诉过我了。"

他声音高扬起来："可是我没有全告诉你。我们两个先从文学上接近，后来，交往深了。她有一次偶然提起她的父母，她的父亲在她很小的时候就同她母亲离婚了，她的母亲死在1967年，是经不起揪斗，上吊死的，罪名是'反革命修正主义分子，漏网右派'……你为什么好像不愿意听这些？这种事太多太多，不稀奇了是不是？当初我刚开始听她讲，也是这么个劲头，我虽然也同情她，但并不震动；后来，她就从箱子里拿出一样东西，说是她妈妈的遗物，你猜那是什么？"

他睁眼望着我。我不知道他为什么要这样。我怎么猜得出来？为什么非要我来猜？

"告诉你，你记住——"说到这里，他两眼像放射出了电光，简直要穿透我的心肺，然后，他几乎是一字一顿地宣布说："那是一只破旧的、用布片缝的球，里头填的是棉絮和线头……"

我不由自主地从椅子上站了起来，心脏仿佛猛地被电流击中，腾腾腾地几乎要冲出我的胸膛……

"当时，我一把抢过那只布球来，红着眼嚷：'你妈是校长！'

"'是呀，我不是早就跟你说过吗？'

"'她是"漏网右派"？哈哈哈……'我狂笑起来。

"'是的。造反派说她反右的时候不坚决，有的人1957年就该划右，她拖呀拖到1958年才去划……'

"我就大声问她：'你知道她1958年划的右派里，就有我的父亲吗？'

"'你的父亲？！'她五官整个乱了，完全变了模样。

"'哈哈哈……我父亲经你妈的手划成了右派，卷起铺盖卷滚回了家，后来就上吊死了；八年过去，你妈又被说成是"漏网右派"，也上吊死了！哈哈哈……'我抱住头笑，一直笑到又抱住头哭。

"我把一切都告诉了她。她原来没问过我是从哪儿到新疆去的，怎么去的；我也没问过她的家乡在哪儿，家里有些什么人；我们都回避问这些问题。现在说开了，我们才明白，原来我们'不是冤家不聚头'。那天，我们紧紧地拥抱在一起，那只破布球夹在了我们胸脯之间，我们的眼泪打湿了那只球……我三十岁，她才二十一岁，我们加起来也不过刚过五十岁，可是我们仿佛一下子都变成了六七十岁的人，我们觉得悟出了许多的真谛，我们成熟得连我们自己都害怕……"

我重重地坐落到椅子上，用手支着额头，仿佛被人用重锤敲击了一下。

"你明白了吗？这就是我对你那问题的回答——中国为什么搞成了这个样子？就是因为吃了极左的亏！开头，是好人出于好心'左'，后来，林彪、江青那一小撮野心家、阴谋家就凭着比'左'还'左'得了势，不分青红皂白地一个劲反右、反右、反右，结果，跟着反右的人自己也成了右派，让人家活不下去的人自己也活不下去……中国要想前进，就要狠批极左！你们文学家还犹豫什么呢？怕什么呢？……"

我抬起头，望着佟岳那刚毅的面容，那充分体现着男性美的小胡子，那黑得像潭底青玉般的眼珠，那整齐、结实的两排白牙，那脖子上隆起的伤疤……我忽然觉得，他就好比是一座荒莽的大山，这大山上确实生着杂草、露着乱石，没有森林绿荫，没有溪泉瀑布，不入名胜之流，不堪耕种收拾……但是，这山下却埋藏着最珍贵的黄金！

我依依不舍地把他送走。我心甘情愿地送了他一册处女作，一张签有名字的照片。他不让我送出胡同口，他给我的临别赠言是："批极左要从讲真话开始。你要句句都讲真话。真话让我活得下去。真话能救中国。"

他走了，给我的床单上留下了污迹；他走了，在细雨中打着一把破旧的蓝色塑料伞，我临到最后才看出伞上用红漆写着的旅店名字，原来那是他租用的；他走了，他的背影绝不高大，但是厚实、淳朴；他走了，给我留下了一叠边缘打皱、沾有水渍的稿子；他走了，给我留下"我杀过人的……"这样的永远难忘的声音；他走了，他使我永远难忘那只用碎布缝成的、里面填着线头和棉絮的球；他走了，他的妻子和女朋友都在等着他，还有他的孩子；他走了，要走几千里，要走到对我来说犹如天涯般遥远的地方；他走了，我应当做些什么？在这块被十年浩劫弄得人与人之间缺乏真诚的信赖的土地上，我对他所给予的信任和托付，何以报答？……

7

夜雨哗哗。我坐在自己的斗室里，沉思着。一开始，我只为田欢那样的幸福青年过分的幸福而愤慨，为佟岳这样的不幸青年如此地不幸而抱不平；渐渐地，我的心平静而充实起来，我意识到，要改变田欢的个人品质也好，要开采出佟岳那深埋的黄金也好，关键还在改造他们所处的环境，而要使这环境在各方面都真正称得起是科学社会主义的，我们也许还得付出昂贵的代价……

当然，事情要一点一滴地做起，我有义务立即行动，用我当之有愧而毕竟已有的影响，靠我的努力活动，去为佟岳这样的青年开路，去为金矿寻求开采者！我想到了自己，如果不是有那么多热心可感的前辈和先行者为我奔走呼号，仅凭我自己的一点点才力，我就能达到今天这个地步吗？我不能守成，我要勇猛精进，我要为走在我后面的弟妹们搭桥作梯……

8

又是一个清晨。

又有人敲门。

我去开门。

1979 年 1 月

我爱每一片绿叶

每当春夏之际，我常常仔细观察那些躯干粗壮、枝叶扶疏的阔叶树。我发现，从同一棵树上，很难找出两片绝对相同的绿叶。

我常想，只要是绿叶，不管大的、小的，形状标准的、形状不规范的，包括被蛀出了瘢眼的，它们都在完成着光合作用，滋养着树。

望着树冠上的万千绿叶，一股柔情从我心头漾起。我爱每一片绿叶。

我要介绍你认识一个人。

打这说起吧——上学期期终，我们教研组评选优秀教师，一共 16 个人，按比例可以评出 5 名优秀教师；发言踊跃，不多一会儿，就提出来 9 个候选人。

我是教研组组长，评选会由我主持。评议热闹过去了，会场稍显雅静。我用圆珠笔点了点记下的提名，忽然感觉仿佛有点什么欠缺，于是抬头环顾了一下会场——啊，为什么没有人提魏锦星的名呢？

魏锦星这时正坐在角落里，他和我同岁，今年四十二了，长挑个儿，永远是个平头，皮肤称得上黝黑，眼窝明显塌陷，高颧骨，厚嘴唇，一眼能看出是个南方人。此刻他两肘支在桌上，双手十指交叉，可以清晰地听见他扳动指关节的声响。

我心里动了动。魏锦星任教二十年。数学教得呱呱叫，这两年他教的那两个班，期终考试始终名列全年级一二名，还在《中学数学教学资料》上发表了两篇教学经验，把他漏掉可不应该。

"还有没有补充的？"我直朝魏锦星坐的那个位置看，启发着大家。

组里年龄最大的吴老师，仿佛有点犹豫地开口说："我看锦星不错……"他举出了几条理由，提名魏锦星为优秀教师。

但是，他发完言，除我而外，却并没有什么人呼应。我想再发动一下，坐在我身旁的圆鼻头小余碰碰我胳膊肘说："抓紧点吧——大伙还都有一摊子事呢！"

我就宣布散会。魏锦星头一个走出教研组，他抱着一大摞作业本，低着头，神色很不自然。看见他这样，我心里挺不是味儿。

人走得差不多了。我问平时跟我无话不谈的小余："你们干吗都不提魏锦星呢？"

小余耸耸肩膀说："他？怪物！"

魏锦星的确怪。

记得我们是同一年分配到松竹街中学来的，当时学校总务处有规定，我们单身教师一律两个人一间宿舍，可是魏锦星一到学校便向领导提出要求："我要一个人住，房间可以比他们小一半。"

总务主任一听就火了："什么？要搞特殊化？没门儿！"倒是党支部书记周大姐有度量，她说："咱们不是有间八平方米的小屋吗？就让他住吧，只要他努力工作，把课教好就行啊。"

于是魏锦星住进了那间小屋。

当时，我们十多个从各地大学分来的毕业生都住校，晚上，为备课的事也罢，为闲聊一阵也罢，不免要串串宿舍。

有天晚上，我去敲他的门。他慢悠悠地在里面说："请进。"

我进去了。他桌上摊着书、本、数据，显然正在备课。说来也怪，他的屋子那么小，而我环顾之后，却有一种空旷的感觉。他屋里除了小床、书桌、书架和一个脸盆架外，只有一张直径不超过一尺的铁腿小圆凳，他就坐在那小圆凳上备课。其实，学校里多的是学生坐的靠背椅，他屋里却一把也不准备。

魏锦星见我进了屋，便站起来，客气地问我有什么事。我并没有什么特别的事，只不过想和他聊聊，找不到小椅子，便去坐他的床，他扽了我袖口一下，指指小圆凳说："这儿坐吧！"我不由得坐到了小圆凳上，这才仔细看了看他的床，啊，盖着雪白的罩单，不但一尘不染，而且平平整整，连一丝皱褶也找不出来。

奇怪的是，他自己也并不去坐床，而是在我面前以稍息姿态站着，双手背到身后，面上挂着客气的微笑，似乎在等待我提出什么问题，打算耐心地回答我。

我谈兴全无，便把备课中遇到的一个问题提了出来，他呢，俯身到书桌上，操起笔为我在纸上边画边讲。我得承认，他讲得很认真、很细心，对我确有启发，但是，讲完了这个，他便直起身来，又无话了。我当然只好告辞。

一个月以后，再没有人去敲他的门，因为大家都遭到了和我差不多的"礼遇"。小余揶揄地说，真该在他的小屋门口贴上副对子："游人止步"、"闲人免进"；横批："怪人居"！

魏锦星在教学上显然比我们教得更好一些，像吴老师那样的老教师听完他的课，经常当着我们的面频频赞扬；学生也反映他讲课清晰易懂，"没有一句废话"。他一样给学生补课，一样找学生谈话，只不过绝不把学生带回宿舍，他安排的地点不是教室就是教研组。到了夏天，有时干脆就在操场边、树荫下。

魏锦星那小小的宿舍渐渐显得神秘起来。不久就传出了一个秘闻，说他那书桌有三个抽屉，其中一个抽屉说空也空，说不空也不空，总之非常非常奇怪——那抽屉底上，搁着一张同底面积差不多相等的大照片，照片上是一个微笑的姑娘的大头！这秘闻发源于小余，小余自说是有一天晚上备课，因为实在得用一本习题集，而这习题集只有魏锦星才有，所以不得不去敲魏锦星的门。魏锦星爽快地把习题集借给小余以后，便提上暖瓶，准备去打开水，他侧身让小余出了门，待了一会儿，这才朝锅炉房而去；小余回到自家宿舍，还没坐下，就发现钢笔不见了，他想也许是落在了魏锦星桌上，便跑去找；魏锦星打开水还没有回来，小余在桌上没找见钢笔，便顺手拉开抽屉找了一遍……当然，钢笔最后是在小余自己的书桌下面找到的，不过，魏锦星抽屉底上的大照片的事儿，从此也便暗暗地传布开了。

"真想不到，魏锦星倒走到咱们头里去了！"小余这样议论过，甚至注意过邮递员搁到传达室的信件——有没有用娟秀的字体写出"魏锦星亲启"字样的来信？但是，小余的这种多余的好奇心，慢慢地也就无法维系下去了，因为，我们住单身宿舍的其他同伴们先后都结了婚，搬出校外成了家。小余也有了女朋友，而魏锦星却依然是一个人住在那间八平方米的小屋中。

岁月，随着一节课又一节课的铃声匆匆消逝，"魏锦星是一个怪人"的判断，随着每日粉笔灰的扬起与飘落，在我们的心目中巩固下来。不过，在工作上魏锦星同我们每一个人都处得很好，几乎没发生过什么值得一说的特殊情况。

然而，除了每日的教学工作，我们还有另一种生活，就是所谓政治生活。渐渐地，政治生活所占的比例越来越多、位置也越来越高。也不知道是从什么时候开始，我们的教学工作似乎并不能算是革命，我们如果要革命的话，必得用大量的时间和精力开政治性会议、听别人发言、自己发言、写大字报、看大字报、揭发别人、检查自己、搜索 5%、保住自己在 95% 中的位置……渐渐地，魏锦星的日子便突出地难过起来。

记得那是在 1964 年夏天。正是"京剧现代戏观摩演出大会"搞得热闹的时候，教师团支部搞起了整风活动。我和魏锦星那年都已经 28 岁，参加完整风也就该办退团手续了；过罗筛般的整风整到魏锦星头上时，小余——那时候他正担任团支部宣传委员，在时代气氛的熏陶下，充满了在一切一切方面推进革命化的狂热——放了头一炮，这一炮不但把魏锦星打得面色惨白，而且，也使全场为之一惊：

"魏锦星同志的精神状态与火热的革命时代格格不入，请他向同志们交代一下自己的阴暗心理！"

大家的目光都集中到魏锦星身上，记得那天他独自坐在会议室的一把破旧的沙发椅中，蜷缩着身子，沉默了足足两分钟，才笨拙地辩解说："我没有什么……不革命的心理啊；当然，我有缺点……可是，不阴暗……"

如今回忆起来，真是难以解释。小余的那一炮明明武断之极，可是却没有一个人站出来缓和气氛，就是我自己，也在几位同志发言附和小余之后，沉不住气地表态说："我们应当在一切方面实现革命化，堵塞一切通向修正主义的管道；希望魏锦星同志在八小时工作之外，不再保留个人的'自留地'！……"当时会场上一派严肃气氛，仿佛中国之是否能够防止变修，全系于魏锦星能否改变他的脾性。

这次整风很有成效，有的同志被整掉了说话喜欢艺术夸张，富于幽默感的习性（这种习性被上纲为"资产阶级自由主义"）；有些同志在"革命化"压力下戒掉了围棋，卖掉了吉他，收敛了哼唱《铡美案》的歌喉（被表扬为"交出了思想领域中的自留地"）；我也被整得生怕和"资产阶级温情主义"沾边，努力鞭策自己用"事事离不开阶级斗争"的眼光去看待一切……尽管我们不可避免地仍有着各自的某些非规范性的特点，但都自觉地将这种特点压缩、藏掖到最高限度。只有两个人变化不大，一个是小余，因为他的偏激和好斗似乎堪称规范，所以毋庸有所变化；另一个便是魏锦星，他背负着冷眼与误解，依然是那样勤恳地工作，依然是那样一种生活方式……

1966 年夏天到了。突然大家都掉进了令人头晕目眩的炽热旋涡，连小余也未能例外。一时间校园里处处贴着"小将"们用最极端化的措辞写成的大字报，不仅是贴在墙上、门上、讲台上、黑板上，甚至还贴在教师们的办公桌上、座椅上乃至于脊背上。

一开始，魏锦星当然绝非是横扫的重点，但是，也不知应当解释为偶然还是必然，他很快地被卷到了旋涡中心。事情是这样的：

那一天，在大操场上批斗党支部书记周大姐，戴高帽子、挂黑牌不算，还要当众剃什么"阴阳头"。我们全体教职工被集中在会场最前面，以备随时从中揪出"走资派复辟资本主义的社会基础"，押上台去陪斗，因此，个个忐忑不安，在烈日的炙烤下，热汗和冷汗浃背交流。小余低头坐在我身旁，连嘴唇都吓白了，显然，他比我们更加痛苦，因为万万没有想到，他也一样被扫到了"右"的行列。

事情来得很突然。正当几个"小将"要给周大姐剃"阴阳头"时，魏锦星不声不响地离开我们的教师席，低头朝会场外走去，于是，被身着绿军服、臂戴红袖章、手持宽皮带、绿军帽下耷出两把"刷子"的"女兵"喝住了：

"干什么去？"

"我恶心。"

"滚回去！革命不怕死，恶心也得参加斗争！"

"我恶心。"

"你早不恶心晚不恶心，这会儿恶心是什么意思？"

"我恶心。"

"要革命的滚回去！不革命的小心狗头！"

"我恶心。"

"你到底是什么阴暗心理？你说，周溪清是不是牛鬼蛇神走资派？"

"她算什么派我弄不懂。我就知道她是人，是个好人……"

"他妈的保皇派，反动透顶！""女兵"挥起皮带，铜头打到魏锦星脑壳上，发出一声惊动全操场的脆响。我们还来不及从新的惶悚中清醒过来，魏锦星已经被揪到了台上，满脸血污，让人扭住随周大姐一同剪了"阴阳头"成为陪斗的头一名……

当然，他的宿舍立即遭到了查抄，没有抄出其他任何罪证，只抄出来那张大照片，于是，那张大照片很快便被粘到了大字报上，予以"示众"。我在那时才第一次看见，照片上是个长得并不漂亮，但是青春焕发的、爽朗地笑着的姑娘。

根据一种"必然"的逻辑，魏锦星被"群众专政小组"挂上了"大流氓、坏分子"的牌子，关进了地下室。

两天以后，"群众专政小组"把魏锦星押出来劳改，给了他一把大笤帚，让他去打扫操场上的公共厕所。

那一天，我作为"走资派重用的红人"，也被派到操场劳改，任务是蹲在操场边上拔草。正当我几乎被暑气弄得晕过去的关口，忽然，传来一声撕裂人心的惨嗥——那声音是我平生从未听见过的，今后也绝不忍再听。我想，倘若把一个人的肉体扔进油锅，也未必会发出那种惨叫。只有当一个人的灵魂被掷进油锅时，才会有那般的狂啸……

我抬头朝发出声音的地方看去，啊，原来是魏锦星。他发现了粘在大字报上"示众"的大照片，像头狮子般地扑了过去——当然，他立即被身边的押解者扭住了，于是，两个人扭作一团，不用说，很快就有另外几个"群众专政小组"组员去支持战友，于是，两分钟以后，魏锦星便被踢打着又带回了地下室。

太阳静静地照耀着白晃晃的操场。我受了这个场面的刺激，眼前似乎旋转着一个灼目的万花筒，终于仰面晕倒在操场上……

众所周知，后来学校里又发生了许许多多难以想象而居然出现的事情。我只想告诉你，有一天，那是在包括我和魏锦星在内的大多数教师终于被进驻的工宣队解放以后，小余忽然很激动地跑来对我说："嘿，你说顽固不顽固——魏锦星的抽屉里，又有张大照片了，还是原来的模样——肯定是他用旧底片新放大的……"这回，小余没说他是怎么发现的，但是，我相信这是真的。

我本想对小余说："大照片就大照片吧，这是人家个人的事……"可是终于又咽了回去。小余那时候又渐渐顺利起来。他在红卫兵、工作组、"造反派"、工宣队几朝天下，不断地重复着这样的"三部曲"：先是带头"斗私批修"站过去，接着当一阵"路线斗争"的积极分子；随后又"受蒙蔽无罪反戈一击"；看来我们的政治生活很需要小余这样的"标准群众"，也难怪小余对魏锦星这号难以就范的格涩人物不予谅解……

终于到了这一天，"四人帮"垮台了。学校发生了很大的变化。原来实现四个现代化本身就是革命，我们每日的教学工作也就是革命活动，这个浅显的道理被肯定以后，我们渐渐地如梦方醒。大家都很高兴，小余可以不必重复再扮演那令他人和自己都腻烦的"三部曲"，魏锦星脸上也出现了难得的笑容。

在整顿教学秩序和提高教学质量的战斗中，魏锦星作为我们教研组的一员，表现得非常出色。

那是 1977 年春天，有个初三年级的团员，是个头发咋咋呼呼像个刺猬的男孩子。他社会工作很积极,学习成绩却不行,尤其是数学。他先是小考连续不及格,后来爽性作业也不交。小余是他的任课教师,把他找到教研组来谈话,问他为什么不交作业。

那同学自知理亏,只是反复强调:"我不会做啊!"

小余板着面孔下命令:"你坐在这儿给我补出来,补完了再干别的去!"

那同学摊开作业本,看了看题,叹口气说:"太难啦,这题我不会做啊!"

小余气得不行:"你这是什么态度?你做,哪儿不会你提出来,我给你讲!"

那同学眉毛结成两团疙瘩,吭哧吭哧硬是下不去笔。

我们好几个老师都走过去批评他。

这时,魏锦星不声不响地出现在他的身旁。只见他俯身拍拍那同学的肩膀,从胸兜中掏出一张写有练习题的卡片,送到那同学眼前,亲切地问:"那么,这样的题你总能做吧?"

那同学接过卡片,看了一下,脸更红了,头也不抬地说:"还是不会。讲这号题的时候,我就听不大懂了……"

小余气得直咬牙,魏锦星却又麻利地从胸兜中掏出另一张习题卡片,递过去问:"那么,这样的题呢?"

那同学接过去,啃了啃钢笔杆,点下头说:"倒能试试,可没准也做不出来。"

大家都还没反应过来,魏锦星竟又从胸兜中掏出第三张习题卡片递了过去,那同学接过一看,松了口气:"这号题我会做。我就是打这以后糊涂起来的!"

魏锦星拍拍他的肩膀说:"那就请从这几道题做起吧。"

同学开始做题了,魏锦星从胸兜里掏出剩下的几张卡片,一并送到小余眼前,解释似的说:"学生有时候说不清自己学习上拉下了多远,我准备了一叠写着深浅程度不同的习题卡片,能把他们拉下的距离测出来。借给你参考吧,请后天还给我。"

说完，不等小余道谢，竟又不声不响地消失了。

在这件事上，大家都很佩服魏锦星。但是，也许是物理学上的"惯性作用"作祟吧，背地里大家仍旧认为他是一个怪人。

1978年春天到了，迎春花谢去了满枝黄瓣，蹿出了碧绿的叶片。我多年不住校以后，又重新回到学校，住进了宿舍。因为我和爱人、儿子组成的小家庭离学校太远，而在这个春天里我又有着那么旺盛的工作热情，因此，我决心每周只回家两次，其余的晚上都在宿舍里悉心备课。我回校住了几天以后，才又注意到魏锦星的那间宿舍，依然是素净的白布窗帘，依然是"闲人免进"式的气氛。只是窗外的杨树粗了许多，晚风一过，叶片的摩擦声更响，使人想起流动的涧水，从而进一步联想到逝去的岁月，而生出万千的思绪。

我轻轻走到那株杨树前，伸手摩挲着树皮，仰头望去，星星从叶隙中闪烁出神秘的光芒。我想，这真是一件怪事，十多年来，宇宙中发生过多少巨变。就在我们生活过的这片大地上，曾经席卷过多么惊心动魄的政治飓风，然而这间8平方米的小屋里，却仍旧保持着可以想见的特有状况。

我忽然觉得，魏锦星多么值得怜悯。我们毕竟有了个小家庭，尽管房间很小，生活也艰辛，但有老婆儿子，得享天伦之乐，"麻雀虽小，五脏俱全"……

可是，当我在树下背着手踱了几步，我又突然想到，也许，从魏锦星的角度看我们，倒是我们更值得他去怜悯。他毕竟敢于在抽屉里保留一张那样的照片，在心灵深处维系一股个人的柔情。而我们，比如说我吧，这些年来连日记也不记了，同亲友通信，也按随时可能被用大字报公布的标准来写，因为我目睹了太多这样的事例。我已经习惯于按"安全"而"规范"的方式说话、办事、与人交往；说老实话，我是没有勇气在自己的生活中，保留类似抽屉底上的大照片这种东西的……

陡然，魏锦星屋里的灯熄了，银色的月光，泼泻到他屋外的院落里，使人如处纯净的冰壶之中；沐浴着这清朗的月光，我第一次产生了这样的想法：魏锦星并不怪啊，应当说，他是一个非常、非常正常的人……

万万没有想到，他那刻板而不为人理解的生活，有一天突然起了很大的变化。

这天我正坐在宿舍灯下批改学生作业，忽然有人敲门，我开门一看，竟是魏锦星。他进得屋来，搓着手，塌陷的眼窝里，眸子闪着奇异的光彩，满面为难之色，嗫嚅地说："老彭，你看，能不能……这几天你回家去睡，让我，我来你这儿暂住几天……"

可以当然是可以，但魏锦星竟然要打破他的生活常规，"下凡"到我这个凌乱不堪的宿舍里来借住，真让我难以想象，这是怎么回事呢？

"我……老家来了个亲戚，要住几天，所以……"

原来是这样，我立即让出了一切：屋子、床铺、被褥……我对他说："你尽管住吧，我反正有自己的家！"

当我离开学校时，路过他的宿舍，只见窗帘上映出了一个妇女的身影，屋里传出她和一个孩子说话的声音。这是魏锦星的什么亲戚呢？从来没听他提起过啊……

魏锦星的亲戚很快成了全校教职工注视的物件。是一位看上去四十上下的妇女，矮矮的，没有什么腰身，脸庞瘦瘦的，眼角鱼尾纹很明显，看上去很憔悴。她早出晚归，所以露面的时候不多。大家看见得最多的是她带来的那个男孩，看样子有五六岁的模样。她吆喝他"小三"，可见是她的第三个孩子。每天一到中午，大家就看见魏锦星到食堂给孩子打饭，每回总要买上两个肉菜；他把饭菜送回宿舍，亲手照料那孩子吃。那孩子很淘气，总要端着大碗，跑到屋外来吃，吃的时候很贪，腮帮子鼓起来半天平不下去，嘴角往下掉渣儿。

有一天傍晚，我正要回家，远远看见魏锦星拿着一条纸蛇，蹲在杨树下，噗噗噗地吹着，逗弄那孩子，孩子咯咯咯地摆动着小手笑着。这个镜头令我很是吃惊。我回想起来，1966年同受"群众专政小组"专政时，我曾和魏锦星一起被关在生物标本室里待了好多天。什么鸟呀兔呀一类的好看的标本，早被洗劫一空，剩下的只有人的骷髅骨架和几种蛇的标本。他并不厌恶骷髅骨架，却特别怕蛇，即使是泡在药水里的瓶装标本，他也总要远避三米以外，还屡屡指着蛇对我说："我恶心，我恶心……"可是，此刻面对他亲戚的这个孩子，他却不厌其烦地吹着纸蛇。那孩子显然顶顶喜欢这个形象逼真的玩具，一见纸蛇伸缩蠕动，便拍手笑着，两只眼睛眯成两条小缝。看见孩子笑，魏锦星便也笑，脸上笑纹抖动，嗓子眼里还乐出声来。说实在的，这种笑法，我和他同事近二十年，还是头一遭看见。

"真是怪物！"小余在我耳边这么评论。

"唔。"我竟不由自主地应和着。

有一天，放学以后我和小余同路骑车回家，他又向我开始了"小广播"："嘿，你知道魏锦星那亲戚是干什么来的吗？是来北京上访的！据说她丈夫直到现在还被关着。你知道这些天魏锦星备完课净干吗吗？帮那女的改上告信呢？……你仔细琢磨一下吧，这女的那脸庞，跟他抽屉底上的那张大照片，是不是有点像？……"

不知为什么，我突然生了很大的气，瞪了小余一眼说："你净琢磨这些个干什么？"

可是，回到家里，我的心却好久踏实不下来。是呀，那妇女的脸庞，猛瞧上去当然和那照片上的姑娘并不一样，但细细考究，的确有着某种消除不尽的同一神韵。难道……

十多天以后，一个星期六的下午，魏锦星在众目睽睽之下，送那母子去火车站。那妇女神色黯然，显然是上访暂未获得成果。小孩却很高兴，一手举着咬掉一半的糖葫芦，一手抱着辆一尺长的玩具汽车。魏锦星提着大包小包，神色泰然，如过无人之境，陪着他们走出了校门。

有人隔着办公室的玻璃窗窥视他们的身影，有人在檐前、树下互相努嘴、打手势，表达着对魏锦星的评价，但并没有几个人公开议论这件事。

这件事结束以后，一切似乎又复归旧态。魏锦星每日白天同我们一样辛勤地工作着，每日晚上回到宿舍，除了备课和批改作业，他还干些什么呢？不得而知……

再回到评选优秀教师的事儿上来。

我把头一回开会的情况汇报上去以后，党支部书记周大姐皱皱眉头说："怎么会只有一个人提魏锦星呢？"

我说："多半是大伙觉得他怪，不讨人喜欢。"

周大姐沉吟着说："还是要看工作做得怎么样嘛。"

于是开了第二次会。周大姐来参加。这回我带头发言，提名魏锦星为优秀教师。

没有人发表反对意见。但是在集中人选的过程中，只有吴老师和另外两位中年教师把魏锦星列为第五名，其余同志所提出的五个人中，都不包括魏锦星；当选的五个人当中，平心而论，起码有两位就教学成绩而言，实在明显地逊色于魏锦星，可是强扭的瓜不甜，看来只好如此。于是我打算结束整个评选工作，环顾了一下全室，例行公事似的问："同志们还有什么话要说吗？"

小余在我身旁小声催促着："成了成了，谁争这个名誉。"

可是，坐在角落里的魏锦星突然发话了："我说几句。"

大家都不禁有点吃惊，全不由自主地把脸转向了他。

魏锦星那黝黑的皮肤本来是难以令人觉察出泛红的，但此刻你可以看出，他的脸确实涨得通红。他眼里闪着一种执拗、渴求交织的光芒；停顿了一两秒钟，像下了多么大的决心似的，他终于用低沉的声音说："这回参加评选优秀教师，我很高兴。有的同志当年错划成了'右派'，有的同志背了好多年的历史包袱，现在都解脱出来了，工作有成绩，大家在评议里都给予充分肯定，这有多好。这样落实政策，我很拥护。可是，能不能给别的……别的东西……落实政策？……"

全场哑然，似乎都屏住了呼吸，等待他继续说下去。

但是，魏锦星突然顺下眼皮，摆了下手，不再说下去了；只见他的喉骨上下搐动着……

散会后，我随着周大姐往党支部办公室走，周大姐眉峰攒聚，双眼仿佛凝视着远处，低声地问我："你知道魏锦星要说的是什么吗？"

我突然感到，仿佛是银幕上的画面陡然从模糊变为了清晰，并且推成了一系列特写：大幅的姑娘头像、八平方米小屋的窗户、当年团支部的整风会上蜷缩在沙发上的魏锦星、"我恶心"和随之打来的铜头皮带、狮子般地扑向大字报和撕裂人心的惨叫、远道而来的女客和她的眯眼睛娃娃、由蜷曲到伸直的纸蛇、给母子送行的场面……我觉得一个意念已在心中形成，于是，我用肯定的语气回答周大姐："他是问，能不能给性格，特别是给比较特殊的个性，落实政策？我还要替他补充：一个人在努力为祖国的繁荣富强而工作的前提下，能不能保留一点个人的东西，比方说，能不能有一点个人的秘密？"

周大姐用力地点着下巴，深沉地说："是呀，多少年来我们的政治生活不够正常，'左倾'灰尘污染了多少人的眼睛，容不得魏锦星的性格和他的个人秘密，这只不过是小小一例罢了……看来，充分调动每个革命群众的社会主义积极性，真正形成既有统一的革命意志，又有个人心情舒畅的局面，该做的工作还多……"

　　说着我们已经走到了党支部办公室门前。这时，我看见檐下的冰挂正在阳光下融化，一滴一滴的水珠落到阶沿上，正发出有节奏的声响……

1979 年 6 月

附录一 刘心武文学活动大事记

1942 年

6 月 4 日生于四川省成都市育婴堂街。

后在重庆度过童年。

父母兄姊均热爱文学艺术，深受家庭熏陶。

1950 年

随父母迁居北京，从此定居北京。

在隆福寺小学上小学，在北京 21 中上初中。

1958 年

在北京 65 中上高中。

给若干报刊投稿，屡被退稿。

8 月，在《读书》杂志发表《谈〈第四十一〉》一文，是投稿第一次成功。

1959 年

在《北京晚报》"五色土"副刊陆续发表一些儿童诗、小小说。

为中央人民广播电台少儿部《小喇叭》（对学龄前儿童广播）编写若干节目；

其中快板剧《咕咚》经编辑加工、录制后大受欢迎；"文革"中录音带被销毁；

1991 年重新录制播出。

1961 年

毕业于北京师范专科学校，分配到北京 13 中任教。

至"文革"前,在《北京晚报》《中国青年报》《人民日报》《光明日报》《大公报》《北京日报》《体育报》《儿童时代》《大众电影》等报刊上发表了约 70 篇小小说、散文、杂文、评论等文章。

1966—1976 年

"文革"中,因 1964 年曾发表过一篇关于京剧的文章,以"反江青"罪名被冲击。

1974 年后再试写作,曾写一关于"教育革命"的长篇小说,由出版社联系获准脱产修改,但终未达到当时出版要求。

1976 年

写出一个大院里孩子们同坏蛋斗争的中篇小说《睁大你的眼睛》并得以出版(北京人民出版社)。

又按照当时政治要求写出一些短篇小说、散文,有的到次年才收入多人合集中出版。

调到北京人民出版社(后恢复"文革"前社名:北京出版社)文艺编辑室当编辑。

1977 年

11 月,在《人民文学》杂志发表短篇小说《班主任》,产生重大影响——被认为是"伤痕文学"的开山作,也是"新时期文学"的发端;从此成名。

从《班主任》后,写作冲破懵懂,沿着认定的方向跋涉,穿越风云,锲而不舍。

1978 年

参加《十月》杂志(开始以丛书名义出版)创刊工作,在创刊号上发表短篇小说《爱情的位置》,经转载和广播,影响巨大。

在《中国青年》杂志上发表短篇小说《醒来吧,弟弟》,反应亦极强烈。

《班主任》《爱情的位置》《醒来吧,弟弟》均被改编为广播剧,由中央人民广播电台多次广播,《醒来吧,弟弟》被搬上话剧舞台;此年发表的短篇小说《穿米黄色大衣的青年》亦由电台播出。

1979 年

在首届全国优秀短篇小说评奖中《班主任》获第一名。颁奖会上,从茅盾先生手中接过奖状。

参加中国作家协会第三次全国代表大会,被选为中国作家协会理事。

成为中华全国青年联合会常务委员,至 1993 年卸任。

9 月,参加中国作家代表团访问罗马尼亚,此系"文革"后第一个作家出访团。

在《人民文学》杂志发表短篇小说《我爱每一片绿叶》,写作技巧有长足进步。

1980 年

调至北京市文联当专业作家。

《我爱每一片绿叶》获 1979 年全国优秀短篇小说奖。

《看不见的朋友》获 1954—1979 年第二届全国少年儿童文学创作奖。

在《十月》杂志发表中篇小说《如意》,其弘扬人道主义的追求引起争议。

出版《刘心武短篇小说选》(北京出版社)。

1981 年

在《十月》杂志发表中篇小说《立体交叉桥》,引出更大争议,一些评论家认为"调子低沉"是步入了写作上的歧途,另有评论家则认为此作标志着刘心武的小说创作在反映现实、探索人性及艺术工力上均达到了新的水平。

5 月,应日本文艺春秋社邀请访问日本。

1982 年

应导演黄健中之请,改编《如意》;北京电影制片厂拍成彩色艺术片《如意》。

1983 年

11 月,参加中国电影代表团赴法国,在南特"三大洲电影节"上,《如意》在开幕式上放映,获好评;后陆续在法国、西德电视台播出。

1984 年

冬，应邀访问西德，参加"中德大学生会见活动"，并在波恩大学、波鸿大学与威尔兹堡大学介绍中国当代文学。

年底，参加中国作家协会第四次全国代表大会，再次当选为理事。

在《当代》文学双月刊第5、6期连载长篇小说《钟鼓楼》。

1985 年

出版长篇小说《钟鼓楼》(人民文学出版社)，并获第二届茅盾文学奖。

因《钟鼓楼》获北京市政府嘉奖。

7月，在《人民文学》杂志发表纪实小说《5·19长镜头》，反响强烈。

11月，又在《人民文学》杂志发表纪实小说《公共汽车咏叹调》，引起轰动。

1986 年

年初，应当代文艺出版社邀请访问香港。

6月，调中国作家协会人民文学杂志社，任常务副主编。

在《收获》杂志设《私人照相簿》专栏，进行图文交融的文本尝试。

散文集《垂柳集》出版，冰心为之作序。

1987 年

1月，被任命为《人民文学》杂志主编。

2月，《人民文学》杂志1、2期合刊发表马建写的小说《亮出你的舌苔或空空荡荡》违反民族政策，承担责任，停职检查。

9月，复职。

冬，应邀赴美国访问。参观美洲华侨日报；在哥伦比亚大学、三一学院、哈佛大学、麻省理工学院、康奈尔大学、芝加哥大学、旧金山大学、斯坦福大学、伯克利加州大学、洛杉矶加州大学、圣迭戈加州大学等处演讲，介绍中国当代文学，并参观耶鲁大学；参加爱荷华大学"作家写作中心"的纪念活动；游览华盛顿等地。

1988 年

3月,应香港《大公报》邀请,赴香港参加五十周年报庆活动;在《大公报》安排的大型报告会上作关于改革开放与文学创作的报告。

5月,应法国文化部邀请,参加中国作家代表团访问法国,除在巴黎活动外,还访问了西部港口城市圣·拉扎尔。

《私人照相簿》在香港出版(南粤出版社)。

《我可不怕十三岁》获1980—1985年全国优秀儿童文学奖。

以上数年中,若干小说、散文还分别获得过《当代》《十月》《小说月报》《小说选刊》《中篇小说选刊》《儿童文学》《北方文学》等杂志,《人民日报》《文汇报》等报纸副刊的奖;拍成电视剧播出的有《没工夫叹息》《熄灭》(电视剧名《火苗》)《今夏流行明黄色》《到远处去发信》《非重点》《公共汽车咏叹调》和八集连续剧《钟鼓楼》;若干作品被英国、美国、西德、苏联、日本、瑞士、瑞典、法国、意大利等国翻译为英、德、俄、日、法、意、瑞典等文字出版;自1987年起被世界上有威望的英国欧罗巴出版社《世界名人录》收入词条。

1989 年

春,应香港中文大学翻译中心邀请,与妻子吕晓歌赴香港访问。

1990 年

3月,以任届期满,免去《人民文学》杂志主编职务。

香港中文大学翻译中心编译的英文小说集《黑墙与其他故事》出版。

秋,以"鱼山"笔名在《钟山》杂志发表中篇小说《曹叔》。

1991 年

出版小说集《一窗灯火》。

除小说外,开始发表大量散文、随笔。

1992 年

长篇小说《风过耳》在内地（中国青年出版社）、香港（勤＋缘出版社）分别出版，反响颇为强烈。

长篇小说《四牌楼》完稿，交上海文艺出版社出版。

《献给命运的紫罗兰——刘心武谈生存智慧》由上海人民出版社出版，受到读者欢迎。

在《收获》杂志发表中篇小说《小墩子》，后由中国电视剧制作中心改编拍摄为电视连续剧。

至该年，在海内外出版的个人专著按不同版本计已达 43 种。

在《红楼梦学刊》1992 年第二辑上发表论文《秦可卿出身未必寒微》，在"红学"界和读者中均引起注意；另有若干《红楼梦》人物论和《红楼边角》专栏文章发表。

冬，应瑞典学院邀请（斯堪的纳维亚航空公司赞助）赴北欧访问；在挪威奥斯陆大学、瑞典斯德哥尔摩大学和隆德大学、丹麦哥本哈根大学和奥胡斯大学的东亚系汉学专业以《九十年代初的中国小说》为题作学术报告；12 月 7 日，参加诺贝尔文学奖有关活动，听 1992 年得主德里克·沃尔科特发表受奖演说。

1993 年

华艺出版社出版《刘心武文集》（1—8 卷）。

出版长篇小说《四牌楼》。

1994 年

1 月，应台湾《中国时报》邀请赴台参加"两岸三地文学研讨会"。

《四牌楼》获上海优秀长篇小说大奖，到沪领奖。

1995 年

出版随笔集《人生非梦总难醒》（上海人民出版社）。

出版小说集《仙人承露盘》（华艺出版社）。

1996 年

出版长篇小说《栖凤楼》(人民文学出版社)。至此,由《钟鼓楼》《四牌楼》《栖凤楼》构成的"三楼"长篇小说系列竣工。

应《南洋商报》邀请赴马来西亚访问并顺访新加坡。

1997 年

应日本文化交流基金会邀请,与妻子吕晓歌访问日本。其长篇小说《钟鼓楼》、儿童文学作品《我是你的朋友》、短篇小说《王府井万花筒》等此前已相继译为日文在日本出版。

1998 年

建筑评论集《我眼中的建筑与环境》由中国建筑工业出版社出版,在建筑界产生影响。

应美国科罗拉多大学邀请,赴美参加金庸作品国际研讨会,在会上提交关于《鹿鼎记》的论文《失父:一种生存困境》。

1999 年

出版纪实性长篇小说《树与林同在》(山东画报出版社)。

出版《红楼三钗之谜》(华艺出版社)。

赴新加坡出席国际环境文学研讨会。

2000 年

应邀访问法国,并应英中协会和伦敦大学邀请,从巴黎赴伦敦讲《红楼梦》。至此年底在海内外出版的个人专著(不含文集)按不同版本计达 101 种。

2001 年

出版包含建筑评论的随笔集《在忧郁中升华》(文汇出版社)。

在北京电视台录制播出《刘心武谈建筑》系列节目。

2002 年

出版小说集《京漂女》(中国文联出版社),自绘插图。

应澳大利亚雪梨华文写作协会邀请赴澳大利亚访问。

2003 年

以马来西亚《星洲日报》世界华人文学"花踪奖"评委身份赴吉隆坡参加相关活动。

台湾联经出版社出版小说集《人面鱼》。此前台湾已出版过刘心武多种作品,如皇冠出版社出版了《钟鼓楼》,幼狮文化事业公司出版了《四牌楼》《为他人默默许愿》(散文集)。

2004 年

赴法参加巴黎书展活动。书展上展出了译为法文的著作有小说《树与林同在》《护城河边的灰姑娘》《尘与汗》《人面鱼》《如意》与歌剧剧本《老舍之死》。

建筑评论集《材质之美》由中国建材工业出版社出版。

小说集《站冰》出版(人民文学出版社),自绘封面插图。

2005 年

出版集历年研红成果的《红楼望月》(书海出版社)。

应 CCTV-10(中央电视台科学教育频道)《百家讲坛》邀请,录制播出《刘心武揭秘〈红楼梦〉》系列节目 23 集,反响强烈,引出争议。

《刘心武揭秘〈红楼梦〉》第一、二部相继出版(东方出版社),畅销。

2006 年

应美国华美协会邀请,赴纽约在哥伦比亚大学讲《红楼梦》。

应邀参加香港书展。

出版《刘心武揭秘古本〈红楼梦〉》(人民出版社)。

2007 年

继续应邀到 CCTV-10《百家讲坛》录制节目,并出版《刘心武揭秘〈红楼梦〉》第三部、第四部（东方出版社）。

访问俄罗斯。

2008 年

出版随笔集《健康携梦人》(中国海关出版社)。

自 1986 年出版《垂柳集》,至此所出版的散文随笔集已逾 30 种。

2009 年

在《上海文学》杂志开《十二幅画》专栏,每期发表一篇写人物命运的大散文,并配发自己的画作。

4 月,妻子吕晓歌病逝,著长文《那边多美呀!》悼念。

2010 年

再应 CCTV-10《百家讲坛》邀请,录制播出《〈红楼梦〉的真故事》系列节目。至此在《百家讲坛》录制播出关于《红楼梦》的个人系列讲座累计达 61 集。

出版《〈红楼梦〉的真故事》(凤凰联动·江苏人民出版社),在争议声中畅销。

4 月,应台湾新地文学社邀请赴台参加"21 世纪世界华文文学高峰会议"。

出版《命中相遇——刘心武话里有画》(上海文艺出版社)。

加快《刘心武续〈红楼梦〉》的写作,次年完成推出。

至本年底,在海内外出版的个人专著,文集不算在内,重印亦不算,按不同版本计达 182 种（按不同书名计则为 141 种）。

年底,筹备编辑《刘心武文存》。

只包括在中国大陆、台湾、香港和海外出版的书（同一著作每种版本单列）；不包括散发于报刊尚未出书的篇目，亦不包括多人合集中的篇目。第一个数字表示不同版本的排序；［ ］中的数字表示剔除同一书名的版本后的排序；注意：文集 8 卷不参加排序。

1976 年

1.[1]《睁大你的眼睛》[儿童文学·中篇小说]

北京人民出版社 1976 年 1 月第一版

1978 年

2.[2]《母校留念》[儿童文学·小说集]

中国少年儿童出版社 1978 年 7 月第一版

1979 年

3.[3]《小猴吃瓜果》[低幼读物·画册]

少年儿童出版社 1979 年 4 月第一版

1980 年 6 月第二次印刷

4.[4]《班主任》[短篇小说集]

中国青年出版社 1979 年 6 月第一版

1980 年

5.[5]《我是你的朋友》[儿童文学·中篇小说]

北京出版社 1980 年 7 月第一版

6.[6]《绿叶与黄金》[中短篇小说集]

广东人民出版社 1980 年 8 月第一版

7.[7]《刘心武短篇小说集》

北京出版社 1980 年 9 月第一版

1981 年

8.《这里有黄金》[中短篇小说集]

广东人民出版社 1981 年 4 月第二次印刷

有平装、软精装两种

9.[8]《大眼猫》[中短篇小说集]

浙江人民出版社 1981 年 8 月第一版

1982 年

10.[9]《如意》[中篇小说集]

北京出版社 1982 年 5 月第一版

1983 年

11.[10]《中国现代作家选 (Ⅲ) 刘心武〈我爱每一片绿叶〉〈深谷小溪默默流〉》

[日本] 东方书店 1983 年第一版

12.[11]《同文学青年对话》

文化艺术出版社 1983 年 10 月第一版

1984 年

13.[12]《到远处去发信》[中短篇小说集]

四川人民出版社 1984 年 4 月第一版

有平装、软精装两种

14.[13]《如意》[电影文学剧本](与戴宗安联合署名)

中国电影出版社 1984 年 6 月第一版

1985 年

15.[14]《嘉陵江流进血管》[中篇小说集]

陕西人民出版社 1985 年 2 月第一版

16.[15]《日程紧迫》[中短篇小说集]

群众出版社 1985 年 5 月第一版

17.[16]《我可不怕十三岁》[儿童文学集]

新世纪出版社 1985 年 8 月第一版

18.[17]《钟鼓楼》[长篇小说]

人民文学出版社 1985 年 11 月第一版

有平装、软精装两种

1986 年 5 月第二次印刷

1986 年

19.[18]《公共汽车咏叹调》[纪实小说]

湖南文艺出版社 1986 年 1 月第一版

20.[19]《都会咏叹调》[小说集]

作家出版社 1986 年 3 月第一版

21.[20]《垂柳集》[散文集]

陕西人民出版社 1986 年 4 月第一版

22.[21]《立体交叉桥》[中短篇小说集]

人民文学出版社 1986 年 6 月第一版

有平装、软精装两种

23.[22]《巴黎郁金香》[访法散文集]

群众出版社 1986 年 11 月第一版

24.[23]《木变石戒指》[中短篇小说集]

青海人民出版社 1986 年 12 月第一版

1987 年

25. *Little Monkey Triesto Eat Fruit* [科学童话·英文]

海豚出版社 1987 年第一版

有平装、精装两种

26.[24]《斜坡文谈》[文学理论]

上海文艺出版社 1987 年 4 月第一版

27.[25]《王府井万花筒》[中篇小说集]

湖南文艺出版社 1987 年 9 月第一版

有平装、精装两种

28.[26]《5·19 长镜头》[小说自选集]

四川文艺出版社 1987 年 11 月第一版

29.げくけきの友たちだ [《我是你的朋友》日译本]

[日本] 福武书店 1987 年 12 月第一版

1989 年 3 月第二版

1991 年 2 月第三版

1988 年

30.[27]《她有一头披肩发》[中短篇小说集]

台湾林白出版社 1988 年 4 月第一版

31.《钟鼓楼》[长篇小说]

香港天地图书有限公司 1988 年第一版

1993 年第二版

32.[28]《私人照相簿》[纪实文学]

香港南粤出版社 1988 年 11 月第一版

33.[29]《刘心武代表作》

黄河文艺出版社 1988 年 12 月第一版

1989 年

34.《小猴吃瓜果》[科学童话]

开明出版社、海豚出版社 1989 年 3 月第一版

35.《钟鼓楼》[长篇小说]

台湾皇冠出版社 1989 年 4 月第一版

36.[30]《一片绿叶对你说》[文艺随笔集]

河北教育出版社 1989 年 12 月第一版

1990 年

37.[31]*BLACK WALLS AND OTHER STORIES*[小说集·英译本]

香港中文大学翻译中心出版社 1990 年第一版

38.[32]《王府井万花镜》[小说集·日译本]

[日本] 德间书店 1990 年 9 月第一版

1991 年

39.《母校留念》[小说]

[日本] 骏河台出版社 1991 年 4 月第一版

40.[33]《一窗灯火》[中短篇小说集]

华艺出版社 1991 年 10 月第一版

1993 年第二次印刷

1992 年

41.[34]《列奥纳多·达·芬奇》[传记]

江苏教育出版社 1992 年 5 月第一版

42.[35]《有家可归》[散文随笔集]

广东旅游出版社 1992 年 5 月第一版

43.[36]《风过耳》[长篇小说]

                  中国青年出版社 1992 年 6 月第一版

                  1992 年 12 月第二次印刷

                  1993 年 3 月第三次印刷

                  1995 年 8 月第五次印刷

                  1996 年 3 月第六次印刷

44.《风过耳》[长篇小说]

                  香港勤 + 缘出版社 1992 年 6 月第一版

45.[37]《献给命运的紫罗兰——刘心武谈生存智慧》

                  上海人民出版社 1992 年 6 月第一版

                  1992 年 11 月第二次印刷

                  1995 年第三次印刷

                  1996 年 12 月第五次印刷

46.《刘心武代表作》

             河南人民出版社 1992 年 6 月第二次印刷·精装本

47.[38]《蓝夜叉》[中篇小说集]

                  香港勤 + 缘出版社 1992 年 9 月第一版

1993 年

48.《北京下町物语》[长篇小说·《钟鼓楼》日译本]

                  [日本] 东京恒文社 1993 年 2 月第一版

                  1994 年第二版

49.[39]《为你自己高兴》[随笔集]

                  内蒙古人民出版社 1993 年 3 月第一版

50.[40]《杀星》[小说集]

                  香港勤 + 缘出版社 1993 年 6 月第一版

51.《我是你的朋友》[儿童文学·中篇小说·增订本]

　　　　　　　　　　　　　希望出版社 1993 年 6 月第一版

52.[41]《四牌楼》[长篇小说]

　　　　　　　　　　　　上海文艺出版社 1993 年 6 月第一版

　　　　　　　　　　　　　　　　1994 年 4 月第二次印刷

　　　　　　　　　　　　　　　　1996 年 11 月第三次印刷

53.[42]《我是怎样的一个瓶子》[随笔集]

　　　　　　　　　　　　　成都出版社 1993 年 9 月第一版

54.[43]《沉默交流》[随笔集]

　　　　　　　　　　　　中国华侨出版社 1993 年 11 月第一版

55.[44]《富心有术》[随笔集]

　　　　　　　　　　　　　群众出版社 1993 年 12 月第一版

　　　　　　　　　　　　　　　　1995 年第二次印刷

56.[45]《中国当代名人随笔·刘心武卷》

　　　　　　　　　　　　陕西人民出版社 1993 年 12 月第一版

☆《刘心武文集》[1—8 卷]

　　　　　　　　　　　　　华艺出版社 1993 年 12 月第一版

☆《刘心武文集·〈钟鼓楼〉〈风过耳〉》(简装本)

☆《刘心武文集·〈四牌楼〉〈无尽的长廊〉》(简装本)

　　　　　　　　　　　　　华艺出版社 1997 年 5 月第一版

1994 年

57.[46]《仰望苍天》[随笔集]

　　　　　　　　　　　　　知识出版社 1994 年 1 月第一版

　　　　　　　　　　　　　　　　1995 年第二次印刷

　　　　　　　　　　　东方出版中心 1996 年 7 月第三次印刷

58.[47]《男扮女妆与女扮男妆》[随笔集]

中原农民出版社 1994 年 2 月第一版

59.[48]《相对一笑》[小小说集]

中共中央党校出版社 1994 年 2 月第一版

60.[49]《秦可卿之死》[专著]

华艺出版社 1994 年 5 月第一版

61.《四牌楼》[长篇小说]

台湾幼狮文化事业公司 1994 年 8 月第一版

62.[50]《为他人默默许愿》[散文集]

台湾幼狮文化事业公司 1994 年 10 月第一版

63.[51]《中国小说名家新作丛书·刘心武卷》

海峡文艺出版社 1994 年 11 月第一版

64.[52]《红楼梦（缩写本）》

接力出版社 1994 年 12 月第一版

1995 年第二次印刷

1997 年 9 月第三次印刷

1995 年

65.[53]《人生非梦总难醒》[名人日记·随笔集]

上海人民出版社 1995 年 1 月第一版

1995 年 3 月第二次印刷

66.[54]《仙人承露盘》[中短篇小说集]

华艺出版社 1995 年 3 月第一版

67.[55]《女性与城市》[杂文集]

中国城市出版社 1995 年 6 月第一版

68.《我是你的朋友》[增订版·"小学生成才书架"系列之一]

希望出版社 1995 年 10 月第一版

69.《在胡同里转悠》[随笔集]

陕西人民出版社 1995 年 11 月第二次印刷

70.[56]《刘心武海外游记》

华文出版社 1995 年 12 月第一版

1996 年

71.[57]《刘心武小说精选》

太白文艺出版社 1996 年 2 月第一版

72.[58]《开发心大陆》[随笔集]

吉林人民出版社 1996 年 3 月第一版

1997 年 3 月第二次印刷

73.[59]《你哼的什么歌》[散文集]

湖南文艺出版社 1996 年 6 月第一版

74.[60]《刘心武张颐武对话录——"后世纪"的文化了望》

漓江出版社 1996 年 7 月第一版

75.[61]《边缘有光》[随笔集]

汉语大辞典出版社 1996 年 8 月第一版

76.[62]《刘心武怪诞小说自选集》

漓江出版社 1996 年 8 月第一版

有平装、精装两种

77.[63]《我是刘心武》

团结出版社 1996 年 9 月第一版

78.[64]《刘心武》[中国当代作家选集丛书]

人民文学出版社 1996 年 10 月第一版

79.[65]《刘心武杂文自选集》

百花文艺出版社 1996 年 11 月第一版

80.《秦可卿之死》[修订本]

华艺出版社 1996 年 11 月第二版

81.[66]《栖凤楼》[长篇小说]

人民文学出版社 1996 年 12 月第一版
1998 年 3 月第二次印刷

1997 年

82.[67]《封神演义（缩写本）》

接力出版社 1997 年 1 月第一版
1997 年 9 月第二次印刷

83.[68]《胡同串子》[中短篇小说集]

北京燕山出版社 1997 年 8 月第一版

84.《私人照相簿》

上海远东出版社 1997 年 9 月第一版
1998 年 2 月第二次印刷
2000 年换封面版权页称 2000 年 6 月第二次印刷

85.[69]《中国儿童文学名家作品精选丛书·刘心武作品精选》

河北少年儿童出版社 1997 年 8 月第一版

86.[70]《把嘴张圆》[随笔集]

上海远东出版社 1997 年 12 月第一版

1998 年

87.[71]《我眼中的建筑与环境》[建筑评论随笔集]

中国建筑工业出版 1998 年 5 月第一版
1999 年 5 月第二次印刷
2000 年 6 月第三次印刷
2001 年 6 月第四次印刷

88.《钟鼓楼》[茅盾文学奖获奖书系]

人民文学出版社 1998 年 3 月第一次印刷

1998 年 7 月第二次印刷

1998 年 8 月第三次印刷

1999 年 3 月第四次印刷

2000 年 1 月第五次印刷

2001 年 1 月第六次印刷

2001 年 8 月第七次印刷

2002 年 8 月第八次印刷

2003 年 1 月第九次印刷

1999 年

89.[72]《树与林同在》[非虚构长篇小说]

山东画报出版社 1999 年 3 月第一版

2006 年 7 月第二次印刷

90.[73]《八十六颗星星》(*The Eighty-Six Stars*)[儿童文学小说·汉英对照]

希望出版社 1999 年 6 月第一版

91.[74]《红楼三钗之谜》[刘心武红学探佚精品]

华艺出版社 1999 年 9 月第一版

92.[75]《蓝玫瑰》[中短篇小说集]

中国华侨出版社 1999 年 10 月第一版

93.[76]《过隧道的心情》[随笔集]

华东师范大学出版社 1999 年 12 月第一版

2000 年

94.[77]《一切都还来得及》[随笔集]

中国青年出版社 2000 年 1 月第一版

95.[78]《善的教育》[儿童文学]

　　　　　　　　　　　辽宁少年儿童出版社 2000 年 2 月第一版

96.[79] Le Talisman (version bilingue)[《如意》中、法文对照版]

　　　　　　　　　　　Librarie You Feng 2000 年 4 月第一版

97.[80]《作家刘心武〈班主任〉手迹》

　　　　　　　　　　　线装书局 2000 年 5 月第一版

98.[81]《楼前白玉兰》[小小说集]

　　　　　　　　　　　中国广播电视出版社 2000 年 7 月第一版

99.[82]《刘心武侃北京》

　　　　　　　　　　　上海文艺出版社 2000 年 10 月第一版

100.[83]《我爱吃苦瓜》[茅盾文学奖获奖作家散文精品]

　　　　　　　　　　　广州出版社 2000 年 10 月第一版

　　　　　　　　　　　2002 年 10 月第二次印刷

101.[84]《了解高行健》

　　　　　　　　　　　香港开益出版社 2000 年 12 月第一版

2001 年

102.[85]《亲近苍莽》

　　　　　　　　　　　中国旅游出版社 2001 年 1 月第一版

103.[86]《在忧郁中升华》

　　　　　　　　　　　文汇出版社 2001 年 2 月第一版

　《刘心武谈建筑——在忧郁中升华》2007 年 8 月第二次印刷

104.[87]《人在风中》

　　　　　　　　　　　作家出版社 2001 年 8 月第一版

105.《风过耳》

　　　　　　　　　　　时代文艺出版社 2001 年 10 月第一版

　　　　　　　　　　　有平装、精装两种

2002 年

106.[88]《京漂女》(自绘插图)

中国文联出版社 2002 年 1 月第一版

107.[89]《深夜月当花》

中国工人出版社 2002 年 1 月第一版

108.[90]《春梦随云散》

人民文学出版社 2002 年 4 月第一版

109.[91]《藤萝花饼》

台湾二鱼文化事业有限公司 2002 年 4 月第一版

110.[92]《刘心武自述》

大象出版社 2002 年 10 月第一版

2003 年

111.[93] L'arbre et la forêt [《树与林同在》法译本]

Bleu de Chine 2003 年 1 月第一版

112.[94]《人面鱼》

台湾联经出版事业股份有限公司 2003 年 2 月初版

113.[94] La Cendrillon Du Canal [《护城河边的灰姑娘》法译本]

Bleu de Chine 2003 年 4 月第一版

114.[95]《画梁春尽落香尘》["红学" 专著]

中国广播电视出版社 2003 年 6 月第一版

2003 年 9 月第二次印刷

2004 年 1 月第三次印刷

2005 年 6 月第四次印刷

115.[96]《眼角眉梢》

新华出版社 2003 年 8 月第一版

116.[97]《钟鼓楼》[初中生语文新课标必读]

人民日报出版社 2003 年 9 月第一版

117.[98]《天梯之声》

中国青年出版社 2003 年 10 月第一版

2004 年

118.[99] Poussiêre et sueur [《尘与汗》法译本]

Bleu de Chine 2004 年 1 月第一版

119.[100] La mort de Lao SHe [《老舍之死》歌剧剧本法译本]

Bleu de Chine 2004 年 3 月第一版

120.[101] Poisson à face humaine [《人面鱼》法译本]

Bleu de Chine 2004 年 3 月第一版

121.《如意》[电影伴读中国文学文库·附电影光盘]

中国青年出版社 2004 年 1 月第一版

122.[102]《泼妇鸡丁》

台湾二鱼文化事业有限公司 2004 年 4 月第一版

123.[103]《在柳树臂弯里——刘心武随笔》

光明日报出版社 2004 年 5 月第一版

124.[104]《材质之美——刘心武城市文化酷评》

中国建材工业出版社 2004 年 5 月第一版

125.[105]《站冰——刘心武小说新作集》(自绘插图)

人民文学出版社 2004 年 6 月第一版

126.《四牌楼》

上海文艺出版社 2004 年 8 月第二版

127.[106]《大家文丛:刘心武》

古吴轩出版社 2004 年 8 月第一版

2005 年

128.《钟鼓楼》(中国文库·文学类)

　　　　　　　　人民文学出版社 2005 年 1 月第一版第一次印刷(平装)

　　　　　　　　　　2005 年 1 月第一版第一次印刷(精装)

129.《钟鼓楼》(茅盾文学奖获奖作品全集之一)

　　　　　　　　人民文学出版社 1985 年 11 月第一版、2005 年 1 月第一次印刷

　　　　　　　　　　2005 年 5 月第二次印刷

　　　　　　　　　　2005 年 7 月第三次印刷

　　　　　　　　　　2006 年 3 月第四次印刷

　　　　　　　　　　2008 年 4 月第七次印刷

　　　　　　　　　　2009 年 8 月第八次印刷

　　　　　　　　　　2010 年 1 月第九次印刷

　　　　　　　　　　2011 年 7 月第 15 次印刷

　　　　　　　　　　2011 年 9 月第 16 次印刷

　　　　　　　　　　2011 年 11 月第 17 次印刷

130.[107]《心灵体操》

　　　　　　　　　　时代文艺出版社 2005 年 1 月第一版

131.[108]《刘心武作文示范》

　　　　　　　　　　少年儿童出版社 2005 年 1 月第一版

132.[109] La Démone bleue (《蓝夜叉》法译本)

　　　　　　　　　　Bleu de Chine 2005 年第一版

133.[110]《红楼望月》

　　　　　　　　　　书海出版社 2005 年 4 月第一版

　　　　　　　　　　2005 年 6 月第二次印刷

　　　　　　　　　　2005 年 7 月第三次印刷

　　　　　　　　　　2005 年 8 月第四次印刷

　　　　　　　　　　2005 年 9 月第五次印刷

　　　　　　　　　　2005 年 9 月第六次印刷

134.[111]《刘心武揭秘〈红楼梦〉》

> 东方出版社 2005 年 8 月第一版
>
> 至 2005 年 19 月共十三次印刷
>
> 2005 年 11 月第二版
>
> 至 2005 年 12 月已第十八次印刷
>
> 至 2007 年 7 月已第二十八次印刷
>
> 2007 年 12 月第三十次印刷
>
> 2008 年 4 月第三十二次印刷

135.《红楼解梦——画梁春尽落香尘》

> 中国广播电视出版社 2005 年 9 月第二版第五次印刷

136.《楼前白玉兰——刘心武最新小小说集》

> 中国广播电视出版社 2005 年 9 月第二版第二次印刷

137.[112]《刘心武揭秘〈红楼梦〉》[第二部]

> 东方出版社 2005 年 12 月第一版
>
> 至 2007 年 7 月已第十五次印刷
>
> 2007 年 12 月第十七次印刷
>
> 2008 年 4 月第十九次印刷

138.[113]《刘心武解读人世情》

> 时代文艺出版社 2005 年 12 月第一版

139.[114]《刘心武感悟平常心》

> 时代文艺出版社 2005 年 12 月第一版

2006 年

140.[115]《刘心武自选集》

> 云南人民出版社 2006 年 1 月第一版

141.[116]《刘心武点评〈红楼梦〉》

> 团结出版社 2006 年 1 月第一版

142，《刘心武精品集·第一卷·钟鼓楼》

> 东方出版社 2006 年 1 月第一版

143.《刘心武精品集·第二卷·四牌楼》

> 东方出版社 2006 年 1 月第一版

144.《刘心武精品集·第三卷·栖凤楼》

> 东方出版社 2006 年 1 月第一版

145.《刘心武精品集·第四卷·献给命运的紫罗兰》

> 东方出版社 2006 年 1 月第一版

146.[117]《戴敦邦绘刘心武评〈金瓶梅〉人物谱》

> 作家出版社 2006 年 4 月第一版

147.[118]《红楼拾珠》

> 云南人民出版社 2006 年 5 月第一版

148.[119]《藤萝花饼》

> 云南人民出版社 2006 年 5 月第一版

149.《刘心武揭秘〈红楼梦〉》[第一部]

> 台湾好读出版有限公司 2006 年 6 月初版

150.《刘心武揭秘〈红楼梦〉》[第二部]

> 台湾好读出版有限公司 2006 年 6 月初版

151.《我是刘心武》

> 天津人民出版社 2006 年 8 月第一版

152.[120]《刘心武揭秘古本〈红楼梦〉》

> 人民出版社 2006 年 12 月第一版
>
> 同月第二次印刷

2007 年

153.[121]《四棵树》

> 二十一世纪出版社 2007 年第一版

154.[122]《用心去游》

上海三联书店 2006 年 12 月第一版

2007 年 1 月第一次印刷

155.[123] Dés de poulet façon mégère [《泼妇鸡丁》法译本]

Bleu de Chine 2007 年 4 月第一版

156.《一切都还来得及》

中国青年出版社 2005 年 5 月第一版

157.[124]《刘心武揭秘〈红楼梦〉》[第三部·黛玉之谜及古本之秘]

东方出版社 2007 年 7 月第一版

至 2007 年 8 月已第四次印刷

2007 年 12 月第六次印刷

2008 年 3 月第七次印刷

158.[125]《刘心武说世道人心》

中国青年出版社 2007 年 7 月第一版

159.[126]《刘心武说寻美感悟》

中国青年出版社 2007 年 7 月第一版

160.[127]《刘心武说草根情怀》

中国青年出版社 2007 年 7 月第一版

161.[128]《长吻蜂》

上海人民出版社 2007 年 8 月第一版

162.《私人照相簿》

华龄出版社 2007 年 10 月第一版

163.《善的教育》

华龄出版社 2007 年 10 月第一版

164.[129]《刘心武揭秘〈红楼梦〉》[第四部·宝钗湘云之谜暨红楼心语]

东方出版社 2007 年 11 月第一版

2008 年 3 月第三次印刷

2008 年

165.[130]《健康携梦人》

中国海关出版社 2008 年 4 月第一版

166.[131]《刘心武小说》

吉林文史出版社 2008 年 5 月第一版

167.[132]《刘心武散文》

吉林文史出版社 2008 年 5 月第一版

2009 年

168.《钟鼓楼》(共和国作家文库)

作家出版社 2009 年 4 月第一版

169.《四牌楼》(共和国作家文库)

作家出版社 2009 年 4 月第一版

170.[133]《人在胡同第几槐》

中国文联出版社 2009 年 6 月第一版

171.《钟鼓楼》(新中国 60 年长篇小说典藏)

人民文学出版社 2009 年 7 月第一版

172.[134]《刘心武短篇小说》

现代教育出版社 2009 年 8 月第一版

173.[135]《刘心武中篇小说》

现代教育出版社 2009 年 8 月第一版

174.[136]《刘心武散文随笔》

现代教育出版社 2009 年 8 月第一版

175.《刘心武揭秘〈红楼梦〉》上卷 (共和国作家文库)

作家出版社 2009 年 8 月第一版

176.《刘心武揭秘〈红楼梦〉》下卷 (共和国作家文库)

作家出版社 2009 年 8 月第一版

2010 年

177.[137]《人情似纸》

江苏文艺出版社 2010 年 1 月第一版

178.[138]《红楼梦八十回后真故事》

江苏人民出版社 2010 年 3 月第一版

179.[139]《刘心武小说精选集》

[台湾] 新地文化艺术有限公司 2010 年 4 月第一版

180.《红楼望月》

江苏人民出版社 2010 年 6 月第一版

2010 年 9 月第二次印刷

181.[140]《命中相遇——刘心武话里有画》

上海文艺出版社 2010 年 7 月第一版

182.[141]《红楼眼神》

重庆出版社 2010 年 9 月第一版

2011 年

183.[142]《刘心武续红楼梦》

江苏人民出版社 2011 年 3 月第一版

江苏人民出版社 2011 年 4 月第 4 次印刷

184.[143]《红楼梦》(曹雪芹著刘心武续)

江苏人民出版社 2011 年 3 月第一版

185.《刘心武续红楼梦》[繁体字竖排本]

香港明报出版社有限公司 2011 年 3 月初版

186.《刘心武揭秘〈红楼梦〉》精华本（一）

江苏人民出版社 2011 年 4 月第一版

187.《刘心武揭秘〈红楼梦〉》精华本（二）

　　　　　　　　江苏人民出版社 2011 年 4 月第一版

188.《刘心武揭秘〈红楼梦〉》精华本（三）

　　　　　　　　江苏人民出版社 2011 年 4 月第一版

189.《刘心武揭秘〈红楼梦〉》精华本（四）

　　　　　　　　江苏人民出版社 2011 年 4 月第一版

190.《刘心武续红楼梦》[繁体字竖排本]

　　　　台湾城邦文化事业股份有限公司商周出版 2011 年 4 月第一版

191.《〈红楼梦〉的真故事》

　　　　　台湾人类智库数位科技股份有限公司 2011 年 6 月第一版

192.[144]《听刘心武说房子的事儿》

　　　　　　　　中国商业出版社 2011 年 8 月第一版

193.[145]《刘心武心灵随感》

　　　　　　　　时代文艺出版社 2011 年 11 月第一版

2012 年

194.[146]《刘心武种四棵树》

　　　　　　　　　漓江出版社 2012 年 1 月第一版

195.[147]《风雪夜归正逢时——我是刘心武》

　　　　　　　　　漓江出版社 2012 年 1 月第一版

196.《献给命运的紫罗兰》

　　　　　　　　　漓江出版社 2012 年 1 月第一版

197.[148]《人生有信》

　　　　　　　　江苏人民出版社 2012 年 3 月第一版

198.Poussiêre et sueur [《尘与汗》法译本 folio 袖珍版]

　　　　　　　　　Gallimard 2012 年 8 月出版

199.La Cendrillon du canal [《护城河边的灰姑娘》法译本 folio 袖珍版]

　　　　　　　　　Gallimard 2012 年 8 月出版